KB094184

saturday's master

1604

토요일의 주인님
saturday's master

섬온화 장편소설

1

차례

선 · 7

끈 · 387

선

지하철을 한 번 갈아탔다. 호텔이 있는 역에 도착한 것은 10시. 약속한 시간까지는 아직 한 시간이나 남아 있었다.

나는 역의 반대편 출입구로 나와 네온사인이 즐비한 거리를 걸었다. 상점과 카페의 간판 아래를 느린 걸음으로 지났다. 토요일 밤이라 그런지 여전히 문을 연 곳이 많았다. 클럽으로 보이는 지하 입구 앞은 길가를 막고 길게 줄을 선 대학생들로 떠들썩했다.

스쳐 지난 술집에서 노란 조명이 새어 나왔다. 유리로 된 문에 [난방 중, 문을 꼭 닫아 주세요!]라고 빨간 글씨로 쓴 종이가 커다랗게 붙어 있었다. 창가의 큰 테이블은 타원형이었고, 낮게 매달린 조명은 갓 모양이었다. 어둑한 불빛 아래 편안한 차림새의 사람들이 어깨가 맞닿을 정도로 가까이 모여 앉아 집게로 고기를 뒤집거나 술잔을 부딪치고 있었다. 나는 유리 너머로 소리 없이 움직이는 입을 멀찍이 구경하다가 발걸음을 돌렸다. 찬바람에 얼어붙은 손끝이 아렸다. 내뱉은 숨이 하얗게 허공에 맺혔다.

호텔 로비의 천장이 높았다. 엘리베이터는 고요했고, 푹신한 카펫이 깔린 복도는 발소리가 나지 않았다. 나는 방 번호를 세 번 확인하고, 한 발짝 물러났다. 차갑고 단단한 나무의 표면에 꽉 쥔 손마디를 가져다 댔다.

문틈으로 나타난 얼굴은 웃는 낯이었다.

"여기서 보니 또 반갑네."

그를 보는 순간 최면에서 풀려나듯이 팔다리가 사정없이 후들거리기 시작했다. 지금이라도 등 돌려 도망가고 싶었으나, 그는 여전히 미소 띤 얼굴로 팔을 뻗었다. 내 손목을 잡아, 악귀와도 같은 힘으로 방 안으로 끌어 들였다.

책상 위의 화분이 죽어 가고 있었다. 가을에는 모니터의 반 정도되는 높이였는데, 점점 키가 줄어들더니, 이제는 옆으로 비스듬히 기울어져 있었다. 통통한 잎사귀가 홀쭉하게 쪼그라들고, 뾰족한 끝마다 동상 걸린 것처럼 붉은 기가 맺혔다. 겨울이라 힘들었을까, 많이 건조했을까. 손을 뻗어 흙을 눌러 보니 축축했다. 자갈 위로는 하얀 잔뿌리가 자라나 있었다.

옆 책상에서는 아까부터 반쪽짜리 통화가 들려오고 있었다.

"응, 그러게. 일요일이어서. 그래. 구정 때는 가고, 이번에는 그냥……. 응, 알았어, 이따 전화해. 그래, 술 많이 안 마실게. 너도……. 내일 봐."

핸드폰에 대고 짧게 입맞춤하는 소리가 났다. 다분히 사적인 통화였을 것이다. 창밖은 어두워진 지 오래였고, 퇴근 시간은 넘어 있었다. 핸드폰을 책상 위에 달칵 내려놓는 소리, 가방 지퍼 잠그는 소리가 났다. 의자를 달그락 밀어 넣는 것이 시야 끄트머리로 보였다.

나는 어깨 위로 손이 떨어지기 전에 몸을 돌렸다. 뻗었던 손을 떨어뜨리고, 사수는 미간에 골이 팬 채로 말했다.

"이서단 씨."

"대리님."

나를 힐끗 지나친 눈이 내 등 뒤의 모니터 즈음을 방황하고 있었다. 나는 다물린 입을 기다리며 화분의 가장자리를 가만히 매만졌다. 열심히 돌봤다고 생각했다. 물을 더 줘야 했을까, 덜 줘야 했을까. 식물이 말이라도 할 수 있다면 수월했을 텐데. 하다못해 꼬리를 흔들거나, 고개라도 저을 수 있었으면.

그 사이 드디어 마음을 정했는지, 가방을 고쳐 멘 사수가 내 의자를 쳐다보며 입을 열었다.

"송년회, 일단 오는 게 어떻습니까?"

"……아니요."

"무시 이동노 부상님 입김인 거 알잖아요. 마지막이라도 좀만 참고 잘 보이지 그래요. 나도 한번 말씀드려 볼 테니까……."

말이 다 나오기도 전에 나는 고개를 짧게 저었다. 물끄러미 내려다보던 남자의 표정이 서서히 단단해졌다. 불편하고 어색했던 기색이 감춰지고, 맨질맨질한 무표정이 되었다. 해볼 만큼 했다고 판단한 모양이었다.

"그래요. 그럼 월요일에 봅시다."

"잘 들어가세요."

일어서서 고개 숙여 인사했다. 내가 연수를 마치고 부서 배치를 받고 나서부터 나를 담당했던 사수였다. 밥도 몇 번 같이 먹었고, 오며 가며 사소한 넋두리도 들었다. 제법 사적인 이야기도 포함되어 있었다. 가족, 고양이, 상사 뒷담화. 나는 그에게 늦둥이 남동생이 있는 것도 알고 있었고, 여자친구가 꽃을 유난히 좋아하는 것도 알고 있었다.

"이서단 씨도 주말 잘 보내고…… . 내년에 봅시다."

한 걸음 물러선 사수가 사무적으로 말하곤 등을 돌리며 바람 빠지듯 웃었다.

"네."

나는 발소리가 완전히 멀어지고 나서야 다시 의자에 주저앉았다. 복도를 따라 센서등이 켜지는 소리가 났다. 나사가 돌아가듯이 방금 들었던 말의 아귀가 느릿느릿 맞아 들어갔다. 오늘은 12월 30일 금요일, 오는 월요일은 1월 2일이었다.

컴퓨터 화면을 껐다. 챙겨 갈 것은 없었지만, 책상 위를 정리했다. 모니터 가장자리에 붙은 색색깔의 메모지를 떼고, 굴러다니는 펜 몇 자루를 수거했다. 막상 챙기자니 짐이랄 것도 없었다. 화분 하나,

책 몇 권, 머그컵 두 개. 눈이 큰 토끼 모양의 장식품. 그게 다였다. 거의 1년을 같은 자리에서 일했는데, 지금 보니 몇 분이면 정리가 끝날 것 같았다.

물병 뚜껑을 열어 화분 위로 남은 몇 모금의 물을 부었다. 가방을 챙겨 들고 의자를 밀어 넣었다. 걸쳐져 있던 겉옷을 빼서 입으려다, 스르륵 손에 힘이 풀렸다.

"……아."

가방을 바닥에 떨어뜨려 두고 사무실 한쪽 벽을 채운 커다란 창문 앞으로 천천히 다가갔다. 부슬부슬, 쌓이지 못할 눈이 조금씩 내리고 있었다. 건너편 회사 건물은 창문이 까맣게 물들어 있었다. 1층 카페 창문에 떼지 않은 크리스마스 장식이 알록달록했다.

등 뒤의 사무실은 난방 돌아가는 소리만 희미하게 울렸다. 내려다보이는 도로 위에는 빨갛게 꼬리등을 켠 차들이 신호등에 걸려 멈춰 서 있었다. 나는 차가운 유리에 펼친 손바닥을 가만히 붙였다. 긴 숨을 물었다가 천천히 놓았다.

이대로 뒤돌아서서 겉옷을 입고, 가방을 들고, 회사를 나서고. 늦은 밤까지 북적거릴 연말의 지하철을 타고 집에 가야 하는데. 도무지 발걸음이 떨어지지 않았다. 매일 반복하던 과정이 처음인 것마냥 아득하게 느껴졌다.

창에 김이 뿌옇게 고였다. 나는 자리로 돌아가서 다시 의자를 빼고 앉았다. 컴퓨터를 켜고, 로딩 화면에 마우스를 톡 눌렀다.

포털 사이트 메인에는 눈사람 위로 눈이 송송 내리고 있었다. 창을 꺼 버리고 폴더를 열었다. 쓰다 만 사직서를 불러왔다. 문장 중간에서 커서가 깜박이고 있었다.

화면을 최소화시켰다. 턱을 받치고 앉아 천천히 눈을 감았다.

그때였다. 핑! 신호음이 작게 울렸다. 나는 눈을 떠서 화면의 오른쪽 아랫부분에 올라온 작은 팝업창을 확인했다. 사내 인트라넷 공지사항 게시판에 새 글이 등록되었다는 알림이었다.

아직도 회사에 남아 있는 사람이 있구나. 뒤를 돌아봐도 층 전체가 어둡고 적막했다. 슬슬 송년회가 시작했을 시간이었다. 나는 턱을 괸 채로 희미해지기 시작한 팝업창을 클릭했다.

게시판이 새 창으로 열렸다. 멘토링 제도, 연말 휴무일…… 글 목록을 따라 훑어가던 나는 굵은 글씨로 가장 위에 올라와 있는 제목을 보고 멈췄다.

[잡 포스팅] 상반기 단기 ITF 모집 공고

조회수가 깔끔한 0이었다. 나와 아무런 관련 없는 이야기라는 것을 제목만 봐도 알 수 있었지만, 나는 홀린 듯 마우스를 움직였다. 밝은 화면에 얼굴을 가까이 붙였다.

읽어 내릴수록 나에게 해당 사항이 없는 이야기라는 확신이 들었다. 요구하는 커트라인도 높아 보이는 데다가, 통상적으로 프로젝트는 입사한 지 2년은 되어야 신청할 수 있었다. 3개월 기한으로 보아 진행이 빠를 것이고, 투입되어 전속력으로 1, 2인분을 해낼 수 있는 인재가 필요할 것이다. 어느 면으로 봐도 나는 아니었다.

그럼에도 불구하고 마지막까지 스크롤을 내린 나는 이마를 화면에 부딪힐 뻔했다.

[책임팀장(PM): 컨설팅2팀 한주원 팀장]

마우스가 멋대로 이름을 가려 버렸다. 나는 화면 구석에 마우스를 치워 놓고, 눈을 크게 떠 건조한 굴림체의 글씨를 몇 번 반복해 읽었다.

그리고 그때에서야, 하루 종일 텅텅 빈 것 같았던 배 속에서 불현듯 뜨거운 것이 치밀었다. 온몸의 피가 빠르게 도는 것처럼 어지러웠다. 귓가에 짧게 이명이 울리고, 이유도 없이 눈물이 날 것 같았다.

무뎌진 손끝으로 마우스를 쥐었다. 아직도 열려 있는 사직서 파일로 들어가, 백스페이스를 길게 꾹 눌렀다. 커서가 뱀처럼 빠르게 글자들을 먹어 치웠다. 깨끗하게 빈 페이지 위로 나는 게시판의 지원서 양식을 붙여 넣었다. 딸깍, 딸깍, 공란마다 거침없이 커서를 멈춰 세웠다.

기재된 메일 주소를 수신인란에 붙여 넣고 지원서를 첨부해 보내는 데는 30분이 채 걸리지 않았다. 나는 전송 버튼을 눌러 놓고 뒤로 조금 물러앉았다. 눈 안쪽이 타들어 갈 듯이 따끔거리고 건조했다.

메일 주소를 확인하기 위해 인트라넷에 들어갔을 때 봤던 공지글의 조회수는 여전히 1이었다.

나는 의자 위로 다리를 올려 웅크렸다. 무릎 위로 뺨을 묻고 눈을 감았다. 며칠째 제대로 들 수 없던 잠이 눈꺼풀을 무겁게 짓눌렀다. 창밖으로는 진눈깨비가 짙어지고 있었다.

1월 2일은 여느 때보다도 더 월요일 같았다. 로비에서부터 마주친 사람이 전부 연말의 기운을 씻어 내지 못한 거뭇한 죽상을 하고 있었다. 3층에서 내리면서, 등 뒤로 2층에서 탔던 여사원 둘의 대화 끝자락이 따라왔다. 문이 닫히기 전에 프로젝트, 신청, 같은 단어들이 선명하게 들렸다.

부서에 도착해서도 마찬가지였다. 사수는 파티션 반대편 자리에 앉는 강 주임과 이야기 중이었다. 내가 들어오자 파티션 너머로 잠시 눈이 마주쳤다. 나는 가볍게 묵례하고 자리에 앉으며 끊겼던 대화가 다시 이어지는 것을 들었다.

"선배 중에 했던 사람 있었어."

"아, 실제로도 그렇대요?"

"어, 그때 나랑 술 먹다 펑펑 울더라고."

"그래도…… 한 팀장님 TF 한 번쯤은 해 보고 싶은데."

나는 컴퓨터를 켜다가 눈을 들었다. 파티션이 웅웅 울렸다. 옆 부서의 소리와 섞여서 반쯤 묻히기도 했다. 허, 하고 사수가 웃는 소리가 났다.

"한 팀장이랑 일하면 좋을 것 같지? 장담하는데 너 후회한다. 그리고 신청 넣어도 안 뽑아, 너는."

"와, 매정하다."

"그 선배도 고속 승진한 엘리튼데, 일 느리다고 한 팀장한테 독설 바가지로 먹었대. 오죽하면 내 앞에서 울었겠어?"

"그래도 속는 셈치고 신청은 해 보고……."

"그거 다 내정자 있어. 야, 그리고 우리 팀 앞으로 인원……."

그리고 목소리가 확 낮아졌다. 보나 마나 내 이야기일 것이다. 더 듣고 싶은 마음이 사라져서 일어섰다. 탕비실에라도 다녀올 계획이었는데, 몇 걸음 가지 못해 멈춰야 했다. 복도로 가는 문에서 부장님이 들어오고 있었다.

피할 길도 없어서 나는 가까워질 때까지 제자리에 서 있기만 했다. 멀리서부터 나를 보고 찌푸린 부장님의 표정이 이제 가릴 것도 없다는 듯이 노골적이었다. 그 뒤를 따라오던 옆 부서의 대리도 표정을 굳힌 채 시선을 피했다.

옆으로 비켜선 나는 말없이 고개를 숙였다. 지나가는 다리가 보였다. 수다를 멈추고 제 자리로 후다닥 복귀하는 사수의 발소리도 들렸다.

"오셨어요, 부장님."

"부장님, 새해 복 많이 받으세요!"

"그래요. 올해도 열심히 합시다."

부장님이 사수의 어깨를 툭 쳐 주고 내 쪽으로 고개를 틀었다.

"이서단 씨는 일 시작하기 전에 나 좀 봅시다."

나는 컴퓨터 화면을 암전시켰다. 기다려 주지 않고 회의실로 통하는 복도로 들어서는 부장님의 등을 힐끗 보고, 잠시 망설였다. 사직서를 내밀 것이면 지금이 기회였다. 그때 사수가 내 주의를 끌기 위해 스읏, 소리를 냈다. 쳐다보니 목소리를 낮춰 타일렀다.

"들어가서 제발 입 좀 조심해요."

"······네."

"나 봐서라도, 지난번처럼 따박따박 대들지 말고······. 이서단 씨 시간 들여 가르쳐 놓은 게 있는데, 아예 잘못되는 건 보고 싶지 않아서 그래요."

나쁜 사람은 아니었을 것이다. 나 때문에 덩달아 부장님께 눈엣가시 취급받고 싶지 않은 마음이야 뻔하게 눈에 보였지만, 한 움큼의 걱정도 없는 눈빛은 아니었다. 뭐라고 할 말이 없어서 나는 가만히 숨을 내뱉었다.

"죄송합니다."

"나한테 죄송해하진 말고."

그때 파티션 위로 강 주임이 비죽 머리를 내밀었다. 손을 까딱여 내 시선을 끌고, 작게 말했다.

"이서단 씨."

"네."

"······미안해요."

난처하고 애매한 표정을 물끄러미 내려다봤다. 무엇에 대한 사과인지 묻는다면, 그건 지금 와서는 심술일 것이다.

"아니에요. 그동안 감사했습니다."

부서를 두고 나오는데 등 뒤가 조용했다. 내리깐 눈꺼풀 밑의 모든 눈동자가 나를 뒤쫓는 것을 느낄 수 있었다.

첫 번째 소회의실 문이 열려 있었다. 나는 문턱에서 멈춰 섰다. 문을 두어 번 가볍게 두드렸다. 등 돌리고 서 있는 부장님은 나를 돌아보지 않았다.

문을 조용히 닫았다. 중앙 테이블 옆으로 서서 기다렸다. 휙 고개를 돌린 부장님의 표정은, 나보다도 이 대화를 빨리 끝내고 싶은 기색이 역력했다.

"영업 가."

다짜고짜 말하고, 내가 입을 벌리기도 전에 가로막았다.

"그쪽 부장이랑 얘기해 놨으니까. 그게 싫으면 대구 내려가. 그것도 많이 봐준 거다."

"부장님."

"내일까지 결정해."

말을 하려는 내게 고개를 짧게 저어 보이고, 부장님은 회의실을 나섰다. 달라붙는 개를 털어 버리는 듯한 몸짓이었다. 열린 문을 멍하니 바라보던 나는 테이블 위에 걸터앉았다. 어차피 할 말이 없기는 했지만, 이래서야 입 조심하라는 충고를 들은 것도 허탈했다. 준비해 온 말이라도 있었으면 억울했을 것이다.

자리로 돌아오자, 팀원들은 각자의 화면에 열중해 있었다. 불행을 가까이하지 않으려는 사람들의 필사적인 무시였다. 아직 8시도 되지 않았는데, 자리에 앉는 몸이 축 처졌다. 집에 가고 싶은 마음이 간절했다. 일어나 걸어 나가도 아무도 붙잡지 않을 것 같았다. 길어봤자 일주일이면 책상을 빼야 할 내가 지금 할 일이 남아 있기는 할까.

웃음이 목에서 더 올라가지 못하고 막혔다. 마우스를 아무렇게나 둥글게 휘저어 화면 아랫부분의 메일함을 불러왔다. 쌓인 이메일이라도 처리하고, 여차하면 월차를 내고 집에 갈 생각이었다.

주말 동안 들어온 메일 목록이 길었다. 스크롤을 죽 내리며 머릿속으로 분류하다가, 마우스가 뚝 멎었다.

제목: TF 지원자 대상 개별 면담

발신인: 한주원 jw.han24@raewon.kr

심장이 높은 곳에서 떨어졌다. 집에 가서 돌이켜 보니 스스로도 우스웠었는데, 지원서를 받아 본 사람 입장에서는 얼마나 어이가 없었을까.

마우스에서 손을 떼고 물러나 앉았다가, 괜히 다른 메일을 서너 개 읽었다. 되풀이해 읽어도 내용이 머릿속에 잘 들어오지 않았다. 메일 프로그램을 최소화시켰다가 다시 불러왔다. 스크롤을 내려 보니 메일은 없어지지 않고 여전히 선명한 볼드체로 표시되어 있었다.

심호흡을 하고 제목을 꾹 눌렀다. 긴장한 보람도 없이 메일은 짤막했다. 짤막하다 못해 무성의했다.

면담 일시: 1월 2일 오후 3:10
면담 장소: 4층 소3회의실
확인 시 답장 바랍니다.

1월 2일이면 오늘이었다. 너무 힘을 주었는지 손톱이 파고든 손바닥이 아팠다.

확인했습니다. 오후에 뵙겠습니다.

짧은 답장을 쓰는 데만 10분이 걸렸다. 새로고침을 1분 정도 반복하자 수신확인란에 '읽음' 표시가 떴지만, 답장은 없었다.

(((※)))

한주원이라는 이름은 연수원에서 처음 들었다. 당시 교육 담당관들 사이에서 유행하던 말이 있었는데, 누가 유난히 까다롭게 굴면 "저거 한 팀장 다 되어 가네." 그러거나, 유독 성질을 부리면 "한 팀장님이 여기도 강림하셨네."라고 비꼬는 것이었다.

바로 직전에 한 팀장이라는 한 인물과 관련된 사건으로 사내가 온통 떠들썩했다는 것 정도만 주워들은 우리는 간간이 들려오는 그 얼굴 없는 이름을 악마, 독재자, 지랄 정도의 말과 동의어로 자연스럽게 받아들였다. 인사이드 조크가 다 그렇듯이 일주일도 채 가지 않았다.

본사에 들어갔을 때는 한 팀장의 존재를 까맣게 잊고 있었다. 나는 희망했던 부서와는 전혀 다른 곳에 소속되어 적응하는 데 바빴고, 뿔뿔이 흩어진 동기들도 마찬가지였다. 그러다가 회식 자리에서, 혹은 동기 모임에서, 가끔씩 잊을 만하면 그 이름이 튀어나왔다. 관련된 에피소드는 죄다 비슷했다. 깐깐하게 굴어서 거래처 사원을 울렸다더라, 임원이랑 복도에서 한 판 떴다더라.

그 이름이 회자될 때의 반응은 두려움이 섞인 동경과 두려움을 감춘 경멸로 판이하게 갈렸다. 나는 어쩌다 보니 전자 쪽이었다. 이야기를 듣다 보면, 연수원에서 들었던 이름이 실제로 존재하는 사람인 것이 그저 신기했다. 만화 캐릭터처럼 일관성 있는 이미지도 흥미로웠다. 시기가 시기인지라 더욱 그랬을 것이다. 회사에 몇 달째 적응하지 못한 나는 내가 다니고 있는 회사와 한주원 팀장이 다니는 회사가 전혀 다른 곳 같다는 생각을 했다. 아마도 그쪽은 겹겹이 쌓인 테두리가 없는 곳, 활을 쏘면 화살이 깨끗하게 허공을 가르고 날아가는 곳. 갑갑한 벽도 천장도 없는 광활한 공간.

그때쯤 매일 밤 꾸던 꿈이 있었다. 수면제에 의존해 기절하듯이 잠들고 나면, 가 본 적도 없는 곳의 풍경이 눈꺼풀 뒤를 푸르고 축축하게 물들였다. 실재하는지도 알 수 없는 하늘이었다.

〰〰〰

점심 나절부터 부장님이 자리에 없었다. 그래도 아무 말도 하지 않고 자리를 비울 수는 없을 것 같아, 망설이다가 3시를 몇 분 남겨 두고 사수를 잠시 복도로 불러냈다. TF 잡포스팅을 신청해 한 팀장과의 개별 면담을 가야 한다고 말하자 사수는 어이없다는 표정으로 나를 쳐다보았다.

"진심으로 하는 말이에요?"

"죄송합니다."

"될 거라고 생각하고 신청한 건 아니죠?"

나는 입을 다물었다. 벽에 손을 짚은 사수가 길게 한숨을 뱉었다.

"이서단 씨 지금 상황에 부장님 귀에 그게 들어가면 어쩔 생각인데."

"……그건 상관없습니다."

"왜, 사표 내게? 미치겠네, 진짜. 그걸 이서단 씨가 왜 지원해."

"일단 다녀오겠습니다."

3시가 점점 가까워지고 있었다. 하루 종일 머릿속으로 중얼거리며 면접 준비하듯 말을 길게 나열해 둔 나는 시간이 갈수록 초조해졌다. 짜증스럽게 머리를 헤집는 사수의 얼굴은 제대로 보이지도 않았다.

"부장님 들어오시려면 멀었으니까, 마음대로 해요."

"감사합니다."

"무슨 생각인지 모르겠는데, 이서단 씨 아직 우리 팀 소속이에요. 신청할 거면 나한테라도 미리 얘기를 했어야지. 이게 혼자만 쪽팔리고 끝나는 일인 줄 알아요?"

"죄송합니다."

길어지려는 말을 사과로 덮고, 나는 가까운 계단으로 달려갔다. 올라가면서 핸드폰 시계를 확인했다. 3시 5분. 4층 복도 문을 열자 막 엘리베이터에서 내린 인파가 엄청났다. 나는 순간 이 많은 인원이 한 팀장과의 면담을 위해 대기 중이라는 말도 안 되는 상상을 했다.

층의 구조가 대체로 같아서 다행이었다. 헤매지 않고 한 번에 소회의실이 있는 복도를 찾아 냈다. 3회의실의 닫혀 있는 문을 확인하고, 벽에 털썩 등을 기댔다. 3시 7분. 아슬아슬했다. 가슴이 방망이질 치고 있었다.

숨을 고르고, 자세를 바로 하고 섰다. 언제 어디서 한 팀장님이 나타날지 모르는 일이었다. 달리 챙길 게 없어 출력해 온 신청서의 끝단을 잡고 신경을 바짝 곤두세웠다. 발소리가 가까워질 때마다 심장 박동이 가파른 상승곡선을 그렸다. 준비한 말이 하나도 생각나지 않았다.

어차피 다 소용없는 말이었을 것이다. 생살 같은 진심을 대변할 수 있는 격식 차린 언어는 아무리 찾아도 없었다. 머릿속에 든 것과 모양이 비슷한 단어들을 세심하게 골라 기워 놓아도, 한 걸음 물러서서 보면 빛이 바래 진부해졌다. 두드려 보면 울림이 텅 비어 있었다. 최선, 열정, 노력 같은 말들. 힘을 주어 조심히 내려놓은 단어들 전부가 마찬가지였다.

덜컹—

등 뒤의 문이 갑자기 열렸다. 나는 놀라서 뻣뻣하게 굳었다. 문을 열고 나온 여자는 서 있는 나를 힐끗 보더니 별말 없이 지나갔다.

열린 문틈에서 불빛이 새어 나왔다. 인기척이 들렸다. 보지 않아도 안에 사람이 있는 것을 알 수 있었다.

가파르게 뛰는 가슴을 채 진정시키지도 못하고 나는 심호흡했다. 머리가 하얗게 비어서, 축축해진 손끝을 바지에 문질러 닦고 일단 문을 밀쳐 열었다.

회의실 책상 뒤로 앉아 있는 그림 같은 남자가 힐끗 시선을 들어 올렸다. 문턱에 선 나를 무표정으로 훑어 내리고, 간단하게 말했다.

"와서 앉으세요."

적당한 인사를 찾아 헤매던 나는 입을 다물었다. 문을 닫고, 그가 턱짓으로 가리킨 의자에 다가가 앉았다.

마주 보는 자리는 아니었다. 책상의 둥근 모서리 양쪽에 90도 각을 그리며 의자가 놓여 있었다. 그래서 앉은 채로 시선을 들었을 때 그를 쳐다보지 않아도 되었다. 나는 방금 전까지 누가 앉아 있었을 의자에 엉덩이를 붙이고, 책상 위에 놓여 있는 두꺼운 서류철과 그 위에 걸쳐진 손을 응시했다.

잘생긴 손이었다. 남자답게 마디는 굵직굵직하고, 손가락은 길고 유려했다. 가지런히 놓인 손톱의 하얀 반달도 완벽했다. 내가 손등의 미세하게 불거진 혈관을 따라 시선을 옮기고 있을 때, 숙인 머리 위로 매끄러운 목소리가 들려왔다.

"신청서 잘 읽어 봤습니다."

"……감사합니다."

"고개 좀 들죠. 사람 정수리 보면서 얘기하는 취미는 없어서."

잘 벼려진 모서리가 느껴질 만큼 명료한 발음의 낮은 목소리였다. 나는 턱을 곧바로 들어 올렸고, 나를 표정 없이 지켜보고 있는 새까만 눈을 마주했다. 이렇게 가까이에서 그를 본 것은 처음이었다. 마른 혀가 자꾸만 입천장에 달라붙었다.

"신청서 내용을 보니 프로젝트에 대해선 잘 알고 있는 것 같던데."

"……네, 예전부터 흥미가 있어서……."

"작년 프로젝트는 이서단 씨 입사했을 즈음이었던 걸로 알고 있는데, 진행된 내용은 나중에 따로 찾아봤나 봅니다."

"네."

그러고 보면 연수원에서 그의 이름으로 연신 시끄러웠던 이유도 그때쯤 프로젝트가 진행되고 있었기 때문일 것이다. 그리고 그로부터 1년간, 그의 말대로 나는 내가 열람할 수 있는 자료는 틈틈이 찾아 읽었었다.

한 팀장은 별 반응도 없이 간단하게 고개를 끄덕였다. 나는 들었던 시선을 점점 아래로 떨어뜨렸다.

"그래요. 올해도 작년과 기본적인 틀은 흡사합니다. 다룰 자료가 많아서, 분석 능력이 뛰어나고 창의적인 팀원을 모으려고 생각 중입니다."

"……네."

"소수 정예를 지향하는 시스템이라, 한 명이 1인분 이상은 해야 합니다. 업무 로드는 일반 업무의 1.5배 정도라고 보면 됩니다."

"네."

무덤덤한 어투로 건네는 말에 나는 점점 머리가 차게 식었다. 두 번 생각할 것도 없이 내가 안 되는 이유를 정중하게 돌려 말하는 것처럼 들렸다. 완곡한 거절을 개별로 통보하다니, 의외의 친절이었다. 날카로운 턱 즈음을 쳐다보며, 어쩌면 한 팀장이 소문만큼의 독설가는 아닐지도 모른다고 생각했다. 그때, 손가락으로 펜대를 느리게 굴리던 그가 펜을 툭 내려놓았다. 나른한 목소리로 말했다.

"그래서, 사표와 대구 지사를 양쪽에 놓고 고민 중입니까?"

"네?"

반사적으로 눈을 들었다. 그는 달라진 것 없는 표정으로 태연하게 말을 이었다.

"영업은 안 될 테고, 그 성격에. 본사 남고 싶어도 그쪽은 추천하지 않습니다. 실적 못 채울 게 뻔하니."

"이떻게……."

책상 밑에 밀어 넣은 손끝이 발작하듯이 떨렸다. 내 표정을 보고 눈앞의 남자가 희미하게 웃었다.

"모르는 게 더 이상하지 않습니까. 요즘 회사에서 이서단 씨 이름 모르는 사람이 더 드물 것 같은데."

"……그 일 때문에 프로젝트 팀에 지원한 건 아닙니다."

"압니다."

그가 차분하게 말을 받았다.

"하지만 팀원을 뽑아야 하는 내 입장에서는 이서단 씨가 지금껏 회사 생활을 어떻게 해 왔고, 팀에 있어서 어떤 팀원이었고, 얼마만큼의 능력을 지녔는지."

그가 하나하나 손가락을 꼽았다. 건조하고 분명한 발음으로 내 숨통을 조였다.

"작금의 사태가 잘 말해 주고 있지 않습니까."

눈이 마주쳤다. 나는 깨닫기도 전에 입 벌려 물었다.

"제 입장은 안 들어 주시는 겁니까?"

그리고 곧바로 후회했다. 터무니없는 매달림이었다. 반듯한 눈썹이 재미있다는 듯이 느릿하게 들렸다. 그 아래의 눈매가 서늘했다.

"들어 볼 것 없습니다. 어떻게 된 상황인지 소문만 들어도 빤하니까."

"팀장님."

"이서단 씨 때문에 요즘 회사가 왜 시끄러운지, 팀에서 왜 배척받고 있는지, 전혀 이해가 안 갑니까?"

내가 입을 다물고 있자, 그가 미미하게 미간을 찌푸렸다. 모양 좋은 입술이 가늘어졌다.

"모르겠다는 표정인데."

"……모르는 건 아닙니다."

"그렇다면 내가 이서단 씨 직속 상사는 아니지만, 면접관으로서 묻겠습니다. 부당하다고 여길 시간에 공동체의 구성원으로서의 자신을 돌이켜 보긴 했습니까?"

"……."

"불의를 보고 못 참을 거면 인권 변호사라도 됐어야지, 왜 대기업에 입사했습니까? 이서단 씨 본인 입장에선 정의 구현일지 몰라도, 회사 입장에서는 한 개인의 자기만족에 불과합니다. 그 차이를 쉽게 납득하지 못하는 이서단 씨 같은 성격을 두고 사회생활에 영 안 맞는다고 하는 거고."

분명한 발음의 신랄한 언어. 평소에 내게 악의가 있었나 싶을 정도로 거침이 없었다. 말을 내뱉는 단정한 입술은 거스러미 하나 없이 매끄러웠다. 머릿속에서 무언가가 무너져 내렸다. 어지러웠다. 나는 떨리는 눈을 감았다 떴다. 자세를 바로 하고 고개를 똑바로 들었다.

"제 성격 말씀하시는데, 팀장님 저 십 분 보셨습니다."

멈칫한 남자가 이를 하얗게 드러내고 웃었다.

"얼굴을 본 지는 십 분이지만."

그가 옆에 있던 서류철을 집어 앞장을 펼치고, 내가 있는 쪽으로 친절히 밀어 주었다.

"사람 아는 방법도 여러 가지입니다."

"이게……."

내려다본 서류는 낯익었다. 위에 복사된 사진이 붙어 있었고, 아래는 장문의 글이 자리하고 있었다. 입사 전에 제출했던 자기소개서였다.

나는 감각이 무뎌진 손끝으로 페이지를 넘겼다. 이력서, 졸업 증명서. 처음으로 제출했던 보고서, 제안서, 회의록, PT 샘플. 전부 다 있었다. 두꺼운 서류더미가 다 내가 뱉어 낸 말들이었다.

펜을 내려놓은 그가 등을 깊숙이 기대어 앉았다. 비스듬한 시선이 내 얼굴에 머물렀다.

"회사 원칙상 프로젝트 지원은 삼 년 차부터입니다. 알고는 있습니까?"

"……네."

"이서단 씨는 원칙이 우스워요?"

부드러운 목소리. 표정 관리가 안 될 것 같아 나는 고개를 숙였다. 그는 이번에는 굳이 얼굴을 들라고 말하지 않았다. 느리게 몸을 일으키는 매끄러운 움직임이 시야 끄트머리에서 깜박거렸다.

"내가 유독 싫어하는 게 있는데."

나를 등지고 책상에 걸터앉은 채로 그가 말했다. 아까의 웃음기를 싹 걷어 낸 고저 없는 목소리였다.

"두드리면 열릴 것이다, 라는 식의 주먹구구식 논리를 젊음이나 도전 정신 같은 단어로 포장하는 겁니다."

"……팀장님."

"원칙은 열정 앞에선 해당 사항 없는 것처럼 보였습니까? 분명히 말해서, 그건 사고방식이 유연한 게 아니라, 그냥 본인 주제를 모르는 겁니다."

"……."

시선이 떨어진 곳에 내 사진이 있었다. 1년 전에 며칠을 밤새워 쓰고 고쳤던 자기소개서가 있었다. 이상, 최선, 노력. 피를 토하는 마음으로 썼지만, 결국은 감정의 겉껍데기 같은 말들. 물 빠진 물풍선 같은 단어들이 종이에 축 늘어져 달라붙어 있었다.

"지금 입사한 지 일 년 된 이서단 씨가 내세울 수 있는 게 뭐가 있습니까? 본인의 야망? 가능성?"

"……."

"내가 보기엔 지금 이서단 씨의 태도는 절실함이 아니라 조바심 같습니다. 신청서를 내서, 회사 생활 접기 전에 시도라도 해 봤다는 식으로 스스로를 위로하고 싶은 것 같은데, 그런 이서단 씨의 자위 행위에 내 TF팀이 이용당하는 것이 썩 기분 좋진 않습니다."

말끝마다 칼로 잘린 듯이 반듯하게 떨어졌다. 네모난 말들이 뭉툭한 가시처럼 내 가슴을 빽빽하게 뚫고 빠져나갔다. 그 자리에 허한 공백만이 남았다.

입을 다문 내 앞에서 그가 폴더를 걷어 갔다. 면담의 끝을 알리듯이 가지런한 손으로 덮어서 자신의 앞에 내려놓고, 가벼운 목소리로 물었다.

"그래서 이제 어떻게 할 겁니까. 사표 쓸 생각입니까?"

"그게, 한 팀장님과······."

목소리가 잠겨 나왔다. 나는 목에서 억지로 끌어 올리듯이 말을 뱉어 냈다.

"팀장님과 무슨 상관입니까?"

머리가 터질 듯이 사납게 욱신거렸다. 부족한 잠이 눈꺼풀 안쪽에 곰팡이처럼 하얗게 멍울져 있었다. "글쎄."라고 그가 느리게 답했다.

"확실히 상관없는 일이긴 합니다."

날카로운 시선이 내 얼굴에 길게 머물렀다. 얼떨결에 눈을 든 순간, 나는 그가 내 반응을 지켜보고 있음을 깨달았다.

"······."

애초에 그는 뽑을 생각도 없으면서 왜 면접실까지 불렀을까. 나를 말로 몰아붙이는 내내 저런 눈으로 주의 깊게 보고 있던 것일까. 내가 내뱉을 수 있는 대답, 보일 수 있는 반응 중에 그가 정해 둔 정답이 있는 것처럼.

하지만 눈을 깜박이자, 그의 눈에서는 더 이상 아무것도 읽히지 않았다. 나는 어지러운 머리를 숙이며 대답했다.

"그럼 저는 이만 가 보겠습니다. 바쁘신 와중에 시간 내주셔서 감사합니다."

지금쯤 다음 면담자가 문밖에 서서 기다리고 있을지도 모른다. 내가 왜 아직도 여기 앉아 있는 건지 알 수 없어서, 의자를 뒤로 밀고 빠르게 일어섰다.

"해 주신 말씀은 새겨듣겠습니다."

목소리가 멀쩡하게 나와 다행이었다. 그를 다시 쳐다보지 않고 뒤돌았다. 시선이 등 뒤로 집요하게 따라붙는 것이 느껴졌다. 그래서 순간, 문 앞에 다다랐을 즈음 걸음이 느려졌다. 그가 나를 불러 세워서 무슨 말이라도 더 할 것이라고 생각했다.

착각이었다. 복도로 나와 문을 닫을 때까지도 등 뒤에서는 아무런 소리도 들리지 않았다. 나는 닫힌 문에 가만히 등을 기대고 섰다. 회의실 밖 복도에는 아무도 없었다.

이미 하루가 길다고 생각했는데, 더 길어질 것 같았다. 내가 자리로 돌아가자마자 사수가 기다리고 있었다는 듯이 다가왔다. 얘기좀 하자는 턱짓에 나는 잠자코 뒤따랐다.

탕비실에는 사람이 없었다. 문을 닫고 기대어 선 사수가 다짜고짜 물었다.

"면담은."

뻔한 이야기를 왜 묻는지 모를 일이었다. 나는 소파 위에 일단 주저앉았다. 그 짧은 새를 못 기다리고 쫓아온 사수는 반대편 소파에 걸터앉으며 독촉했다.

"한 팀장이 뭐라고 해요?"

"……주제도 모른다고 혼났습니다."

이제야 웃음이 났다. 폐에 꽉꽉 눌러 담긴 것이 발작적으로 터져 나가듯이. 뚱하게 내 얼굴을 보던 사수가 등받이에 털썩 편하게 기대어 앉았다.

"그럼 그렇지."

"……네."

"뭐 다른 내용은 없고?"

"그냥, 저로선 역부족이라고."

하루 종일 머릿속으로 예상 질문과 답안을 빽빽하게 줄 세워 두었는데, 어차피 발언권이 주어진들 할 수 있는 말은 없었다. 무슨 말을 하든 소용이 있었을까. 그가 만든 것이 그런 자리였다. 귓가의 홈에 그의 건조한 목소리가 고여 있었다.

"이서단 씨가 내세울 수 있는 게 뭐가 있습니까? 본인의 야망? 가능성?"

"이상한 양반이네, 뭘 그 얘기 하려고 굳이 면담까지 잡아서……. 뭐, 어쨌든. 이 얘기는 그만합시다. 이서단 씨도 뭐가 문젠지 충분히 알았을 테니까."

"네, 죄송합니다."

"그래서, 오전에 부장님은? 아, 나 커피 한 잔만 타 줘요. 오늘 왜 이렇게 피곤하냐."

"네."

일어서서 탕비실 찬장에서 믹스 커피를 꺼냈다. 종이컵에 내용물을 털어 넣고, 뜨거운 물을 담았다. 휘휘 젓고 있는데, 하품을 마친 사수가 등 뒤에서 물었다.

"어디로 가게 됐어요?"

커피를 건네고 자리에 앉으며 대답했다.

"아직 모르겠습니다. 영업 부서나 대구 중에 정해서, 내일까지 말씀드리기로 했습니다."

굳이 표정을 보지 않아도 알 수 있었다. 낮게 침음한 사수가 커피를 한 모금 마시더니 타이르듯이 말했다.

"그러게 내가 기분 맞추랬잖아요."

"……네."

"영업은 안 맞는다고 지난번에 그랬었죠?"

"네."

"그래도 가서 배우다 보면 늘겠지. 워낙 피 터지는 데라 살아남는 게 어렵겠지만. 대구는…… 한번 내려가면 다신 못 올라올 거라고 생각해야 되고, 올라오더라도 부장님 여기 계신 한은……."

그쯤에서 말을 흐린다. 나는 굳이 대답할 필요성을 느끼지 못해 잠자코 있었다. 본인 일도 아닌데 얼굴을 있는 대로 굳힌 사수가 남은 커피를 단번에 마시고, 종이컵을 와그작 구겼다.

"도움 못 돼서 미안해요."

"아닙니다. 저야말로 죄송했습니다."

"혹시나 해서 하는 말인데, 사표 쓸 거면…… 이쪽 업계 좁고, 소문 금방 도는 건 조심해야 할 거예요. 무조건 그렇다는 건 아닌데, 새로 시작할 생각이면 각오하는 게 좋다고……."

그러니까 평생 이번 일의 꼬리표를 붙이고 다녀야 한다는 말이었다. 가는 곳마다 내 이름과 전적을 아는 사람들이 있을 거라는 말이었다. 내가 대답을 않자, 종이컵 테두리를 손톱으로 꾹꾹 눌러 구기던 사수가 기침했다. 콜록. 탕비실 안이 습했다. 텁텁하고 다디단 인스턴트 커피 향이 났다.

"그리고……."

한참 뜸을 들이더니 말한다. 말 사이의 여백이 길게 늘어졌다.

"들었는지 모르겠는데. 이달 중순부터 송 주임 복귀하기로 했어요."

번쩍 고개를 들었다. 눈이 마주쳤다.

"어디로……?"

"어디라니, 우리 부서로. 이번에, 이서단 씨 빠지면 가뜩이나……. 인원 충원하기보다, 부장님이 송 주임보고 다시 오라고……."

"……."

"그 이후로 둘이 얘기 안 했어요?"

말문이 막힌 나를 보고, 사수가 혀를 쯧 찼다.

"그러게 내가 뭐라고 했어요. 별일 아니라고 했잖아요. 항상 있는 일이라고 했어, 안 했어? 당사자는 도움 필요 없는데 왜 거기서 설쳐서는. 이서단 씨 일 잘하는데, 본인 일 아닌 걸로 아깝게……."

"아니에요. 송 주임님 그때, 저한테 도와달라고 하셨어요."

그러고는 울었다. 너무나도 서럽게 울었다. 그렇게 숨도 쉬지 못하고 우는 사람은 처음이었다. 잘 알지도 못하는 나를 붙들고, 접점이라고는 옆자리에 앉아서 일한 것뿐인 내 팔에 매달려, 얼굴이 흥건하게 젖을 정도로, 아이처럼, 미아처럼.

그때의 술집은 시끄러웠고 사람이 많았다. 옆 테이블에 있던 사수는, 내 어깨에 매달린 그녀를 떼어 내 데려갔다. 물수건을 건네주고, 다정하게 어깨를 토닥여 달랬다. 그리고 내게 돌아와 귓가에 입을 대고 말했다. 일을 크게 키우지 말자고.

표정을 찌푸린 사수가 종이컵을 쓰레기통에 확 집어던졌다.

"그때의 도와달란 말이 진짜로 도와달란 말이 아니잖아."

"다른 의미로 하는 도와달란 말이 어딨습니까."

"있지, 당연히. 술 먹고 감정 과잉되면 다들 아무 말이나 하잖아요. 나 진짜 답답해서⋯⋯. 이서단 씨야 처음이지만, 나는 그 말 송 주임한테 예전에도 들었어요. 그리고 그때도 결국 나중엔 멀쩡하게⋯⋯."

사수의 목소리가 점점 커졌다. 그는 무언가의 대변인이 되어 말을 길게 길게 늘였다.

"왜 나를 그런 눈으로 봐. 내가 이상한 사람처럼 보여요? 그래서 우리 둘 중에 누가 맞았어, 결국엔? 이서단 씨는 나서서 쓸데없이 설치다 자빠지게 생겼고, 당사자인 송 주임은 괜찮다잖아, 복귀한다잖아!"

말하다가 자리를 박차고 일어난다. 얼굴이 시뻘겋게 변해 있었다. 그 와중에도 곁눈질로 급히 문을 확인한다. 누가 들어올 것처럼. 사수는 숨을 삭히더니, 나를 내려다보면서 억눌린 목소리로 끊어 말했다.

"이서단 씨는 몰랐나 본데, 회사 다니다 보면 그런 일 비일비재해요."

"……"

"속된 말로, 그 실장이 일 크게 치기라도 했겠어요? 부인 있는 사람이? 이건 분명히 말해서 이서단 씨가 과민 반응한 겁니다. 처음 겪는 일이니 그럴 만도 한데, 좋게 좋게 넘어가는 요령도 다 회사 생활이에요."

가만히 듣고만 있었다. 의미가 제대로 와 닿지도 않았다. 다만 머릿속에서 뭔가 끊기는 기분이 들었을 뿐이다.

"그런 게 회사면, 저는 회사 안 다니겠습니다."

사수는 나를 쳐다보더니 허, 입을 벌리고 웃었다. 정중한 표정을 걷어치운 노골적인 경멸의 얼굴이었다.

"그럼 관두든가."

"그럴 생각입니다."

"맘대로 해요. 나야말로 이서단 씨 가르치느라 일 년 낭비했네. 송 주임도 계속 다닌다는데 이서단 씨 혼자 떳떳하고 잘나서 좋겠어요. 소신이 밥 먹여 줘요? 집에 돈 좀 있나 봐요?"

상기된 목소리에서 비아냥거림이 뚝뚝 묻어났다. 나는 모든 기력을 소진한 것처럼 아무 말도 할 수 없었다. 사수는 숨을 몰아쉬었다.

머리를 신경질적으로 쓸어 넘기고, 성큼성큼 탕비실 문 쪽으로 걸어갔다.

"내가 진짜 꼰대 같아서 이런 말 안 하는데."

손잡이를 돌리면서, 억누른 목소리를 등 뒤로 씹어 뱉는다.

"이서단 씨 그거 나이브한 거예요. 생각 고쳐먹는 게 좋을 겁니다. 도태되고 싶지 않으면."

성큼성큼 발소리가 멀어졌다. 활짝 열린 문으로 회사 사무실의 희미한 소음이 새어들었다.

눈에 보이는 전환점은 있다.

고등학교 때 일이었다. 아웃팅을 당하고 2주도 되지 않아서였다. 야자를 마치고 교문을 나서다가 어렴풋이 얼굴만 아는 3학년 다섯에게 붙들렸다. 뺨을 툭툭 때리는 손을 붙잡아 꺾고 밀쳐 냈다. 그대로 끌려가 으슥한 골목길에서 폭행당했고, 팔이 하나 부러진 후에는 윤간당했다.

장마철이었다. 그 골목길은 지형이 낮아 물이 고이던 곳이었다. 강간을 당하는 내내 등은 질척하고 더러운 물웅덩이에 잠겨 있었다. 철빅철박거리는 물소리가 났다. 개울가에서 아이들이 노는 것처럼. 삽입한 것은 아마 세 명 정도였을 것이다. 나는 내내 눈을 감고 있었기 때문에 진술할 때도 자세히 기억해 내지 못했다.

문서 파일을 열어 사직서 서식을 붙여 넣었다. 머릿속이 끓어 넘칠 것처럼 뜨거웠고, 그래서 오히려 침착할 수 있었다. 스스로에게 고민할 시간을 주고 싶지 않았다. 그래서 형식적인 사직서에 몇 마디를 덧붙여 출력했다. 얇은 종이 한 장이었다. 두 번 접어 봉투에 넣고, 책상 위에 놓았다. 부장님이 돌아오시면 바로 건네기 위해서였다.

양 옆자리가 다 비어 있었다. 오른쪽은 물건이 너저분하게 늘어져 있는 사수의 자리. 왼쪽은 저번 주 내내 비어 있던 송 주임의 자리였다. 파티션 건너편의 강 주임을 빼고는 부서에 아무도 없었다. 옆 부서의 이야기 소리가 선명하게 넘어올 정도로 조용했다. "TF 그거 경쟁률이 그렇게 높다던데. 기한 좀 남았으니까 고민해 보고……." 같은 말이 들렸다. 그렇게 간절했었는데, 이제는 흘려들을 만큼 아무 생각도 나지 않았다.

"저기, 이서단 씨."

강 주임이 파티션 너머로 고개를 내밀며 미안한 표정으로 말을 걸었다.

"복사 좀 해 줄 수 있어요?"

"네, 주세요."

곧바로 대답하자 표정이 편하게 풀린다. 이것저것 건네주는 것을 보니 아까부터 묻고 싶었는데 망설인 모양이었다. 나는 종이를 받아들고 복사실까지 걸어갔다. 기계적으로 복사기에 종이를 채워 넣었다.

자리에 돌아와 복사한 서류를 건넸다. 강 주임이 고마워요, 하면서 스치듯이 나를 보고, 다시 시선을 아래로 떨궜다.

"부장님 언제 오시는지 아세요?"

"글쎄요, 아침에 외부 회의 있다고……. 퇴근 시간 전에는 돌아오실걸요?"

"감사합니다."

오늘 해결을 봐야 했다. 저울질하기 이전에, 후회하기 이전에.

한 팀장의 말이 맞았다. 조바심이 가느다란 발톱으로 내 목을 쥐어 흔들고 있었다. 절실하다고 여겼던 것은 다 무엇이었을까. 단지 받아들이고 싶지 않은 것들 앞에 서서 아이처럼 떼를 썼을 뿐이다. 인정할 수 없어 다른 걸 내놓으라고 발버둥 쳤을 뿐이다.

길을 잘못 들었을까. 여기가 아니었을까.

책상 위로 엎드렸다. 사직서의 매끈한 종이 위로 뺨을 대고 눈을 감았다. 수면제 없이도 기절하듯이 잠이 쏟아졌다. 거대한 파도처럼 나를 휩쓸어 데려갔다.

꿈을 꾸었다. 혼탁하고 검붉은 것들이 눈꺼풀 아래로 넘실거렸다. 오래전에 잊었다고 생각했던 일들, 잊었으면 했던 것들.

난방이 돌아가는 사무실이 오늘따라 사무치게 추웠다. 드러난 목과, 그 아래의 어깨까지 한기가 싸늘하게 스며들었다. 있는 대로 옴

츠려도 몸에서 온기가 빠져나갔다. 이대로 몸이 차게 식어 버릴 것처럼.

눈을 떴을 때는 어두웠다. 옆 부서의 불까지 전부 꺼져 있었다. 베고 자서 쥐가 난 팔이 멋대로 마우스를 툭 건드렸다. 화면이 삐걱 밝아졌다. 9시 30분. 사수의 옆 책상이 그새 정리되어 있었다. 부장님의 자리도 비어 있었다.

뻑뻑한 눈을 눌러 비비면서 일어나 앉았다. 잠들기 전의 혼탁한 침전물이 어느새 바닥으로 깊이 가라앉아 있었다.

무릎을 끌어 올려 턱을 묻었다. 하얀 화면에 떠 있는 문장들은 내 것이 아닌 것처럼 기이하게 차가웠다. 여백에 사납게 드러나 있는 분노가 낯설고 선연했다. 베고 자서 구깃구깃해진 봉투를 나는 한 손에 구겼다. 턱을 괴고, 백스페이스를 톡톡 짚어 글자를 하나씩 하나씩 지워 나갔다.

책상 위의 업무용 전화가 울렸다. 나는 화면에서 시선을 떼지 않은 채로 전화를 받았다.

"네."

침묵이 길게 흘렀다.

-이서단 씨 팀에서는 전화를 그렇게 받으라고 가르칩니까?

미세한 웃음기가 섞여 있는 목소리였다. 나는 키보드 자판에서 손을 뗐다.

"전화 주신 분은 누구십니까?"

-컨설팅2팀 한주원입니다.

기억하는 것보다도 낮은 울림이었다. 그가 있을 4층을 힐끗 올려다본 나는 눈을 감았다 떴다. 등받이에 깊숙이 몸을 기대어 앉았다.

"부장님 지금 자리에 안 계십니다."

-압니다.

그가 태연하게 답했다.

-내가 용건이 있는 건 이서단 씨 쪽입니다.

"……네, 말씀하세요."

침묵이 이어졌다. 수화기 너머에서 그가 짧게 웃었다.

-지금 잠깐 올라오겠습니까? 전화로 하기엔 말이 깁니다.

"……4층으로 가면 됩니까?"

-아니, 7층 옥상으로 오세요. 어딘지 알고 있습니까?

바람 소리가 들리는 것도 같았다. 몸을 일으키며 나는 네, 라고 짤막하게 답했다. 인사 없이 전화가 끊어졌다. 입을 다문 수화기를 제자리에 놓아두었다.

걷는 길을 따라서 복도에 불이 들어왔다. 엘리베이터 로비도 한산했다. 텅 비어 있는 건물의 하얀 복도는 현실감이 없었다. 그래서인지 나는 아직도 꿈을 꾸는 것처럼 아무런 생각도 들지 않았다. 차분하게 가라앉은 기분으로 7층에 도착해, 한 번 헤매지도 않고 옥상으로 가는 문을 찾아냈다.

걸려 있는 줄 일었던 문은 힘을 주어 밀자 묵직하게 열렸다. 빛무리를 아무렇게나 쏟아 낸 듯한 도심가의 야경이 눈에 들어왔다. 옥상 끝단의 난간에 새까만 그림자가 기대어 서 있었다.

거리가 좁혀지자, 난간 너머를 내다보는 단정한 옆얼굴의 윤곽이 드러났다. 구름 덮인 달의 희끄무레한 빛이 반쪽 얼굴에 날카롭게 서려 있었다. 나를 돌아보지 않고, 입에 물었던 담배를 떼어 낸 남자가 물었다.

"이서단 씨는 담배 피웁니까?"

"아니요."

"그럼 이쪽으로 와서 서요."

그가 긴 손가락을 대충 들어 바람의 방향을 확인하고, 오른쪽으로 비켜섰다. 회색의 연기가 내가 없는 쪽의 방향으로 부옇게 흩어졌다. 사람 한 명 정도의 거리를 남겨 두고, 나는 그의 옆 난간을 잡고 섰다.

셔츠 깃 사이로 축축한 바람이 집요하게 파고들었다. 새해 들어 풀린 날씨였다. 얼었던 눈이 녹고, 찻길이 물에 잠겨 질척했다. 인도에 가까이 지나가는 차마다 뿌옇게 물보라가 일어났다. 신호등이 깜박, 초록색이 되었다.

"오늘 이서단 씨를 만나고 생각해 봤는데."

옆에 선 남자가 느리게 말문을 열었다. 입에 물려 있던 담배를 가지런한 손가락 사이로 끼우고 툭, 담뱃재를 털었다.

"내가 도움을 줄 수 있는 부분이 있을 것 같습니다."

나는 대답 없이 듣고만 있었다. 깔끔하게 떨어진 말에, 내려놓았다고 생각했던 것들이 수면 밑에서 느릿하게 움텄다. 산소라도 찾은 듯이 발작적으로 꿈틀거렸다. 담배를 입술 사이로 문 그가 내 쪽으로 시선을 주었다.

"TF, 하고 싶습니까?"

나의 입 없는 갈망을 두고 절실함이 아니라 조바심이라고 잘라 말했던 남자가, 한없이 가벼운 목소리로 묻는다.

"하고 싶으면 시켜 줄 수 있습니다."

손가락 하나 까딱하는 것처럼 쉬운 일인 듯이.

"경력 있는 사람으로 자리 채워 넣고, 남은 자리 하나 이서단 씨 주겠습니다. 거기서 1인분만 해요. 그마저도 벅찰 테지만."

"왜……."

며칠은 말을 하지 않은 것처럼 목소리가 잠겨 나왔다. 굳은 혀가 서툴고 더뎠다.

"왜, 저한테……."

담배 끝의 둥근 불씨가 붉게 타올랐다. 독한 연기를 느리게 내뱉으며 그가 짐짓 뜸을 들였다. 입꼬리가 비스듬히 올라가, 옆모습이 웃고 있는 것처럼 보였다.

"글쎄. 나도 내가 왜 이렇게까지 하는지 모르겠네."

"……."

"분명히 이서단 씨 모르는 것 가르치고, 못하는 일 내가 대신 떠맡고, 세 달 내내 걸리적거릴 게 뻔한데. 그렇지 않습니까?"

벌써부터 귀찮은 기색이 역력한데도 왠지 평온한 목소리에, 숨이 가빴다. 눈앞에서 대롱거리는 가능성에 현기증이 났다. 이렇게 쉬운 일이었을까. 손을 뻗어 잡으면 되는 일이라고 생각하니, 나도 몰랐던 비겁한 욕심이 숨통을 조일 기세로 급박하게 차올랐다. 절실함이라고 부르든, 조바심이라고 부르든, 상관없었다.

"시켜 주시면 하고 싶습니다."

"의욕은 넘쳐서 좋겠습니다."

짧아진 담배를 한 번 깊게 빨아들이고, 그가 꽁초를 미련 없이 비벼 껐다. 하얀 재가 난간에 묻어났다. 구겨진 꽁초가 바닥에 떨어져, 잘 닦인 구두 밑에 짓밟혔다.

"좋습니다. 시켜 줄 테니까, 대신 이서단 씨가 해 줘야 할 일은 어렵지 않습니다. 프로젝트가 세 달이니까, 4월 중순까지 일주일에 한 번⋯⋯."

그가 손가락을 하나하나 접으며 가늠했다.

"총 열세 번, 열세 번만 나랑 잡시다."

목소리가 태연했다. 분명한 발음으로 건네진 말은 먼 길을 휘돌아 귓속으로 가라앉았다.

현실감이 없었다. 한순간 나는 고개를 들었다. 눈을 감았다 떴다. 불편하게 뺨에 배기던 책상과 낯익은 모니터가 보일 것 같아서였다.

바람 같은 것이 지나갔다. 옥상의 단단한 돌바닥이 발밑으로 검게 꺼졌다. 내 표정을 지켜보던 남자는 재미있다는 듯이 희미하게 웃었다.

"왜. 아무 대가도 안 받고 내가 도와줄 것 같았습니까? 내가 이서단 씨에게 호의라도 있어서?"

한 점 온기도 없는 단단한 눈동자였다. 까맣고 매끈한 돌을 깎아 만든 것 같았다. 붙들렸던 시선을 떼고 나는 어지러움에 비틀거렸다. 난간을 가까스로 뿌리치고 돌아섰다.

"이번 주 금요일까지 유효한 제안입니다."

멀어지는 내 등에 대고 그가 태연하게 덧붙였다.

"고작 삼 개월입니다. 앓는 것도 아니고, 죽는 것도 아닙니다. 그 정도 참고 견디면, 내가 이서단 씨 커리어 바로잡아 줄 수 있습니다."

"……."

"절실하다고 했으면 증명해 보이세요. 이서단 씨는 뭐 하고 싶어서 회사 들어왔습니까? 그걸 위해 어디까지 포기할 준비가 되어 있습니까?"

일말의 웃음기도 없는 건조한 목소리. 드러난 태생 같은 잔인함이었다. 연약한 것을 간단하게 부수고 그 잔해를 털어 버리듯이, 그가 도망치려는 나를 쉽게 보내 주었다.

"자세한 조건 듣고 싶으면 연락하세요. 이메일로 내 개인 번호 남겨 줄 테니까. 금요일 밤까지만 기다려 주겠습니다."

더 듣지 않고 나는 자리를 벗어났다. 무거운 문을 이 악물고 열어, 계단을 달려 내려갔다.

등 뒤로 문이 닫히는 요란한 소리가 울렸다. 숨이 가빠질 때까지 달리고 나니 어느덧 비어 있는 회사 복도 한가운데 서 있었다. 나는 환한 복도의 벽을 짚고 무너졌다. 몸을 작게 웅크렸다. 들키고 싶지 않은 아이처럼, 울음 섞인 숨을 필사적으로 눌러 죽였다.

소용없는 짓이었다. 겨울밤 높은 곳의 한풍이, 새파란 어둠이, 어느새 등 뒤로 바짝 쫓아와 있었다.

눈을 뜨면 밤이었고, 또 가끔은 낮이었다. 틈 하나 없이 친 암막 커튼 너머로 그 차이는 확실하지 않았다. 깨어나서 타들어 갈 듯이 목이 마르면 옆에 따라둔 물을 마셨다. 유리잔이 비면 부엌에서 물을 받아오거나, 더듬더듬 어둠 사이를 헤집어 화장실에 다녀오기도 했다.

잠이 오지 않으면 수면제에 의존했다. 깜박이는 의식이 수면의 경계선을 혼몽하게 넘나들었다. 문 닫아 건 좁은 침실 안은 환기가 되지 않아 갑갑했다. 오랜 수면의 침전물 같은 눅눅한 쉰내가 났다.

처음 하루 정도는 이따금씩 들어오는 연락에 핸드폰이 푸른빛을 냈다. 결국 사직서도 제출하지 않았으니, 기약 없는 무단결근이었다.

머릿속에 물 먹은 솜이 가득 찬 채로 더듬더듬 들여다본 화면에는 문자와 부재중 통화가 쌓이고 있었다. 부장님, 김 대리님. 눈이 부셔 가느다랗게 뜬 채로 화면을 들여다보고, 땀이 찬 손끝으로 전원 버튼을 길게 눌렀다. 핸드폰은 저항 없이 꺼졌다. 그 이후로는 나를 방해할 것도, 건져 줄 것도 없었다.

긴 꿈이 가느다랗게 이어졌다. 창밖으로는 이따금씩 빗소리가 들리고, 잦아들었다. 구름이 희뿌옇게 끼고, 개었다.

그리고 나는 불현듯 눈을 떴다. 깜박이지 않고 천장을 올려다보았다.

서서히 상체를 일으켰다. 힘이 들어가지 않는 다리를 침대 옆으로 내렸다. 미지근한 바닥에 갓 태어난 동물처럼 연약해진 맨발을 디뎠다.

협탁 위에 놓인 컵의 남은 물을 깨끗하게 비워 내고, 핸드폰을 집어 들어 충전기에 연결시켰다. 전원을 켜자마자 쏟아져 들어온 늦은 연락을 전부 지워 버렸다.

1월 6일, 금요일. 밤 9시가 막 넘어 있었다.

망설이지 않고 전화를 걸었다. 신호음 세 번 만에 그가 전화를 받았다.

-한주원입니다.

간결하기 짝이 없는 인사였다. 나는 숨을 한 번 들이쉬고, 내쉬었다.

"저, 하겠습니다."

긴 침묵이 흘렀다. 그리고 내 방 밖 세상 어딘가의 남자가 낮은 목소리로 되물었다.

-진심으로 하는 말입니까?

"네."

-후회하지 않을 자신은 있고?

"……네."

수화기로 침묵이 건너왔다. 핸드폰이 몸의 온도를 앗아가 뜨끈해졌다. 통화가 끊겼다고 생각할 만큼 오래 그는 아무런 말도 없었다. 나는 무릎을 끌어안고 눈을 감았다. 꿈처럼 흐릿하게, 뭉근하게, 깨어 있는 순간이 녹아들었다.

-이서단 씨.

그가 불렀다. 웃음기가 완전히 사그라진 단단한 목소리였다.

"네."

-남자와 자 본 적 있습니까?

"네."

망설임 없이 대답했다. 짧게 숨을 뱉는 소리가 났다.

-미리 경고해 두는데, 내 섹스 취향은 썩 온건하진 않습니다. 심하게 다치게야 하지 않겠지만, 어느 정도 아프고 힘든 것은 각오해야 할 겁니다. 그래도 상관없습니까?

"상관없습니다."

왜 당연한 이야기를 하나 싶었다. 아프고 힘들지 않은 섹스가 어디 있을까. 덤덤히 답했더니, 또 짧은 침묵이 흘렀다.

-참…… 갈수록 종잡을 수가 없네.

나직한 웃음기가 섞여 있었다. 들어 본 것 중 가장 부드러운 목소리로 그가 이어 말했다.

-좋습니다, 그럼. 그렇게 합시다. 프로젝트 공식 시작일은 16일입니다. 그때까진 원래 팀으로 출근해서 인수인계 마치세요.

"네."

-그리고 그 전 토요일······ 14일에, 나랑 호텔에서 봅시다.

육욕이라고는 느껴지지 않는 깔끔한 목소리였다. 나는 입을 다물고 고개를 한 번 끄덕였다가, 그가 나를 보지 못한다는 사실을 깨달았다.

"뭘 준비해 가면 되겠습니까?"

-소풍이라도 올 생각입니까?

"그건 아니지만······."

-각오나 다지고 오세요. 이서단 씨가 생각하는 것보다 만만치 않을 겁니다.

정갈한 목소리였는데, 남겨진 울림의 잔향은 사포처럼 까슬했다. 나는 숨이 가빠서 눈꺼풀을 꽉 다물었다. 조여든 목구멍에 물기 어린 숨이 걸려 있었다.

-그리고.

전화를 끊기 전, 그가 생각났다는 듯이 덧붙였다.

-편법으로 이서단 씨를 붙여 줬다 해서, 일을 안 해도 되는 건 아닙니다. 프로젝트 인원으로서의 본인 몫은 다 해내도록 하세요. 이건 두 번 말하지 않겠습니다.

"네."

-14일에 봅시다.

뚝, 전화가 끊어졌다. 반사적으로 건네려던 인사가 혀 위에 머문 채로 숨을 길게 내쉬었다. "안녕히 주무세요."라거나, "안녕히 계세요." 같은 상황에 어울리지 않는 말이었으니, 차라리 다행이었다.

핸드폰을 내려놓고 침대 위로 몸을 반듯하게 뻗어 누웠다. 베개를 얼굴 위로 덮어 눌렀다. 그 상태로 한참을 움직이지 않았다. 손끝에서부터 시작된 떨림이 파도의 물마루처럼 온몸을 뒤덮고, 천천히 잔물결로 사그라질 때까지.

들어서자 정면으로 보이는 것은 16층의 전망이었다. 벽면을 가득 메운 직사각형의 창으로 번화가의 불빛들이 수없이 내다보였다. 까마득히 먼 곳에 검게 흐르는 물이 있었고, 그 위로 마천루의 불빛이 샹들리에처럼 거꾸로 매달려 있었다. 엽서 같은 풍경이었다.

창가의 탁자 위에는 와인병과 풍만한 곡선의 와인잔이 두 개 있었다. 비어 있는 잔 쪽을 끌어와 그가 무심히 와인병을 기울였다. 군더더기 없는 정갈한 손놀림이었다.

"와서 앉으세요."

그제야 문턱에 멈춘 나를 돌아보며 그가 말했다. 왜 아직도 거기서 있냐는 듯한 표정으로.

말투도 표정도 회사에서 본 것과 다를 바 없었다. 이 상황이 크게 이상할 것도 없다는 듯이. 그 여상스러움에 홀려 나는 하얀색의 커다란 침대를 스쳐 지났다. 그와 마주 보는 창가의 소파에 엉덩이를 붙였다.

탁자 위 서류를 가방에 정리해 넣는 그는 남색의 커다란 목욕 가운 차림이었다. 물기가 남아 있는 머리카락이 이마를 덮고 아무렇게나 흐트러져 있었다. 그게 무엇이라고, 나는 지독하게 사적인 영역을 침범한 듯한 당혹스러움에 시선을 피했다.

달칵, 그가 채워 둔 와인잔을 나를 향해 밀어 주었다.

"저는 필요 없습니다."

입술이 바짝 말라 있었다. 술이 아닌 물이었으면 받아 들었을 것이다. 출렁이는 붉은색에 토기부터 치밀었다. 그는 두 번 권유하지는 않았다. 내 시야를 가려 주던 와인병을 치우며 간단히 말했을 뿐이다.

"가방 내려놓으세요. 코트도 좀 벗고. 안 덥습니까?"

나는 생각할 것도 없이 고개를 저었다. 가방도, 코트도, 있는 편이 나았다. 귀는 타들어 갈 듯이 더운데, 테이블 밑의 손끝은 싸늘하게 식어 있었다. 히터가 돌아가는 실내에서 까만 겨울 코트에 파묻힌 나를 가늘게 뜬 눈으로 응시하다가, 그가 짧게 말했다.

"뭐, 좋을 대로."

침묵이 길어졌다. 그는 목욕 가운을 입고, 나는 코트 밑에 정장을 차려입은 채로. 용건이 달리 있기라도 한 듯이 침대를 놔두고 탁자에 마주 앉은 것이 우스웠다.

그렇다고 해서 내 발로 침대로 직행할 용기는 없어서, 잠자코 입을 다물었다. 팽팽하게 당겨지는 공기가 못 견디게 불편해졌을 때는 손을 뻗어 와인잔을 집어 들었다. 입술을 누르는 얇은 유리가 서늘하고 날카로웠다. 한 모금 머금은 액체는 혀가 아릿할 정도로 첫맛이 썼다. 목구멍을 넘어갈 즈음에 단맛이 희미하게 느껴지고, 배 속이 뜨거워졌다.

그때, 잔의 가느다란 목을 손끝으로 나른하게 빙빙 돌리던 그가 예고도 없이 불쑥 말했다.

"이서단 씨 얼굴이 지금 어떤지 압니까?"

"……"

"청룡열차 탄 애 같은 표정."

탁, 그가 잔을 내려놓았다.

"막 출발하려는 참인데, 내리기엔 너무 늦은 겁니다. 그래서 눈 꽉 감고, 손잡이 죽어라 붙들고. 기다리다 보면 끝난다고 되뇌는."

가방끈을 아직도 쥐고 있는 손 위로 힐끗 시선이 머물렀다. 나는 마디마다 하얗게 질려 감각이 없는 손가락을 억지로 떼어 내 무릎 위로 내려놓았다.

"비행기를 타면, 귀환 불능 지점이라고 있지 않습니까."

무심한 목소리였다.

"그게 나는 여기인 것 같은데. 이서단 씨는 옷도 안 벗었고, 나도 아직 이서단 씨한테 손끝 하나 대지 않았으니까. 말만 해요. 원한다면 없던 일로 해 주겠습니다."

교묘한 화법이었다. 선택의 여지를 나에게 떠넘기고, 발목을 묶는다. 빠져나갈 길을 열어 줌으로써 나를 꼼짝없이 공범으로 만드는, 계약서의 고지사항 같은 것이었다. 그 아래 공란에 내 이름이 적힌

다. 서명, 도장, 지문. 앞으로의 일에 저항할 수도, 불평할 수도 없는 을의 입장. 나는 들이마셨던 숨을 내쉬었다. 까만 어둠이 창밖의 유리에 진득하게 달라붙어 있었다.

고개를 한 번 가로저었다. 그는 그럴 줄 알았다는 듯이 표정의 변화도 없었다.

"가방, 코트, 벗으세요."

이번에는 권유가 아니었다.

반듯하게 떨어진 말의 끝단에서, 나는 발끝이 기어이 보이지 않는 선을 넘은 것을 직감했다.

말없이 가방을 벗어 바닥에 내려놓고 코트의 단추를 풀었다. 차게 식은 손끝이 여러 번 엇나갔다. 툭, 툭 하고 단추가 풀릴 때마다 벌어지는 틈으로 한기가 파고들었다. 다림질한 하얀 셔츠, 넥타이. 출근할 때와 똑같은 복장을 보고도 그는 별말 없었다. 나는 의자에 코트를 걸쳐 두고 손을 무릎 위로 내렸다. 창밖을 보던 남자가 그제야 내게 힐끗 시선을 주었다.

"씻고 왔습니까?"

"네."

"그럼 나머지 벗고 침대 위로 올라가세요."

일어섰다. 내내 시야 끝을 하얗게 가로막던 커다란 침대를 처음으로 마주하고, 그 옆에 서서 넥타이를 끌렀다. 단단한 매듭을 손톱으로 잡아 뜯고, 그 아래의 셔츠 단추를 풀었다. 등 뒤의 남자는 담배를 피워 물었다. 달칵, 라이터 소리가 났다. 내가 바지의 버클을 풀고 발목까지 내렸을 때, 그가 생각난 듯이 덧붙였다.

"벗은 옷은 개켜서 옆으로 치워 두세요. 침대 옆이 깔끔하지 못한 건 질색입니다."

나는 바닥으로 흘러내린 셔츠를 다시 주워 접었다. 발목에 걸린 바지도 털어서 개켰다. 등 뒤에서 희뿌옇게 퍼지는 담배 연기가 매캐했다. 기침을 눌러 참고, 속옷을 내렸다. 옷더미 위에 올려서 옆으로 치워 두었다.

그러고 나니 남은 게 없었다. 더 이상 몸을 가려 줄 것도 없었고, 달리 주의를 쏟을 곳도 없었다. 침대 위를 무릎걸음으로 올라갔다. 맨다리에 닿는 하얀 시트의 감이 매끄러웠다.

시야 끄트머리에서 그가 일어서는 게 보였다. 침대로 다가오지 않고, 그는 내가 앉아 있던 의자를 뒤로 빼 침대와 정면으로 마주 보는 곳까지 끌어당겼다. 그곳에 걸터앉아 다리를 꼬았다. 담배를 문 채로 지시했다.

"혼자 해 보세요."

불분명하고 시큰둥한 발음이었다. 나는 알아듣지 못해 그를 멍하니 쳐다보기만 했다. 그가 눈썹 사이에 희미하게 골을 파고, 가는 담배를 입에서 떼었다.

"거기서 다리 벌리고, 나 보고, 앞에 만져 봐요."

평온하기까지 한 목소리는 현실감이 없었다. 나는 그가 한 말의 의미를 여러 번 반추한 뒤에도 얼어붙어 있었다. 힘준 손끝이 침대 시트를 파고들었다.

"말귀 못 알아먹겠습니까?"

"……저, 어떻게 하는지 몰라서……."

"모르긴. 혼자 할 때 어떻게 합니까? 뒤도 씁니까?"

뜨거운 물이라도 쏟아부은 것처럼 뒤늦게, 순식간에, 얼굴이 화끈거렸다. 정작 말을 내뱉은 그는 멀쩡했다. 인내심이 슬슬 닳아가는 서늘한 표정으로 다시 지시했을 뿐이다.

"뒤에도 손가락 넣어 봐요. 잘 보이게 벌리고."

"……팀장님……."

한순간 생각했다. 이게 정상인 걸까. 호텔방의 닫힌 문 뒤에서는 모두들 이렇게 하는 걸까. 경험이 없으니 알 턱이 없었다. 보이지 않는 침묵이 알싸했다. 그는 손가락 하나 까딱하지 않았는데, 재촉 한 번 없는데, 나는 심장이 점점 빠르게 뛰었다.

결국 압박감에 못 이겨 주춤주춤 다리를 펴고 앉았다. 그를 마주보는 방향으로 발끝을 조금 벌렸다.

"더."

기가 차다는 듯이 그가 일축했다.

"내가 됐다고 할 때까지 벌리세요."

올려다볼 수가 없었다. 고개를 숙이고, 딱딱하게 굳은 다리를 조금씩 양옆으로 벌렸다. 허벅지 안쪽이 뻐근하게 당길 때까지도 그는 아무 말이 없었다. 시트를 파고드는 양 발끝이 자꾸만 미끄러졌다.

이어진 무심한 눈짓에 나는 크게 벌어진 다리 사이로 떨리는 손을 넣었다. 축 늘어진 성기를 가리고 손끝으로 몇 번 문질렀다. 흥분이 되기는커녕 소름이 끼쳤다. 생경하고 끔찍했다.

"나 참."

지켜보던 그가 어이없다는 듯이 내뱉었다.

"올라타서 허리 돌리는 건 바라지도 않았는데, 혼자 자위도 못하면 어떻게 하라는 겁니까."

"……그냥, 이런 건, 안 하고……."

추웠다. 밖이 겨울이라고 호텔 안까지 추울 리가 없는데, 걸친 것 없는 몸이 얼어붙은 것처럼 뻣뻣했다. 그에게 전화를 걸었던 순간부터, 혹은 그를 옥상에서 만났던 날부터 끊임없이 머릿속을 헤집어 놓던 상상 중에 한 번도 이런 것은 없었다.

"그냥 바로 하면, 안 되겠습니까."

말끝이 흔들렸다. 부탁처럼 말꼬리가 가늘었다. 그는 뚫어져라 나를 보더니 실소했다.

"바로 뭘 하면 되겠습니까."

"……."

"말해 봐요. 해 줄 테니까."

머릿속에 성에가 낀 것처럼 움직임이 더뎠다. 내가 입을 다물자, 그의 얼굴이 서서히 무표정으로 가라앉았다. 꼬고 있던 다리를 풀고, 그가 느릿하게 몸을 일으켰다. 눈높이의 차이가 확 벌어지자 위압감이 덮치듯 나를 짓눌렀다. 반사적으로 허벅지가 빠르게 오므라들었다.

다리를 채 모으기도 전에 성큼 침대로 다가온 그가 양쪽 발목을 단단하고 커다란 손으로 움켜쥐었다.

"아으……!"

쭈욱 당기자 손쉽게 다리가 다시 벌어졌다. 그는 내가 스스로 벌렸던 것의 한계치를 넘어, 허벅지 안쪽이 당길 때까지 발목을 양쪽으로 밀어 올렸다.

"흐, 으—"

"관장했습니까?"

엉덩이 사이가 드러나도록 허리를 밀어 올린 그가 힐끗 보더니 단번에 물었다. 의외라는 듯한 목소리였다.

"하려면 제대로 했어야지. 엄청 부었네."

부푼 입구 위로 단단한 손끝이 눌렸다.

그 순간 나는 발작하듯이 팔다리를 휘저었다. 얼어 있던 몸을 돌려 필사적으로 도망치려 했다. 그에게 잡혀 있는 한쪽 발목이 아프게 꺾였다. 침대 위쪽으로 기어오르려는 내 다리를 그가 확 잡아 내렸다. 몸부림치는 상체 위로 무게를 실어 제압했다.

숨이 제대로 쉬어지지 않았다.

"저 못 하겠어요, 저 못…… 그만, 그만하게 해 주세요."

"그 기회는 아까 줬습니다."

반론의 여지를 남기지 않는 깔끔한 목소리였다. 나는 온 힘을 다해 몸부림쳤다. 새하얗게 빈 머릿속에 이명이 날카롭게 웅웅 울렸다.

내 발로 여기까지 걸어온 일도 생각나지 않았다. 내가 무엇을 위해 이곳에 와 있는지도 잊었다. 휘젓듯이 허공에 내지른 주먹이 그의 어깨를 퍽 스쳤다. 제법 묵직한 타격이었다. 단번에 새파란 악력으로 손목이 붙들리고, 그가 내 위로 올라탔다. 질끈 눈을 감기 전에 무섭도록 싸늘하게 굳어 있는 표정이 보였다.

"싫어요. 하지 마, 하지 마세요."

"입 다물어."

벌어진 입 위로 그가 손바닥을 꽉 덮어 눌렀다. 양쪽 손목을 포개어 머리 위로 잡아 고정했다. 언어가 되지 못한 소리들이 단단하고 뜨거운 손바닥 안쪽에 부딪히고 가로막혔다. 몸을 아무리 비틀어 봐도 악력을, 그 무게를 이겨 낼 수 없었다. 젖 먹던 힘까지 쥐어짜도 요지부동이었다. 내 힘으로는 더 이상 그 어떠한 저항도 불가능했다.

깨달은 순간, 높은 곳에서 떨어지는 것 같은 아득하고 절대적인 공포가 찾아들었다. 온몸이 죽은 것처럼 뻣뻣하게 경직되었다.

내가 갑자기 조용해지자, 입을 덮은 손이 치워졌다. 감긴 눈꺼풀 너머로 얼굴에 떨어지는 시선이 느껴졌다.

끝도 없이 늘어지던 무거운 침묵 끝에 그가 말했다.

"이서단 씨는 본인의 역량을 과대평가하는 경향이 있나 봅니다."

손목을 단단히 쥐고 있던 손가락이 떨어져 나갔다. 피가 한꺼번에 도는 건지 손이 뜨겁게 욱신거렸다.

"그도 아니면, 나를 아주 만만하게 보고 있거나."

아까의 선연한 분노는 온데간데없는 무덤덤한 목소리였다. 나는 더듬더듬 다리를 오므리며 그에게서 몸을 물렸다. 떨리는 손끝으로 시트를 움켜쥐고 몸을 움츠렸다.

"오늘 일, 후회하지 않길 바랍니다."

매트리스의 출렁임으로 그가 일어나는 것을 알 수 있었다. 이윽고 옷감이 스치는 건조한 소리가 났다. 벨트와 지퍼의 금속음. 그가 옷을 입는 동안 나는 벌벌 떨리는 숨을 시트 위로 묻었다. 소리 없이 빠지는 썰물처럼, 날카로운 이빨의 공포가 한 뼘씩 물러갔다. 드러난 모래 위에는 그가 조바심이라고 부르고, 내가 후회라고 이름 붙일 것들이 아직 숨 쉬고 있었다.

"팀장님."

그가 돌아보았다. 셔츠의 마지막 단추를 잠그고, 재킷을 걸쳐 입으며. 회색의 긴 코트가 의자 위로 걸쳐져 있었다. 5초, 10초. 그가 문을 열고 나가면, 그걸로 끝이었다. 지푸라기처럼 손가락 사이로 빠져나가는 것의 차가운 감촉이 느껴졌다.

"팀장님, 저……."

눈을 깜박일 때마다 서늘하고 단정한 얼굴이 흐려지고 선명해졌다. 나는 무슨 말을 하고 싶은지도 모르는 채로 입을 열었다.

"저, 조금만 시간을 주시면……."

"시간을 준다고 될 일은 아닐 것 같습니다."

나를 쳐다보지도 않고 짤라 내는 목소리가 건조했다.

"내가 그래야 할 이유도 모르겠고."

그가 테이블 위의 라이터를 주머니에 넣었다. 코트를 걸쳐 입고,

의자에 기대어져 있던 서류가방을 챙겨 들었다. 나는 입술을 달싹 거렸다. 힘이 들어가지 않는 몸을 일으켜 앉았다. 테이블 위에는 마 개가 열린 와인병이 놓여 있었다. 내가 남겨 둔 잔에 검붉은 액체가 채워져 있었다.

"팀장님."

그는 문턱에서 멈춰 섰다. 문손잡이에 막 손이 닿으려던 차였다. 짜증이 역력한 시선이 힐끗, 마지막으로 내게로 돌아왔다.

"저 할 수 있어요. 하겠습니다. 한 번만, 다시……."

더 말을 이을 수도 없었다.

그대로 문을 열고 나가 버릴 것 같던 남자는 짧은 한숨을 내쉬었 다. 눈을 감았다가 뜨고, 벌거벗은 채로 침대 위에 앉아 있는 나를 향해 몸을 돌렸다.

"이번에 내가 다시 기회를 주면, 이서단 씨가 도중에 그만두고 싶 다 해도 멈춰 주는 일은 없을 겁니다. 이해했습니까?"

"……네."

"그럼 내 앞에 와서 무릎 꿇으세요."

평온한 목소리였다.

"사람을 오라 가라 하는데 그 정도의 성의는 보여야 하지 않겠습 니까."

"……."

문에 등을 기대고 그가 팔짱을 꼈다. 나를 떠난 시선이 눈앞의 바 닥을 비스듬히 향해 있었다. 이미 내가 그곳에 무릎 꿇고 있다는 듯이.

나는 천천히 몸을 침대에서 일으켰다. 벗은 몸을 가리지도 못하고 어색한 걸음을 옮겼다. 그에게서 1미터 정도의 거리를 남겨 두고, 느릿하게 무릎을 접어 앉았다. 카펫의 짧은 모가 무릎에 따끔하게 배겼다.

"더 앞으로."

그가 말했다. 비웃음 한 자락도 찾아볼 수 없는 건조한 어투였다.

나는 무릎걸음으로 느릿느릿 기었다. 그의 발 바로 앞까지 가서 멈췄다. 내려다보는 시선이 정수리 위로 떨어지는 것을 느낄 수 있었다. 인간이 아닌 다른 생물이라도 된 듯이, 익숙지 않은 눈높이에서 보는 세상이었다. 까만 정장 바지에 잡혀 있는 반듯한 주름이 보였다. 그 너머로 호텔 방문의 하얀색이 있었다. 선연한 색의 대비였다.

"내 지퍼 열고, 좆 꺼내서 만지세요."

나직한 목소리가 차분했다. 귓가에 소리가 들어차고 나서야 그 상스러움이 사납게 도드라졌다. 나는 볼품없이 떨리는 손을 뻗어 그의 바지 앞섶에 가져다 댔다. 벨트 버클을 건드리는 손길이 여러 번 엇나갔다. 그는 재촉 한마디 없이 등을 기댄 채로 기다려 주었다.

지퍼가 내려가자마자 속옷을 거세게 밀어 올리던 살덩이가 튕겨지듯이 천 사이로 빠져나왔다.

현기증이 까맣게 일었다. 엉금엉금 필사적으로 물러나, 튕겨져 나올 때 닿았던 손을 바닥에다가 박박 문질러 닦아 냈다. 바지에서 쑥 튀어나온 검붉은 것은 끔찍했고, 흉포했다.

머리 위에서 그의 짧은 웃음소리가 들렸다.

"제정신입니까."

"으, 욱……."

흐느낌인지 구역질인지 모를 것이 다문 입 뒤로 어지럽게 치밀었다.

"위기감이 전혀 없지, 지금."

"아윽!"

강한 힘으로 뒷머리가 붙잡혔다. 손을 확 끌어 내리자 머리가 뒤로 젖혀지고 억지로 턱이 들렸다. 조금만 더 힘을 주면 머리카락이 다 뽑혀 나갈 것 같은 생경한 아픔이었다.

나는 뻣뻣하게 굳은 채로 숨을 멈췄다. 그가 이를 악문 듯한 목소리로 말했다.

"어떻게 하면 이게 장난이 아니라는 사실을 깨달을까."

"……."

"뒷구멍에 주먹이라도 박아 줄까, 응?"

올려다본 얼굴은 회사의 복도에서, 혹은 엘리베이터에서 마주칠 수 있는 대낮의 얼굴이 아니었다. 일상으로 규정지을 수 있는 테두리를 미세하게 벗어난 표정이었고 눈빛이었다. 나는 그 순간 그가 실제로 그렇게 할 수 있는 사람이라는 것을 완벽하게 이해했다.

순전한 두려움으로 시야가 흐려졌다. 본능적으로 위험을 이해한 몸은 앞으로 엉금엉금 움직였다. 둥글게 구부린 손 안에 그의 성기

머리가 들어찼다.

꺼떡거리는 살덩이는 소스라치게 뜨거웠고, 단단했다. 어설프게 손가락을 말아 쥐자 굵은 기둥이 살아 있는 생물처럼 꿈틀거렸다. 역겨웠다. 나는 흐느껴 울면서 양손으로 묵직한 성기를 받쳐 들고 감싸 안았다.

뒷머리를 놓은 손이 앞으로 돌아와 내 입 위를 덮었다.

"그치세요. 시끄럽습니다."

"으, 읍⋯⋯."

그의 손등 위로 내 눈물이 뚝뚝 떨어졌다. 더듬을수록 성기는 자꾸만 커지고 괴물처럼 부풀어 올랐다. 손바닥이 덴 것처럼 얼얼해지고 끈끈한 액으로 뒤덮였다. 비릿한 냄새가 코를 찔렀다.

울음이 덩어리진 채로 목을 타고 넘어갔다. 나는 최대한 몸을 뒤로 물린 채로, 양손으로도 다 잡히지 않는 길쭉한 기둥을 계속 쓰다듬었다. 핏줄이 굵게 도드라진 표면을 내 나름대로는 필사적으로 더듬거리고 문질렀다. 머리 위에서 그가 한숨을 쉬었다.

"예상은 했지만, 정말⋯⋯."

"흡, 으, 으읍."

"어느 세월에 다 할 겁니까. 늙어 죽기 전엔 끝납니까?"

턱이 잡혀 억지로 들렸다. 또 눈가가 하릴없이 뜨거워졌다. 냉정한 얼굴을 올려다보며 나는 눈물을 깜박여 없앴다. 아슬아슬하게 고여 있던 눈물이 뚝 흘러내렸다.

"죄송합니다⋯⋯."

"……."

"어떻게 하는지 몰라서……."

능숙하게 하고 싶은 마음이야 굴뚝같았다. 이 상황을 빨리 종료시킬 수 있다면 무엇인들 못 했을까.

"다음에는 연습해, 오겠습니다……."

그는 말이 없었다. 흐릿한 얼굴이 차차 선명해졌다.

한순간이었다. 내가 눈을 한 번 더 깜박이는 사이 희미한 호선을 그리던 입꼬리가 다시 굳게 다물렸다. 몸을 약간 뒤로 물린 그가 고저 없는 목소리로 말했다.

"일어나요."

무릎이 아팠다. 오래 꿇은 것도 아니었는데 허벅지의 근육이 뭉치고 저렸다. 일어서려다 비틀거린 나를 그가 손 뻗어 잡아 주었다. 큰 손이 어깨를 감싸 잡고 아이처럼 돌려세웠다.

"침대에 가서 앉아 봐요."

그가 가볍게 밀어 준 방향으로 나는 어떻게든 몸을 옮겼다. 침대 끝부분에 후들거리는 무릎이 부딪혔다. 나는 몸을 돌려 그대로 엉거주춤 앉았다.

"이렇게, 요?"

무릎에 카펫 자국이 빨갛게 나 있었다. 아직 문에 기대어 서 있는 그가 고개를 느리게 저었다.

"아까 앉았던 대로. 아예 올라가서 다리 벌리고 앉으세요."

무거워진 몸을 침대 위로 끌어 올렸다. 내가 아까처럼 다리를 벌리자, 그제야 그가 몸을 바로하고 다가왔다. 잘 다려진 셔츠의 깃이 반듯하게 서 있었다. 벌어진 바지 앞섶으로 꺼떡거리는 검붉은 성기를 내놓고도 그는 회사에 와 있는 듯이 흔들림도, 흐트러짐도 없었다.

아까처럼 의자에 앉나 싶더니, 그는 침대 쪽으로 걸어왔다. 잔뜩 움츠린 내 등 뒤로 돌아가 침대 위로 올라왔다. 시트가 더해진 무게로 출렁거렸다.

"가만히 있어요."

몸을 돌리려는 나를 그가 제지했다. 그대로 벌어진 그의 다리 사이로 몸이 포개듯이 끌어당겨졌다.

그는 내 다리와 얽듯이 다리를 덮어 나를 일어날 수 없게 고정했다. 허리에 팔이 감겨 오고, 맨 등에 뜨끈하고 단단한 것이 포개어졌다. 셔츠의 건조한 옷감. 그의 가슴팍이었다.

"……폐렴 환자처럼 덜덜거리네."

목소리가 진동처럼 웅웅, 닿아 있는 몸을 통해 전해졌다. 내 볼썽사나운 떨림도 마찬가지로 그에게 느껴지는 모양이었다. 나는 멈춰 있던 숨을 간신히 들이마셨다. 맨 엉덩이 즈음에 뜨겁고 딱딱한 것이 느껴졌다. 아무리 몸을 앞으로 빼려고 해도 허리에 꽉 감긴 팔이 나를 놓아주지 않았다.

"그렇게 엉덩이 열심히 오므리지 않아도, 안 넣습니다."

그가 등 뒤에서 무덤덤하게 말했다.

"그만 꼼질거려요. 역효과 납니다."

"……정말로, 안……."

고개를 돌리기가 무서웠다. 표정이 보이지 않아 알 수가 없었다.

"진심으로, 하시는……."

목소리가 덜덜 떨렸다. 필사적으로 힘을 준 엉덩이 골 사이로 뜨거운 기둥 끝이 금방이라도 비집고 들어올 것 같았다. 나는 안전벨트처럼 내 배 위를 가로지른 단단한 팔뚝을 나도 모르게 붙들었다. 붙들 것이 달리 아무것도 없었다.

"나 봐요."

그가 어깨 너머로 손을 뻗어 손가락으로 내 턱을 가볍게 쳐들었다. 고개를 돌려 그를 보자마자 눈이 따끔거렸다. 슬쩍 표정을 찌푸린 그가 내 눈가를 손끝으로 꾹 눌렀다.

"뭘 했다고 이렇게까지 울어."

"……흡……."

"이러면 내가 억울하지 않습니까. 한 게 아무것도 없는데, 이서단씨 얼굴은 관장부터 피스트퍽까지 다 당한 얼굴이네."

짓무른 눈가를 쓸어내린 손이 빨갛게 부어오른 코끝을 스쳤다. 단정한 손끝이 미지근했다. 나는 눈을 피하며 눈물을 깜박여 없앴다. 그가 검지로 다시 내 턱을 잡아 얼굴을 들게 했다.

"오늘은 안 넣고 끝내 줄 수도 있습니다."

진심인지 알 수 없는 눈동자였다.

"이서단 씨가 내 말을 잘 들으면."

"……."

나는 입을 다문 채로 무조건 고개를 끄덕였다. 그의 눈가에 가벼운 웃음기가 번졌다.

"손으로 내 무릎 잡고 있어요. 두 손 다. 놓으면 혼납니다."

그의 팔을 잡고 있던 손을 겨우 놓았다. 내 양쪽 허벅지 바깥쪽에 그의 무릎이 솟아 있었다. 조심조심 손잡이를 잡듯이 손바닥을 그 위로 올렸다. 매끄러운 옷감에 닿은 손바닥이 미끈거렸다. 심장이 목까지 올라와 뛰는 것 같았다.

그제야 그는 내 턱을 놓아주었다. 뒷머리를 목덜미에 기대게 하고, 손을 앞으로 뻗어 내 성기를 잡아 올렸다.

"흣!"

축 늘어져 있는 것의 무게를 가늠하듯 그가 손바닥 위로 올렸다. 반대편 손으로 장난치듯 기둥을 쓰윽 쓸어내렸다. 몸이 발작하듯이 튀었다. 그의 무릎을 잡은 손에 죽어라 힘을 주었다. 신경을 쏟고 있지 않았다면 놓쳤을 것이다. 단단한 뼈가 옷감 너머로 느껴졌다. 아플 법도 했지만 그는 아무 말도 없었다.

다리는 그의 다리에 짓눌려 있고, 손은 그가 한 말 때문에 뗄 수 없었다. 밧줄 하나 없이 완전히 포박되어, 나는 멋대로 성기를 주무르는 그의 손길을 감내해야 했다. 기둥이 똑바로 서도록 들고, 그가 장난치듯 끝부분을 꾹 눌렀다. 나는 목에 덜컥 숨이 걸린 것처럼 호흡이 가빠졌다.

"이서단 씨다운 좆입니다."

"으, 흐읏."

"기둥 부분도 곧고, 크기도 적당하고."

가늠하듯이 그가 몇 번 쥐었다가 놓았다. 손이 커다랗고 단단했다. 더 힘을 주면 으스러질 것 같아서 나는 그의 무릎을 필사적으로 잡았다. 주름이 완벽하게 잡혀 있던 바지가 젖은 손바닥 안에서 엉망으로 구겨졌다.

"가르쳐 줄 테니까 잘 보고 배우세요. 내가 어디를 만져 주면 기분이 좋은지, 얼마만큼의 세기로 문질러야 반응이 오는지, 기억해 두라는 말입니다."

"흐, 흐아."

"왜. 여기?"

단단한 엄지로 그가 귀두의 아랫부분, 움푹 파인 곳을 누르듯 문질렀다. 나머지 손가락은 기둥을 쥐고 살살 쓰다듬었다. 크게 벌어진 다리 사이로 손이 들어가, 뜨거운 손바닥으로 허벅지 안쪽을 쓸어 올렸다.

나는 그의 무릎을 꽉 잡고 도리질 쳤다. 그의 손이 움직일 때마다 몸이 튕겨지고 경련했다. 어디가 좋고 무엇이 좋고는 안중에도 없었다. 감긴 눈 안쪽으로 자꾸 이상한 문양들이 지나갔다.

어느새 빳빳하게 일어선 성기를 그가 주욱 한 번 쓰다듬고 대충 놓아 버렸다. 덩그러니 닿는 공기가 차가웠다. 갈증에 허덕이듯이 목울대가 제멋대로 움직였다. 밭은 숨이 연거푸 터져 나왔다.

입을 열어 무슨 말이든 하려 했다. 애원 비슷한 것이 혀끝까지 치밀었다. 그 직전에 그가 다시 뜨끈한 손으로 성기를 감아쥐었다.

느긋하게, 단단하고 긴 손가락으로 쓰다듬고 부드럽게 문질러 주었다.

"아웃! 아, 흐으, 아……."

귀두 끝에서 새어 나온 끈적한 체액이 그의 손에 묻고, 내 기둥에 발렸다. 손이 아래위로 움직일 때마다 소리가 커다랗게 울렸다. 그 소리에 귀가 벌벌 떨렸다. 귀를 틀어막고 싶었다. 내가 고개를 계속해서 젓자, 그가 턱 끝으로 내 어깨를 눌렀다. 닿은 피부가 뜨거웠다.

"아, 싫, 싫어, 흐아아, 으……."

"이서단 씨 좆은 어딜 만져 줘도 좋아서 질질 흘리네."

귓가에 닿는 숨이 뜨거웠다. 맞닿은 몸을 통해 울려서인지 목소리가 낮고 거칠었다. 엉덩이에는 뜨거운 흉기가 자꾸만 닿고, 비벼졌다. 몸을 띄우려 해도 힘이 들어가지 않았다.

"싸기 전에 내 허락 맡으세요."

"흐아, 웃……."

"알았습니까?"

말이 웅웅거려서 제대로 들리지도 않았다. 견딜 수가 없어서 고개를 틀어 뺨을 닿아 있는 가슴팍에 비볐다. 목덜미에 뜨거운 입술이 닿고, 아프게 깨물렸다.

"웃! 웅, 으으, 흐으"

뜨끈한 손바닥이 터질 듯 올라붙은 고환을 주무르고, 아래로 내려가 회음부를 손톱으로 살살 긁었다. 동시에 기둥을 감싸 쥔 젖은 손이 귀두 끝을 무지막지하게 문질러댔다. 머릿속에서 폭발 같은 것이 일어났다.

정신을 차렸을 때는 힘이 빠진 성기를 그가 미련 없이 놓아준 후였다. 벌어진 허벅지 안쪽, 시트, 그의 손과 팔뚝에도 가릴 것 없이 하얀 액이 튀어 있었다.

어느새 그의 무릎에서 떨어져 허공을 헤매던 손목을 그가 잡아들었다.

"내가 손 놓지 말라고 했을 텐데."

"……."

"허락 없이 싸지 말라고도 한 것 같고."

얼핏 평온하게 들리는 고저 없는 목소리였다.

"하나부터 열까지 가르쳐야 되는데, 그 와중에 말도 안 듣고."

손목을 쥔 악력이 아니었다면 그가 화가 난지도 몰랐을 것이다.

"팀장님."

"이래서야 이서단 씨가 내게 무슨 쓸모가 있습니까."

짜증을 숨기지 않은 질타에 느슨해진 눈가가 서서히 뜨거워졌다. 거짓말 같은 서러움이었다.

그는 손목을 놓아주고 어깨를 꽉 잡아 나를 돌려 앉혔다. 밀린 일을 처리하듯이 사무적인 손길이었다.

나는 입을 다물고 그가 이끄는 대로 더듬더듬 그의 성기를 잡았다. 배에 닿을 정도로 딱딱하게 기립한 기둥을 양손으로 감싸 쥐었다. 그가 내게 해 준 것을 기억나는 대로 어설프게, 필사적으로 답습했다.

실제로는 그렇게 오랜 시간이 아니었을 것이다. 힘이 빠져 자꾸만 미끄러지는 내 손가락을 그가 손등으로 귀찮다는 듯이 쳐냈다. 긴 손가락으로 기둥을 몇 번 감싸 쥐어 흔들고, 낮은 신음과 함께 사출했다. 진득한 하얀 액이 그의 손과 내 팔 위로 흘렀다.

"……."

멍하니 제자리에 앉아 있는 내 앞에 그가 티슈 상자를 내려놓았다. 올려다보니 그는 이미 젖은 성기를 닦아 내 다시 바지 속으로 집어넣은 후였다. 지퍼를 올리고 넥타이까지 고쳐 맨 모습은 당장 출근해도 될 듯한 말끔한 차림새였다.

벗었던 코트까지 갖춰 입고 다시 상사의 모습이 된 그가 문을 나서기 전 나를 마지막으로 돌아보았다.

"피곤하면 씻고 쉬고 가세요."

나는 말없이 고개를 흔들었다. 그는 더 권하지 않고 가방을 집어 들었다.

"월요일에는 4층으로 바로 오면 됩니다. 늦지 않게 출근하세요."

"……네."

"회사에서의 이서단 씨는 적어도 침대에서보다는 유능하길 바랍니다."

웃음기 없는 선소한 말투였다. 아마 진심이었을 것이다. 나는 그 흔한 노력하겠다는 대답도 내뱉지 못하고 고개를 숙였다. 멀어지는 발소리. 깔끔한 소리를 내며 문이 닫히자마자 나는 넘어지듯 욕실로 달려갔다. 변기통에 말갛게 고인 물을 내려다보며 토악질했다. 먹은 게 없는 위에서는 아무리 쥐어짜도 시큼한 위액밖에 올라오지 않았다.

⦚⦚⦚

평소보다 한 시간 정도 일찍 집에서 나섰을 뿐인데, 매일 시장통처럼 붐비던 출근길 지하철이 한산했다. 가방에 치이고 어깨에 치이던 긴 환승 통로의 맨 모습은 낯선 도시의 공항처럼 서늘하고 적막했다. 주인을 기다리는 수하물처럼, 컨베이어 벨트가 실어 나르는 대로 가만히 있다 보면 전혀 모르는 곳에 도착할 것 같은 기분이 들었다. 난간을 잡고 선 나는 굳이 걸음을 재촉하지 않았다.

엘리베이터를 타고 3층에 올라오니 자리마다 까맣게 꺼져 있는 PC가 전원 스위치만 붉게 빛내고 있었다. 나는 내 자리의 의자를 치우고, 셔츠 소매를 풀어 팔꿈치까지 걷어 올렸다. 비품실에서 복사 용지가 들어 있던 적당한 크기의 상자를 가져와, 선반에 꽂힌 책들부터 쓸어 담기 시작했다.

서랍에서는 잡동사니가 끝도 없이 나왔다. 펜, 접힌 영수증, 구겨진 메모지가 굴러다녔다. 연필꽂이에서도 몽당연필이나 먼지가 잔뜩 묻은 지우개 같은 게 쏟아졌다. 나는 버릴 것과 가져갈 것을 분리하다가 결국 다 상자 안으로 던져 넣었다. 책상 서랍 안쪽까지 물티슈 한 팩을 다 써서 닦아 내고 나자 새까맣던 창밖이 희끄무레하게 밝아져 있었다. 위층에는 출근한 사람이 있는지, 복도의 층계참에서 멀찍이 발소리가 들렸다.

그래도 비품실 밖의 복도는 어두워서, 빈 쓰레기통을 들고 돌아가는 길에도 나는 긴장이 풀려 있었다. 팀원들에게 마무리 인사는 해야 하는데, 언제쯤이면 다 모여 있는 자리에서 간단히 끝낼 수 있을까. 그런 생각을 하면서 배낭을 메고 외투를 팔에 걸치고 제법 무거운 상자를 들어 올렸을 때였다.

"……아."

쿵, 무거운 게 떨어지는 소리가 났다. 나는 들고 있던 상자를 놓칠 뻔했다. 준비할 틈도 없이 눈이 마주쳤다.

송 주임이 떨어뜨린 커다란 상자에서 클리어 파일과 펜 따위가 쏟아져 나왔다. 쪼그려 앉아 허겁지겁 펜을 주워 담는 하얀 손을 나는 쳐다만 보고 있었다.

뒤늦게 상자를 내려놓고 손을 뻗었다. 잡으려던 펜 위에서 손등이 부딪쳤다. 송 주임은 벌레라도 닿은 것처럼 확 손을 떼어 냈다.

"아, 죄송해요."

"아니요, 제가……."

상자 가장자리를 잡은 손에 하얗게 힘이 들어가 있었다. 나는 숨을 들이쉬었지만, 말이 제대로 나오지 않았다. 더 이상 도와줄 수도 없어서, 송 주임이 상자 정리를 마칠 때까지 옆에서 어색한 자세로 쪼그려 있었다.

물건을 다 주워 담고 나서 송 주임은 고개를 숙인 채로 흘러내렸던 머리를 귀 뒤로 여러 번 정리했다. 나는 침묵을 견딜 수 없어서 말했다.

"오늘 복귀하시나 봐요."

내가 들어도 멀쩡한 목소리였다. 잠시 멎었던 송 주임의 손이 이번에는 치맛자락을 정리하기 시작했다.

"네, 어쩌다 보니……."

"복귀 축하드려요."

"……감사해요."

구기고, 펴고, 구기고, 펴고. 몇 번 반복하자 손톱이 쓸어 내려도 치맛단에 구긴 흔적이 남았다. 나는 억지로 눈을 떼어 내고 먼저 일어섰다. 내가 일어서자 송 주임도 따라서 일어섰다. 들고 있는 상자가 내 것보다도 커서 얼굴이 제대로 보이지 않았다.

입을 열었는데, 송 주임이 빨랐다.

"이번에, 프로젝트 팀 선정되셨다고 들었어요. 축하드려요."

"아…… 감사합니다."

한 대 맞은 것처럼 불시에 뺨이 화끈거렸다. 송 주임은 눈치 채지 못하고 고개를 숙였다.

"그럼…… 저는 짐 정리해야 해서……."

"네, 들어가세요."

스쳐 지나기까지의 몇 걸음이 가장 힘겨웠다. 복도에 들어서고부터는 도망치는 것처럼 발이 빨라졌다. 엘리베이터를 기다릴 마음도 들지 않아 비상계단의 문을 팔꿈치로 힘겹게 젖혀 열었다.

쿵, 소리를 내면서 무거운 철문이 닫혔다. 어두운 층계참에 뒤늦게 불이 들어왔다. 나는 문에 등을 기대고 한참을 그 자리에 가만히 서 있었다.

탕비실 밖 복도가 시끄러웠다. 뭔가 운반하는 것처럼 덜컹거리는 소리가 연달아 들렸다. 나는 발소리가 열린 문 밖을 지나칠 때마다 등을 바르게 폈지만, 들어오는 사람이 없었다.

막상 올라오고 나니 어딜 가야 하는지 몰라 일단 들어온 곳이 탕비실이었다. 4층으로 출근하라는 말만 들었지, 다른 정보가 없었다. 한 팀장의 번호는 핸드폰에 저장되어 있지만, 내 쪽에서 연락하는 일은 없을 것이다. 출근 시간이 더 가까워지면 복도로 나가 누구라도 붙잡고 물어봐야겠다고 생각했을 때였다.

"……하는 말이 아니잖아요."

"알겠어요, 뭔 말인진 알겠는데……. 아, 잠깐만 잡고 있어 봐요."

예고 없이 탕비실 문으로 사람 머리가 쏙 들어온다. 눈이 마주쳤다. 내 얼굴을 뚫어져라 보던 짧은 머리의 남자가 눈을 가늘게 떴다.

"이분도 양반은 못 되시겠네."

나는 의자를 빌어내며 재빨리 일어섰다.

"이 방 쓰시려고요?"

"아니, 그게 아니라."

그가 문턱을 짚은 채로 한 손을 대충 내저었다.

"누가 계시면 도와달라고 부탁드리려고 했는데…… 마침 또 같은 팀원이 계셨네요. 이번에 TF 같이하게 된 분이죠?"

"아…… 네."

다행이다 싶은 마음에 어깨가 늘어졌다. 짐을 챙겨 들던 나는 남자가 내민 손을 뒤늦게 눈치 채고 상자를 다시 내려놓았다. 맞잡은 손은 버겁다 느껴질 정도로 크고 억세었다.

"이름을 분명히 들었는데, 까먹었네요."

"아…… 이서단입니다."

"맞아요, 독특해서 안 그래도……. 근데 이서단 씨는 왜 여기 있어요? 회의실 안 가고?"

"회의실이요?"

"박 대리님, 이거 옮기고 얘기하죠?"

신경질적인 여자 목소리가 문턱을 타고 넘어 들어오며 내 말을 끊었다. 박 대리는 어깨를 으쓱하더니, 말릴 새도 없이 내 상자를 들어 올렸다.

"아, 그건 제가……."

"일단 갑시다. 지금 회의실로 가구 옮기고 있으니까 좀 도와주세요."

탕비실 밖에는 작은 여자가 키보다도 훌쩍 큰 둥근 테이블을 쇠똥구리가 공 굴리듯 잡고 기다리고 있었다. 나는 인사도 못 하고 얼떨결에 떠밀리듯 테이블 반대편으로 돌아갔다. 테이블에 가려 얼굴도 보이지 않는 여자가 손을 뻗어 내 팔을 잡았다.

"거기 말고, 옆쪽에 서서 균형만 맞춰 주세요. 제가 굴리면 되니까."

"아, 제가……."

"둘이 굴리면 위험해요. 넘어지지 않는지만 봐 주시면 돼요."

균형을 맞출 것도 없었다. 거대한 테이블은 바퀴처럼 돌돌 잘도 굴러갔고, 나는 기껏 불려 나왔음에도 할 일이 없었다. 준비 태세로 손을 뻗고 있다가 곧 그것도 그만두었다. 테이블 너머에서 내 상자를 든 박 대리의 목소리가 소리 높여 넘어왔다.

"몇 시에 왔어요?"

"네? 아, 일찍이요. 아래층에서 짐 챙기느라……."

"저희는 어제 한 팀장님이 가구 좀 옮기라고 연락 와서 일찍 왔어요. 좀 더 지나면 복도에 사람 많아져서……."

둥근 테이블이 잘도 코너를 돌았다. 한 번 휘청거렸지만 내가 뻗은 손이 닿기도 전에 균형을 되찾았다.

"그럼, 지금 회의실에는 가구가 없나요?"

"네?"

"저희가 지금 가는 데가 회의실이라고……."

"아아, 안 쓰는 회의실이요. 중앙에 큰 테이블 하나가 자리 차지하고 있었는데 아까 분리해서 옮겼어요. 회의용으로는 지금 가져가는 테이블을 쓸 거고, 이거 갖다 놓고 나서 책상이랑 의자도 옮겨야 하고……."

복도 반대편에서 오던 사람이 테이블 행렬을 보고 옆으로 비켜섰다. 하필이면 내 쪽 벽이었다. 하는 수 없이 테이블이 지나갈 때까지 기다렸다가 옆으로 빠져서 따라잡았다. 그새 놓친 말이 있었는지, 박 대리는 다른 이야기를 하는 중이었다.

"작년이랑 비슷할 것 같은데, 이서단 씨는 작년에 없었으니까 모르겠죠."

"아, 그럼 저 빼고는……."

"이번에 멤버가 여섯 명인데, 이서단 씨랑 다른 한 명 빼고 네 명은 작년에 했던 사람들이에요. 여기 권인영 대리 포함해서. 저는 재작년에도 했고. 원년 멤버는 팀장님이랑 저, 이렇게 둘 남았네요. 자, 여기서 우회전."

구석진 곳에 있는 회의실이라 문이 좁았다. 테이블을 돌려 그 사이로 넣기 위해서 한참 양 끝을 붙들고 벽에 부딪혀 가며 실랑이를 해야 했다. 겨우 테이블을 굴려 넣고 따라 들어간 회의실은 생각보다 넓었다. 원래 중앙을 차지하는 큰 회의용 테이블이 없어진 곳에 공간이 뻥 뚫린 탓이었다.

가구 이동은 계속되었다. 출근 시간이 다 되어서 회의실 한편에는 책상 여섯, 의자 다섯이 파티션을 두고 적당한 간격으로 자리 잡았다. 남은 의자 하나를 가지러 박 대리가 자진해서 나가자, 가구가 널린 회의실 안에는 나와 권 대리 둘이 남았다.

난데없는 운동에 등이 땀으로 축축했다. 이마의 땀을 닦고 숨을 고르다가, 접혀 있던 원탁의 다리를 펴고 있는 권 대리의 뒤에 서서 조심스럽게 물었다.

"저……."

"왜요?"

말을 채 마치기도 전에 대답이 돌아왔다. 나는 다시 입을 열었다.

"회의용 의자는 따로 안 쓰나 해서요."

"저희는 회의를 스크럼으로 해서요. 의자 필요한 회의는 각자 본인 의자 가져와서 쓰고요."

탁, 탁, 뼈 꺾이는 명쾌한 소리를 내며 테이블 다리가 곧게 뻗었다. 나는 도와주려다가 핀잔을 들을 것 같아 잠자코 뒤로 물러났다. 작은 체구의 여자는 내 도움 없이도 테이블을 저쪽으로 굴려가더니 힘겹게 제자리에 세워 놓았다.

"저, 그러면."

"또 왜요?"

이번에는 권 대리가 뒤돌았다. 짧은 머리가 헝클어져 이마에 달라붙어 있었다. 일자로 곧게 다물린 입술을 보고, PC 설치는 어떻게 되는 거냐고 물으려던 나는 고개를 저었다.

"아닙니다."

"어수선하게 서 있지 말고 좀 앉으세요. 짐 정리는 자리 정해질 때까지 하지 말고."

"……네."

나는 눈치가 빠른 편이었지만, 이 정도면 둔한 사람도 모를 수가 없었다. 기존 팀원들의 의심과 적개심이 무엇이 대수였을까. 지금부터가 진짜였다. 나를 가장 배척할 사람들은 정당한 자격으로 TF에 들어온 팀원들이었다. 내가 이곳에 있을 능력이 되지 않는다는 것을 명백하게 아는 사람들. 앞으로 3개월간 매일 얼굴 봐야 할 동료들이었다.

명하니 의자에 걸터앉아 아직도 바쁘게 돌아다니는 권 대리의 뒷모습을 지켜보았다. 의자를 밀고 들어온 박 대리는 가구의 배치가 마음에 안 드는지 권 대리를 붙들고 진지하게 손짓해 가며 상의 중이었다. 내가 있는 곳에서는 말소리가 잘 들리지 않았다. 움직이는 입 모양만이 크게 확대되어 보였다.

출근 시간이 가까워지자 회의실에는 사람들이 늘어났다. 머리를 높이 올려 묶은 앳된 얼굴의 여자까지 해서 넷, 삼십 대 초반 가량의 훤칠한 남자까지 다섯이었다. 여자는 나를 보고도 샐쭉한 표정으로 눈인사만을 건넸지만, 박 대리에게 떠들썩한 환영 인사를 받은 남자는 회의실 안을 둘러보더니 내 쪽까지 걸어왔다. 망설임 없이 붙임성 있는 표정으로 손을 내밀었다.

"처음 뵙겠습니다. 이서단 씨죠? 여섯 명밖에 안 돼서 이름은 벌써 외웠습니다."

"……네."

"저는 영업부 마케팅팀 대리 삼 년 차 윤종석입니다. 이서단 씨랑 같이 올해 TF 신입이에요. 작년에는 면접도 못 봐서 올해는 면접까지가 목표였는데, 막상 될 줄은 몰랐어요. 매년 이렇게 경쟁이 치열해서야……."

깔끔하고 사람 좋은 얼굴에, 적당히 힘을 준 악수. 처음 본 사람과도 대화를 길게 늘이는 능력까지 딱 회사에서 원하는 인재상이었다. 내가 영업부로 갔다면 직속 선배가 되었을지도 모른다.

별 반응이 없어도 개의치 않고 인사를 마친 남자가 둥근 테이블로 돌아갔다. 아까 들어온 여자가 올려 둔 바구니에는 회사 근처 유명 제과점의 로고가 새겨진 작은 빵이 가득 들어 있었다. 박 대리가 나를 힐끗 보더니 바구니를 뒤적거려 빵을 흔들어 보였다. 나는 시선을 내리며 고개를 저었다. 지금 저쪽으로 걸어가 적당히 섞여 드는 것, 쌀쌀맞은 얼굴에도 뻔뻔한 웃음으로 응수하는 것. 어려운 일이 아니어야 하는데, 몸을 일으키려고 힘을 줄 때마다 입안이 바짝 말랐다. 차마 자리에서 엉덩이를 뗄 수 없었다.

"……아."

불현듯 권 대리가 고개를 틀었다. 이어서 나머지 세 명의 고개도 돌아갔다. 나는 한 박자 늦게 눈을 들었고, 열린 문턱에 서 있는 남자를 보았다. 모든 시선이 쏠린 꼭짓점에 태연하게 기대어 서서 그가 무심하게 말했다.

"오랜만입니다, 다들."

그게 신호탄이라도 된 듯, 뒤늦게 팀원들로부터 짧은 함성이 와르르 터졌다. 정갈한 정장 차림의 한 팀장은 걸어 들어와 탁자 위로 가방을 내려놓았다. 사람들은 그를 위한 공간을 비우기 위해 후다닥 옆으로 자리를 옮겼고, 바구니에서 빵을 꺼내 그에게로 내밀었다.

한 팀장은 껍질을 깐 마들렌을 한 손으로 받아 들었고, 악수를 청하는 윤종석 대리와 인사를 나눴다. 몇 마디 나눈 윤 대리가 꾸벅 길게 허리를 숙였다. 박 대리는 말할 차례를 기다렸다가 한 팀장의 시선을 잡아 끌었다. 머릿속에 든 가구 배치도를 늘어놓는지, 열을 올려 떠들며 벽을 따라 자리한 책상 쪽으로 손짓했다. 내가 앉아 있는 쪽이었다. 이야기를 들으며 한 팀장은 몇 번 짧게 고개를 끄덕였다. 책상과 의자를 훑는 시선은 나를 없는 사람처럼 스쳐 지났다.

재배치된 원탁 옆으로 투명한 유리 소재의 커다란 화이트보드가 자리 잡았다. 상자를 든 사람들이 어수선하게 몇 명 들락거리더니 개인 책상마다 PC도 설치되었다. 트레이에서 마커를 꺼내 색깔별로 보드 귀퉁이에 테스트해 보던 한 팀장은 시계가 정각을 가리키자 짝, 하고 건조하게 손뼉을 쳐 주의를 불러 모았다.

"회의 시작합시다."

그 말에 두셋씩 모여 앉아 잡담을 나누던 사람들이 각자 의자를 가지고 몰려들었다. 둥근 테이블은 여섯이 앉기에 알맞은 크기였다. 원탁이라고는 하지만 화이트보드가 있는 한 팀장의 자리가 엄연히 상석이었고, 나는 반대편 끝에 의자를 주차시켰다. 양옆에는 윤종석 대리와 아까 빵 바구니를 들고 들어왔던 김 주임이 앉아 있었다.

셔츠 소매를 걷어붙인 한 팀장이 일어섰다. 나는 가져온 노트 위로 펜촉을 대고, 팔을 긴장시켰다.

"프로젝트 개요는 지난주에 보내 드린 자료에 다 들어 있고, 개별로 질문 받은 것도 답해 드렸으니, 따로 시간 할애하지 않겠습니다. 타임라인 보셨으면 아시겠지만, 작년과 마찬가지로 업무 로드가 만만치 않습니다. 발표회까지 삼 개월 간은 전면전이라고 생각해 주시길 부탁드립니다."

한 팀장이 손짓으로 윤종석 대리를 일으켜 세웠다.

"이쪽은 이번에 함께하게 된 마케팅팀의 윤종석 대리입니다."

매끄럽게 일어난 윤 대리가 꾸벅 머리를 숙였다가 들었다.

"잘 부탁드립니다."

"그리고 이쪽은 QA팀 소속이었던 이서단 씨입니다."

막 다시 착석한 윤 대리가 웃는 얼굴로 나를 올려다보았다. 나는 의자를 뒤로 밀어내고 일어섰다. 모든 시선이 내게로 쏠려 있었다.

"기회를 주셔서 감사합니다. 열심히 하겠습니다."

맞은편, 싫어도 눈을 들면 마주할 수밖에 없는 곳에 한 팀장이 서 있었다. 억지로 시선을 끌어 올렸다. 단정한 얼굴을 정면으로 올려다본 짧은 순간에, 악몽과도 같은 영상들이 눈꺼풀 뒤로 곰팡이 피듯 검게 번졌다.

자오르는 숨을 참으며 나는 스르륵 미끄러져 내려 다시 주저앉았다. 윤 대리를 시작으로 박수 소리가 건조하게 퍼져 나갔다. 박수에 동참하지 않은 한 팀장이 말을 이었다.

"원래 내 TF는 회식을 하지 않지만, 이번 주만 예외로 치겠습니다. 금요일에는 모두 다른 약속 잡지 마시길 바랍니다. 참석이 어려우시면 지금 말씀하셔도 괜찮습니다."

손 드는 사람은 없었다. 예의상 빙 둘러본 한 팀장은 좋습니다, 하고 짧게 말을 끝맺었다. 나는 아직까지 하얗게 비어 있는 종이에 펜으로 [금요일 회식]이라고 끄적였다. 옆의 김 주임이 권 대리의 귀에 대고 낮은 목소리로 뭔가 말했다. 권 대리가 고개를 떨어뜨리며 웃었다.

몇 가지 기본 사항을 더 전달한 뒤 한 팀장이 두꺼운 서류철에서 꺼낸 파일 뭉치는 권 대리와 박 대리를 거쳐 김 주임과 윤 대리에게 전달되었다. 마지막에 남은 것이 테이블 위를 미끄러져 정확하게 내 앞으로 도달했다. 나는 두 손으로 파일을 끌어왔다. 투명한 파란 셀로판지 너머로 첫 장은 깨끗했다. 상단에 인쇄된 내 이름 말고는 아무것도 적혀 있지 않았다.

"개인별 업무배분표입니다. 숙지하시고, 저와는 오늘 한 분씩 따로 면담하시면 됩니다. 마지막으로…… 이서단 씨."

불시의 공격이었다. 딱딱한 폰트로 인쇄된 글자를 덧그려 읽던 나는 숨을 멈췄다. 마커를 손가락 사이에 끼운 그가 테이블에 느릿하게 양손을 짚었다. 아침 내내 없는 사람처럼 나를 지나쳤던 시선이 무심하게 내 얼굴에 꽂혔다.

"아까부터 뭘 열심히 메모하던데, 회의록이라도 작성 중입니까?"

"네? 아…… 아닙니다."

나도 모르게 노트를 탁 덮었다. 적을 필요 없는 정보가 누군가 흘려 놓고 간 것처럼 무질서하게 나열되어 있었다. 미세하게 떨리는 손을 감추기 위해 허벅지 위로 주먹을 쥐었다.

한 팀장은 애초에 답이 궁금하지도 않았는지 곧바로 시선을 틀었다. 업무배분표를 넘겨 보고 있는 박 대리를 불러 말했다.

"이번 프로젝트 기간 동안 박연철 대리님이 이서단 씨를 맡아서 사수 역할을 해 주시면 될 것 같습니다. 미리 상의한 사항은 아니니, 이의 있으면 말씀하세요."

"네?"

박 대리가 눈썹을 들어 올리고 나를 쳐다봤다.

"사수라고 하시면……."

"제가 자리를 비웠거나 다른 업무로 바쁠 때의 간단한 업무 확인 정도로 생각하시면 될 것 같습니다. 우선은 적응하기까지 팀 내 시스템과 소프트웨어 관련해서 코칭이 필요할 겁니다."

목과 얼굴의 피부가 가시에 찔린 듯 따끔거렸다. 나는 차마 박 대리를 쳐다볼 수가 없어 클리어 파일로 시선을 내렸다. 정수리와 옆머리에 와서 부딪히는 시선들이 느껴졌다. 한 팀장은 윤종석 대리님도 소프트웨어 사용법을 익히기까지 도움이 필요할 겁니다, 라고 뒤늦게 덧붙였다.

"예, 그렇게 하겠습니다."

침묵을 깨고 박 대리가 흔쾌히 말했다. 나는 고개를 들지 못하고 감사합니다, 라고 작게 인사했다.

"그럼 회의 마무리하겠습니다. 저는 점심시간부터 두 시간 정도 자리를 비울 예정이니, 개별 면담은 그 이전이나 그 이후에 찾아와 주시고. 첫날부터 모두 수고 많이 해 주시길 부탁드립니다."

"수고하셨습니다!"

"수고하셨습니다."

자리로 돌아가는 의자 바퀴 소리가 시끄럽게 울렸다. 두런두런 번져 나온 대화가 점차 멀어져 갔다. 나는 눈을 뜨며 의자를 뒤로 밀었다. 클리어 파일을 챙겨 들고 일어서는데, 돌아보니 박 대리가 퇴로를 가로막고 우뚝 서 있었다.

"……대리님."

목소리가 갈라져 나왔다. 박 대리는 미간에 골을 하나 파고 물끄러미 나를 쳐다봤다.

"점심 같이 먹을까요?"

"네?"

"지금 말고, 좀 이따가."

"아…… 네."

"이서단 씨 자리는 내 옆으로 옮겨야겠네요. 업무배분표 좀 볼 수 있을까요?"

나는 말없이 파일을 그에게로 건넸다. 박 대리는 의자를 끌고 움직이면서도 능숙하게 한 손으로 파일을 펼쳐 훑어 내렸다.

"……이것도 참…… 아, 그쪽 말고 이쪽으로 앉아요. 김 주임님, 괜찮죠?"

김 주임은 별 표정 없이 고개를 까딱였다. PC를 로그아웃하더니 내려놨던 몇 가지 물건을 챙겨 든 후 나와 자리를 바꿨다.

"일단 로그인하세요. 자칫하다 우리 둘 다 점심 못 먹게 생겼으니까. 내가 이서단 씨 스킬 셋을 잘 몰라서…… 기본 툴부터 간단하게만 점검하고 넘어갈게요."

"……네."

"권 대리님은 윤 대리님 세팅 좀 도와주시겠어요? 내가 이서단 씨 봐줘야 해서."

"네, 그럴게요."

획획 페이지를 넘기던 박 대리가 의자를 끌고 와 아예 내 워크스테이션에 붙어 앉았다. 로그인이 끝나고 회사 로고가 그려진 바탕화면이 떴다. 마우스를 찾아 더듬던 박 대리가 말했다.

"기본 바탕 안 바꾸는 사람 거의 없던데."

"네?"

"보자…… 일단 메신저부터 깔아야 하는데."

"사내 메신저라면 있습니다."

부지런히 시작 메뉴에서 바탕화면으로 아이콘을 끌어오던 박 대리가 고개를 저었다.

"우리 팀은 따로 쓰는 프로그램 있어요. 설치하는 동안 아이디 생겨 보세요. 외사 이메일이랑 같아도 되고, 달라도 상관없어요."

"따로 쓰는 프로그램이요?"

인트라넷과 연동되는 메신저를 놔두고 무슨 말인가 싶었다. 박 대리는 능숙하게 클라우드에서 설치 파일을 다운받아 실행하고 있었다. 불편한 자세로도 마우스를 움직이는 손이 거침없었다. 나는 최대한 의자를 옆으로 당겨 그가 책상을 점령하게 두었다.

"리바이라고, 처음 접하는 사람한텐 설명이 좀 어려운데……."

딩, 하고 밝은 신호음과 함께 로그인 창이 떴다. 공란에 커서를 멈춰 세우고, 박 대리는 내게 키보드를 넘겨주었다.

"메신저랑 플로우 차트랑 업무 진도 파악을 겸하는 프로그램인데, 한 팀장님이 개발했어요. 아, 패스워드는 그것보다 길게 쳐야 할 겁니다. 그리고 밑에 한 번 더. 이게 처음엔 좀 낯설지 모르는데 쓰다 보면 알 거예요. 생각보다 직관적이라. 됐어요, 이따 프로필 사진 넣으세요."

상단 메뉴의 멤버 탭 위로 마우스를 올리니 주르륵 여섯 명이 나열되어 있었다. [윤종석]이라고 써진 프로필은 내 것과 마찬가지로 사진 없는 까만 실루엣이었다. 맨 위는 [한주원]이라고 쓰여 있었는데, 얼굴 사진이 아닌 웬 엽서 같은 눈 덮인 산 풍경이 자그맣게 자리 잡고 있었다.

박 대리는 메뉴를 하나씩 클릭해 대부분 비어 있는 대화창이며 플로우 차트를 보여 주었다. 나는 망설이다가 입을 열었다.

"그런데, 왜 굳이……."

"왜 이걸 쓰냐고요? 멀쩡한 회사 프로그램 놔두고?"

"네."

"이게 더 편하니까 쓰죠. 기능은 대충 이해했죠? 모르겠으면 나중에 물어봐요. 일단 넘어가고, 다음은……."

그때 권 대리가 대기하고 있다가 타이밍을 잡아 잽싸게 박 대리의 팔을 끌어당겼다. 잠깐만요, 하고 내게 양해를 구한 박 대리가 바퀴 달린 의자째로 저쪽으로 끌려갔다. 한 팀장과 셋이서 배분표를 놓고 벌이는 토론을 귓등으로 흘려 들으며 나는 의자를 당겨 바로 앉았다. 마우스를 잡아 방금 박 대리가 대충 훑어 준 기능들을 다시 한번 확인했다. 윤종석 대리의 프로필은 어느새 잘 나온 얼굴 사진으로 바뀌어 있었다.

사진을 군이 바꿔야 하나 싶어 의미 없이 마우스를 달각거리던 나는 실수로 화면 중앙을 줌인했다. 프로그램의 배경 이미지라고 생각했던 가느다란 거미줄 모양이 커져서 화면을 가득 메웠다. 각각의 셀이 거미줄처럼 빼곡하게 연결된 형태로, 프로젝트의 타임라인과 각각의 업무가 정리되어 있었다. 불이 들어온 셀 위에 앉아 있는 것처럼 각각의 프로필 사진이 표시되어 있었는데, 지금으로서는 거미줄의 중앙에 옹기종기 모여 있는 상태였다. 시간이 지날수록 셀이 채워지며 바깥쪽으로 뻗어 나가 훨씬 어지러운 모양이 될 것이라는 것을 알 수 있었다.

코가 화면에 닿을 것처럼 가깝게 들여다보고 있자, 어느새 돌아온 박 대리가 화면을 보고 웃었다.

"재밌죠, 그거."

"네."

"며칠만 지나도 장점이 확실히 보일 거예요. 다른 것보다…… 몇 시간씩 회의 안 해도 내 업무가 옆 사람의 업무와, 전체적인 프로젝트의 목적성과 어떻게 유기적으로 연결되어 있는지 항상 파악이 가능하니까 좋죠. 의견 교환도 쉬워지고. 써 보면 알아요, 그래서 윗분들 심기 불편하게 만들면서까지 매년 쓰는 거니까."

"이걸 팀장님이 코딩하셨다고요?"

"응?"

파티션 뒤에 가려져서 그가 보이지 않았다. 나는 명치끝이 울렁거리는 듯한 어지러움을 느꼈다. 그렇죠, 라고 박 대리가 답했다.

"첫 버전은 대학교 때 만들었다던데, 조별 과제용으로. 본인에게 들은 얘기는 아니지만 내가 학교 후배라, 아마 맞을 거예요."

갈증처럼 따가운 것이 가슴을 할퀴었다. 선명하게 윤곽이 잡혔다 싶으면 다시 비웃듯이 흐릿해졌다. 이렇게 깐깐한 업무배분표를 작성하는 남자가 나를 주말에 호텔로 불러내고, 이런 프로그램을 만들 정도로 유능한 사람이 나를 이 회의실에 들어 앉히다니. 나조차 이해할 수 없는데, 그 누구에게 설명한다 한들 내 말을 믿을까.

"이서단 씨."

배분표를 해석하는 데만 오전이 지나갔다. 틈틈이 읽어 왔던 전체 열람 자료와 지난주에 전달받은 문서로는 턱도 없었다. 내가 모르는 용어가 너무 많았고, 부족한 배경 지식이 너무 많았다. 찾아보려 덤비니 방대한 양의 정보에 숨이 턱턱 막힐 지경이었다. 박 대리가 어깨를 툭툭 친 순간, 화면을 오전 내내 뚫어져라 응시한 눈이 기다렸다는 듯이 사납게 따끔거렸다. 눈을 깜박이며 고개를 들자, 박 대리가 파티션에 기대어 서 있었다.

"점심 먹으러 갈까요?"

"아…… 벌써요?"

"벌써는. 한 시 다 되어 가는데."

회의실이 비어 있었다. 파티션 반대편에서 들리던 윤 대리의 목소리가 언제 없어졌는지도 기억나지 않았다. 일어서려는데 뻐근한 어깨가 당겼다. 새어 나간 목소리에 모니터를 끄던 박 대리가 웃었다.

"집중하는 건 좋은데, 쉬어 가면서 하죠. 이제 시작인데."

"네. 점심은 보통 각자 먹는 건가요?"

"보통은요. 각자 부서도 있고 하니까요. 팀장님 빼고 나머지는 지금 구내식당 내려가 있을 건데, 이서단 씨는 나랑 같이 나가요. 점심 사 줄 테니까 좀 느긋하게 먹고, 얘기도 하고."

"네."

남겨 두고 온 일이 불안했지만, 별 수 없었다. 코트를 챙기고 벌써 걷기 시작한 박 대리를 쫓아 나갔다.

"못 먹는 건 없죠?"

"네, 아무거나 잘 먹습니다."

"음…… 나는 덮밥 같은 게 생각나는데. 괜찮아요?"

"괜찮습니다."

머릿속에 회사 근처의 음식점은 전부 들어 있는지, 박 대리는 걸음에 망설임이 없었다. 신호가 바뀌자, 넓은 교차로 위로 어두운 빛

깔의 회사원들이 내 머릿속처럼 어지럽게 엉켜들었다.

　길을 건너고도 5분을 더 걸었다. 박 대리는 말이 없었고, 나도 잠자코 입을 다물었다. 아직까지 대놓고 한 팀장이 왜 너를 뽑아 놓았냐고 묻는 사람은 없었지만, 박 대리의 기세를 보니 오늘 그 이야기가 나올 법도 했다.

　구석진 골목으로 들어갔다. 박 대리가 뿌옇게 더러워진 유리문을 잡아 열었다.

　"여기 와 봤어요?"

　"아니요."

　"괜찮아요, 시끄럽지 않고. 음식도 빨리 나오고."

　일본식으로 꾸며진 식당이 허름했다. 비어 있는 테이블 중 하나에 주저앉은 박 대리가 코트를 벗으며 주방을 향해 덮밥 둘이요! 라고 외쳤다. 가리개 뒤에서 예! 하고 대답이 돌아왔다.

　나는 뒤따라 코트를 벗어 의자에 걸쳤다. 주방에서 나온 주인이 메뉴판을 걷어 가며 뜨거운 차가 든 주전자와 잔 두 개를 테이블 위로 포개 놓았다. 차를 한 모금 마신 박 대리가 숨을 길게 내쉬었다.

　"날씨가 점점 추워지네."

　"그러네요."

　"이서단 씨 S대 나왔어요?"

　"아…… 네."

　"그럼 내 후배네."

　나는 차를 넘기려다가 콜록, 기침했다. 한 번 사레가 들리자 기침이 계속해서 나왔다. 기침 사이사이로 정말요? 라고 묻자, 박 대리가 고개를 끄덕였다. 능숙한 손놀림으로 통을 뒤적여 내 앞에 냅킨과 젓가락을 놓아 주었다.

"한 팀장님도 S대 출신이에요. 몰랐어요?"

"네……. 몰랐습니다."

"어떻게 몰랐어요? 아무리 한참 후배라고 해도, 나는 과가 다른데도 소문이 다 건너오던데. 이서단 씨는 컴공 나오지 않았어요?"

"네, 맞습니다."

"과 활동 아예 안 했어요?"

젓가락을 집어 들었다가 멈칫했다. 밥이 나오자 박 대리는 생강 따위가 들어 있는 접시를 내게로 밀어 두고, 덮밥을 비비기 시작했다. 지켜보던 나는 뒤늦게 답했다.

"별로 못 했습니다."

"그래요? 나는 한 팀장님이 학교 후배라서 이서단 씨를 특별히 챙기나 했는데, 그건 또 아니었나 보네."

별다른 뉘앙스가 없는 듯 무심한 목소리. 밥알이 목구멍에 걸릴 뻔했다. 나는 눈을 내리깐 채로 시간을 들여 입안에 있는 것을 삼켰다. 대답하지 않기 위해 휴지를 든 손으로 입을 가렸다.

"하긴, 그런 이유로 팀원 뽑을 사람도 아니긴 하지. 기존 팀원들도 매년 지원서 쓰느라 피똥 싸는데."

"……네."

"작년에 했다가 올해 안 뽑힌 후배놈 하나 있거든요. 이따 밤에 술

한잔하기로 했는데, 아무튼 그놈이 발표 나고서 한 팀장님 찾아가서 매달린 모양이더라고요. 한 팀장 주특기가 말만으로 사람 만신창이 만드는 거라…… 이서단 씨도 조심해요, 수틀렸다가 당할라."

가벼운 말에 뼈가 있었다. 나는 그의 독설이라면 이미 귀에 피가 나도록 겪어 봤다는 말을 삼키고, 잠자코 밥을 꼭꼭 씹어 먹었다. 박대리는 잠시 나를 내버려 두었다. 카운터석에 앉아 있던 손님 두어명이 나가자 가게 안이 한산해졌다. 문이 닫힌 후의 침묵을 기다리고 있었다는 듯이 박 대리는 찻잔을 내려놓았다.

"사수 된 지 몇 시간이나 됐다고 벌써 당부질이냐고 하겠지만……."

그렇게 말문을 열고 박 대리는 미간에 골을 팠다. 밥은 벌써 다먹었는지 그릇이 깨끗했다. 나는 젓가락을 내려놓고 자세를 바로했다.

"말씀 계속해 주세요."

"아, 밥은 계속 먹어요. 먹기 불편하면 나중에 말해도 되니까."

"아니요, 먹을 만치 먹었습니다."

모래인지 흙인지 모를 지경이었으니 차라리 다행이었다. 흐트러진 밥알이 반 이상 남은 그릇을 쳐다보던 박 대리가 어깨를 으쓱했다.

"밥은 제대로 챙겨 먹어야 체력이 버틸 텐데."

"죄송합니다."

"나한테 죄송할 일은 아니고…… 이렇게 분위기 무겁게 잡을 애

기도 아닌데, 나도 이런 일은 아직까지 경험이 없어서. 불편해도 이
서단 씨가 이해해요."

"아닙니다."

차를 내도록 마신 것 같은데 목이 탔다. 무릎에 올려둔 손이 땀으
로 축축했다. 한참 뜸을 들이던 박 대리가 한숨을 훅 내쉬었다. 머리
를 긁적이는 소리가 들렸다.

"이서단 씨가 얼마나 아는지 몰라서……. 프로젝트 팀이 올해로
삼 년째인 건 알아요?"

"네."

"원래 단기 TF로 조직되었는데……. ITF라고, 이노베이션, 그러
니까 시스템 이노베이션을 목표로 잡은 거였어요. 한 팀장님이 사
년 전에 합병 절차 거치면서 NEB 쪽에서 영입해 온 인사라는 건 알
고 있어요?"

"네, 들었습니다."

"그때부터 직무급 제도도 도입되고, 회사 좀 젊고 트렌디하게 뜯
어고치겠다고 NEB 쪽에서 나섰는데, 일 년 지나도 실제 돌아가는
꼴은 별 차이 없으니까 한 팀장님한테 TF를 맡긴 거죠. 근데 그건
그때 상황이고. NEB쪽 영향력도 지금 와서는 많이 약해졌고, 래원
쪽 윗대가리들은 한 팀장님이 어디 가서 확 죽어 버리면 소원이 없
은 사람이 대부분이고, 팀상님은 눈치 좀 봐야 하는 타이밍인데 성
질을 못 죽이고……."

이야기가 어디로 흘러가는 건지 알 수가 없었다. 박 대리는 단어

를 찾는데 애를 먹는 사람처럼 미간을 찌푸렸다.

"한 팀장님을 눈엣가시로 여기는 사람이 많아도, 그동안은 칼같이 원칙대로 하는 사람이니 아무도 건들 수가 없었어요. TF도 성과가 좋지 않았으면 진작 없어졌을 거고. 무슨 말인지 알겠어요?"

"……."

"이서단 씨를 뽑은 건 팀장님 재량이고, 내가 왈가왈부할 일도 아니지만, 이번에 뒷말이 많아요. 언제 수틀리나 지켜보는 눈도 많고."

나는 속으로 생각했다. 그렇다면 오히려 내가 한 팀장에게 유사시에 쉽게 잘라 낼 수 있는 도마뱀 꼬리 같은 존재가 아닐까. 그렇다고 해도 박 대리의 말은 논리적이었고, 한 팀장의 행동에는 이해되지 않는 것들이 수두룩했다. 털끝 하나 어긋나면 위험해지는 사내 정치에서, 나와의 거래 같은 위험 요소를 그가 감당할 필요가 있었을까.

고개를 들어서 사람 좋은 얼굴에 껄끄러움을 고스란히 드러내 놓고 있는 박 대리를 올려다봤다.

"박 대리님은 제가 어떻게 하길 바라십니까?"

팀에서 빠지라는 말을 각오했다. 그럴 수 없다는 말은 이미 준비해 둔 터였다. 하지만 박 대리는 어깨를 들썩이며 피곤한 한숨을 내쉬었다.

"이서단 씨가 딱히 할 수 있는 건 없지 않나 싶은데. 뽑은 팀장이 문제지, 신청한 이서단 씨가 문제겠어요? 무턱대고 신청한 게 이서단 씨 하나도 아니고."

"……."

"그냥 알고 있으라고요. 누가 귀띔 안 해 주면 모를 수도 있고, 모르면 실수할 수도 있으니까. 그리고…… 가급적 작은 꼬투리도 잡히지 않게 삼 개월간 행동거지 조심해 주면 좋겠어요. 일도 열심히 해 주면 좋겠고. 나도 도울 일 있으면 도울 테니까."

박 대리는 입꼬리 양 끝을 올렸다. 그럭저럭 웃음 비슷한 표정이었다. 나는 자세를 바로하고 고개를 숙였다.

"열심히 하겠습니다."

"그래요, 그럼 다행이고."

"정말로…… 최선을 다하겠습니다. 신경 써 주셔서 감사합니다."

그 정도면 됐어요, 하면서 박 대리가 두 손을 들어 보이며 곤란하게 웃었다. 이어진 침묵은 조금 전보다 가벼웠다. 박 대리는 한시름 놓은 듯이 팔을 의자 등받이 뒤로 뻗어 크게 기지개를 켰다.

"갈까요, 그럼. 정말로 더 안 먹어요?"

"네, 괜찮습니다."

"그럼 일어납시다."

박 대리는 찻잔을 끌어와 남은 차를 한 모금에 털어 넣었다. 따라 일어난 나는 지갑을 꺼낸 그가 카운터까지 다녀올 때까지 테이블 옆에 어색하게 서 있었다.

"잘 먹었습니까."

지갑을 가방에 챙겨 넣던 박 대리가 멀뚱히 고개를 들었다.

"별로 잘 먹은 것 같진 않은데."

"……죄송합니다."

"이서단 씨는 지금 보니 멘탈 관리 신경 좀 써야 할 것 같은데. 한 팀장님 밑에서 일해 본 적 없죠? 장담하건데 일의 새로운 패러다임이 열릴걸요. 아마 신청서 괜히 냈다고 후회하게 될 텐데, 그땐 이미 늦어요."

웃으라고 한 얘기였지만, 박 대리의 등을 쫓아 식당을 나서며 나는 마냥 웃을 수가 없었다. 후회라면 이미 하고 있었고, 늦기도 이미 늦어 있었다. 한 팀장의 말대로였다. 출발한 열차의 손잡이를 꽉 붙들 뿐, 나에게는 남은 3개월을 이 악물고 버티는 것밖에 다른 선택지가 없었다.

〰

아침에만 해도 비어 있는 자료실이었던 공간이 테이블과 의자를 들여 놓아 작은 면접실로 바뀌었다. 문턱에 서서 나는 처음 한 팀장과 단둘이 대면했던 회의실을 떠올렸다. 고작 2주 전의 일인데, 체감상 몇 개월은 지난 것 같았다. 그와의 대화를 앞두고 배 속이 다 뒤집어지는 긴장은 여전해도, 그 긴장의 종류는 완전히 달라져 있었다.

좁은 테이블 가득 서류를 펼쳐 놓고 빠르게 글씨를 휘갈기고 있는 한 팀장에게서는 아무리 기다려도 들어오라는 말이 없었다. 입을 열었다가 그냥 다문 나는 문틀을 손으로 탁 짚어 인기척을 냈다.

한 팀장은 올려다보지 않고 말했다.

"와서 앉으세요."

"네."

의자를 최대한 뒤로 밀어 앉았다. 땀으로 귀퉁이가 우그러진 자료를 테이블 위에 올리고 가만히 기다렸다. 메모를 완료하고 파일을 덮은 한 팀장은 마침내 고개를 들었다.

"점심은 먹었습니까?"

숨을 들이쉬고도 박자를 놓쳤다. 단정하게 매듭지어진 넥타이 즈음을 바라보며 그가 되묻기 전에 서둘러 대답했다.

"네, 박 대리님과 먹었습니다."

예의상 한 질문이었는지 그는 고개만 한 번 끄덕였다. 길고 모양 좋은 손가락이 내 쪽으로 다가와 인쇄된 자료 중 맨 위에 있는 배분표를 끌어갔다. 검은 선 위를 손끝으로 툭툭 무심하게 짚었다.

기다리는 동안 나는 쿵쿵거리는 심장을 가라앉혔다. 공간이 너무 협소했다. 테이블이 작아 자칫 다리를 뻗었다가는 그의 발에 닿을 것 같았다. 문이 열려 있는 것이 다행이었다. 열린 틈새로 희미하게 박 대리와 권 대리의 목소리가 들려왔다.

"이서단 씨."

어깨가 움찔 튀어 올랐다. 한 팀장은 자리에서 일어나, 등 뒤에 있던 키 큰 캐비닛 상자 하나를 들어 올려 내 앞으로 내려놓았다. 쿵 하는 소리가 날 정도로 묵직했다. 뿌옇게 올라오는 먼지를 손으로 걷어 내자, 열린 입구 안쪽으로 두꺼운 폴더의 앞면이 보였다.

"작년과 재작년 프로젝트 자료입니다."

"……아."

"현재 이서단 씨 권한으로 열람 가능한 건 전부 모아 뒀습니다. 사용하는 툴도 그렇고 방식도 그렇고, 맞닿아 있는 부분이 있으니 도움이 될 겁니다."

그리고, 라고 그가 대답할 틈도 주지 않고 무심하게 말을 이었다. 테이블 옆에 놓인 거대한 상자 두 개와 반대편의 작은 상자 하나를 구두코로 툭 쳤다.

"기업 컨설팅과 시스템 이론 관련 자료와 서적입니다. 대부분 학부 수준이거나 거기서 약간 더 나아간 정도지만, 제대로 공부해 본 적 없는 분야라면 기본기가 더 중요합니다. 기사 스크랩해 둔 파일이 있을 텐데, 그것부터 우선 꼼꼼하게 읽으세요."

"……네."

"업무와 별개로 공부한 내용은 그날그날 간략하게 보고서 작성하세요. 하루 한 번 시간 내 줄 테니까 와서 성과 보고하고, 다음 날 피드백 받으면 됩니다. 내가 없을 땐 박 대리한테 가면 되고, 여기까지 질문 있습니까?"

고개를 저었다가 없습니다, 라고 말을 붙였다. 한 팀장은 허리에 한 손을 짚은 채로 잠시 나를 내려다보았다. 짧게 숨을 내쉬더니, 주머니를 뒤적거려 상자 위로 무언가를 포개고 내 쪽으로 밀어 주었다.

"지금 바꿔 끼세요."

"……이건……."

사원증의 목걸이 줄이 스륵 내 쪽으로 흘러내렸다. 집어 들어 플라스틱 카드 부분을 뒤집어 보니, 내 얼굴과 이름이 있었다. 목에 이미 걸려 있는 사원증과 같았다. 한 팀장은 의자를 밀어 넣으며 파일을 챙겨 들었다.

"일단 갑시다."

"네?"

"가는 길에 설명할 테니까 따라오세요. 상자는 거기 두고. 다녀와서 필요한 것부터 자리로 옮기든지 하세요."

사원증을 나란히 놓고 비교하던 나는 영문도 모르고 서둘러 일어섰다. 벌써 회의실을 반 가로지른 그가 나를 돌아보며 내 자리 쪽으로 턱짓했다.

"자켓 챙겨 입으세요."

정신이 하나도 없었다. 뛰듯이 자리로 돌아가 의자에 걸쳐 둔 자켓을 빼 들었다. 자료실에서 나올 때부터 나를 지켜보던 박 대리가 뭐가 재미있는지 웃고 있었다.

회의실 밖 복도에 기대어 있던 한 팀장은 내가 나오자 몸을 바로 세웠다. 가늘게 뜬 눈으로 나를 훑어 내리더니, 불쑥 팔을 뻗었다.

"……으."

질끈 감은 눈앞에서 긴 손가락이 잠시 멈칫했다. 이윽고 아무 일 없었다는 듯이 한 팀장은 내 헝클어진 머리를 느릿하게 몇 가닥 정돈해 주고, 아래로 내려가 타이의 매듭을 고쳐 주었다. 나는 그의 손이 다시 떨어져 나갈 때까지 숨을 쉬지 않고 가만히 멈춰 서 있었다.

물러서서 나를 물끄러미 쳐다보던 한 팀장이 부연 설명 없이 몸을 틀었다. 힘이 풀어진 다리를 재촉해 겨우 그를 따라잡았다.

"팀장님, 어디……."

한 팀장은 시선도 주지 않고 사원증 바꿔 끼세요, 하고 내 말을 끊었다.

나는 그를 따라가면서 낑낑대며 목걸이를 머리 위로 빼고, 손에 들려 있던 빳빳한 것으로 교체했다. 그가 정리해 준 머리가 다시 흐트러졌다. 목에 걸고 내려다보고서야 나는 새로 바뀐 사원증에서 느낀 미묘한 이질감의 원인을 발견했다. 사진과 이름이 문제가 아니었다. 그 아래, [QA팀]이라고 새겨져 있던 곳에, [컨설팅2팀]이라는 생소한 글자가 작은 글씨로 박혀 있었다.

"알겠지만, TF는 기존에 있던 부서의 일과 겸하는 형태로 진행됩니다."

한 팀장은 제자리에 우뚝 서 버린 나를 힐끗 돌아보며 말했다.

"연초인 만큼 업무 비중 자체는 TF가 훨씬 높아도, 나머지 팀원들은 부서와 회의실을 들락날락하면서 일하게 될 겁니다. 이서단 씨의 경우에는 현재 소속된 부서가 없으니, TF일에 매진한다 해도 회사 내규상 소속이 정해지긴 해야 합니다."

그가 다시 걷기 시작했다. [컨설팅팀1,2→]라고 쓰인 벽의 안내판을 지나서였다.

"QA에서는 이서단 씨를 내보내길 원하고, 이서단 씨가 지금 영업

부에 들어가서 그쪽 업무 적응과 TF를 겸하는 건 내 쪽에서 용납을 못 합니다. 다른 방법이 없어서 일단 내 권한으로 팀원들에게 양해를 구하고, 이서단 씨 소속을 삼 개월 간 내 팀으로 옮겨 놨습니다. 지금 가서 간단하게 인사만 하세요. 책상을 하나 비워 두긴 했지만 이서단 씨가 쓸 일은 없을 겁니다."

"……왜."

열린 문으로 회사의 소음이 쏟아졌다. 타자 치는 소리, 누군가의 웃음소리 같은 것들. 한 팀장은 열린 문 옆에서 팔짱을 낀 채로 나를 돌아보았다.

"왜 그렇게까지……."

나머지 말을 삼켰다. 입을 열지 말았어야 했는데, 이미 내뱉은 말을 주워 담을 수도 없었다.

이어진 침묵이 길었다. 한 팀장은 미간을 찌푸리고 나를 쳐다보고 있었다.

"뭘 묻고 싶은 건지 모르겠는데."

"……아닙니다."

"내가 이서단 씨에게 일방적으로 호의를 베푼다고 생각하는 거면, 아직 상황 파악이 덜 된 모양입니다. 충분히 시간을 줬다고 생각했는데……. 제대로 다쳐 봐야 깨달을 수도 있겠네요."

불시에 나아온 손이 머리카락을 다시 정돈해 주었다. 이번에는 손끝이 스치듯이 이마에 닿았다. 틀림없는 고의였다. 손톱의 단단한 날이 살을 파고들 듯이 예리했다. 온몸의 솜털이 곤두서는 것처럼, 닿아 있는 몇 밀리미터의 면적으로 신경이 쏠렸다.

나는 이를 악물고 자리에서 움직이지 않았다. 티 나게 움츠리지도, 눈을 감지도 않았다. 한 팀장은 손가락을 느릿하게 물리면서 미묘하게 입술 끝을 휘었다.

"시간 오래 쓸 수 없으니까, 다녀옵시다."

닿았던 곳이 타오르듯이 따끔거렸다. 앞서 걷는 뒷모습이 모퉁이를 돌 때까지도 한참을 제자리에서 움직일 수 없었다.

평소처럼 카드를 긋고 문을 젖혀 열었는데, 어두워야 할 회의실 안에 벌써 불이 들어와 있었다. 어제 안 끄고 퇴근했나. 그런 거라면 마지막까지 남아 있던 내 잘못인가 싶어 기억을 더듬는데, 저쪽 파티션에서 머리통이 삐죽 튀어나왔다. 나는 놀라서 테이블에 걸려 넘어질 뻔했다.

"아…… 안녕하세요."

김 주임이었다. 포니테일로 높게 묶은 머리카락이 대답 없이 다시 시야에서 쓱 사라지더니, 바퀴 달린 의자가 김 주임을 태우고 파티션 옆으로 돌돌 굴러 나왔다. 카디건을 두껍게 걸친 차림새에, 오늘따라 얼굴에 화장기가 없어서 그런지 어려 보였다. 고작해야 여동생보다 몇 살 더 많은 나이일까. 그렇게 생각하자, 일주일 내내 한마디도 제대로 나눈 적이 없었음에도 물끄러미 쳐다보는 시선을 담담하게 받아 줄 수 있었다.

"매일 이 시간에 출근해요?"

눈이 똑바로 마주치나 했더니, 대뜸 질문이 왔다.

"네, 이번 주부터는요. 회사에서 집중이 더 잘돼서……."

책이 든 배낭을 들어 보였다. 한 팀장이 준 상자의 내용물 중에 외부 반출이 가능한 자료, 그러니까 프로젝트 관련이 아닌 대학 교재 같은 것이 안에 그득하게 쌓여 있었다. 김 주임이 흠, 하고 고개를 짧게 끄덕거렸다. 그러더니 또 물었다.

"새벽에 일어나려면 피곤하지 않아요?"

"그렇긴 한데, 이 시간대가 지하철도 덜 붐비고……. 적응하면 괜찮을 것 같아요."

"집이 회사에서 멀어요?"

"한 시간 좀 넘게 걸리는데, 한 번밖에 안 갈아타서 괜찮아요. 역에서도 걸으려면 충분히 걸어갈 수 있는 거리고……."

질문과 대답의 아귀가 딱딱 들어맞는데도 동문서답 같았다. 김 주임은 뭘 이해했는지 또 고개를 끄덕였다. 그리고 이대로 자리로 가서 책을 펼치기에도 애매한 정적이 김 주임의 의자와 내가 서 있는 테이블 사이로 몸을 불렸다.

"탕비실 어딨는지 알죠?"

침묵이 느슨해져서 툭 끊길 무렵 김 주임이 물었다. 나는 배낭을 끌어안고 있다가 뒤늦게 고개를 끄덕였다.

"여기서 가까운 탕비실이요?"

"그때 같이 갔던 데요."

"네, 알아요."

그래요? 하고 되물은 김 주임이 샐쭉한 표정으로 이어 말했다.

"탕비실 어딨는지 알면, 커피 좀 타다 줄래요? 보고서 끝내야 하는데 졸려서 집중이 안 되네요."

"아…… 네, 금방 다녀올게요."

텃세나 심술치고는 온건한 편이었다. 배낭을 테이블에 두고 몸을 돌렸다가, 생각을 바꿔 한쪽 어깨에 걸쳤다. 회의실을 나서는데 다시 파티션 뒤로 들어갔던 김 주임의 목소리가 따라왔다.

"믹스 말고 커피 메이커에다가 우리 팀 원두로 타 주세요. 찬장에 있는 거요."

"네."

웃음이 나올 뻔했다. 며칠 전, 긴 오후 회의 전에 커피와 간식을 조달하러 윤 대리와 함께 셋이 탕비실에 갔다. 그때 남이 먹는 믹스 안 먹고 원두를 따로 사와야 하는 것이 얼마나 귀찮은지, 한 팀장한테 옮아서 다들 미식가가 된 줄 안다는 둥, 커피가 내려지는 소리에 조잘조잘 불평하는 목소리가 섞여 탕비실 반대편에서 들려오던 기억이 있었다.

찬장 첫 번째 선반에 둔 밀봉된 통을 더듬어 찾아냈다. 안에 든 네모난 수저를 가루에 푹 담그자 커피 향이 벌써부터 풍성하게 올라왔다. 어디어디에서 온 특이한 원두라는 설명을 들었는데, 특이한 건 모르겠고 커피다운 향이 진하게 났다. 그게 좋아서 통 입구에 코를 대고 몇 번이나 숨을 들이쉬었다.

커피 메이커에 물을 넣는 것까진 쉬웠는데, 직접 필터를 갈아 보는 건 처음이라서 시간이 걸렸다. 버튼을 누르고 지켜보자, 한참 삐그덕거리는 소리가 나더니 하얀 김이 스스스 피어올랐다. 유리 안쪽으로 검은 커피가 한 방울씩 떨어지기 시작했다.

"……뭐 해요?"

복도를 지나가는 줄 알았던 하이힐 소리가 멀어지지 않고 멈췄다. 돌아보니 김 주임이었다. 나는 졸졸 커피를 만들고 있는 기계를 김 주임이 볼 수 있도록 옆으로 물러났다.

"커피가 아직 안 돼서……."

"너무 안 와서 커피콩을 심기라도 하는 건가 와 봤어요."

"……처음 해 보는 거라서…… 기계가 생각보다 오래 걸리네요."

김 주임은 팔짱을 낀 채로 내 옆에 나란히 섰다. 유리 포트의 바닥에는 천천히 검은 커피가 고여 들었다. 윙윙거리더니 몇 방울 더 떨어지고 멈췄다.

"종이컵 말고 여기다가 줘요."

그녀에게서 머그잔을 받아 들고, 잠시 포트를 기다려 줬다가 기계에서 빼냈다.

"맛없어요."

김 주임은 한 모금을 마시자마자 대번에 말했다. 대충 예상하고 있던 나는 네, 하면서 커피 메이커의 전원을 껐다.

원한 반응이 아니었던 건지 김 주임이 얼굴을 확 구겼다.

"마셔 봐요."

그녀가 불쑥 내미는 잔을 받아 들었다. 입술 자국이 희미하게 찍
힌 부분을 보고 거절할까 망설이다가, 반대편으로 돌려 한 모금 작
게 머금었다. 입에 넣자마자 단번에 사레가 들린 것처럼 기침이 터
져 나왔다.

"맛없죠?"

"……네."

"물 양 제대로 맞췄어요?"

"맞춘다고 맞췄는데……."

어쩐지 유난히 액체가 검다고 생각했는데, 농축액이 된 모양이다.
김 주임이 이것 보라는 식으로 한숨을 쉬었다. 잔을 다시 받아 가려
고 내민 하얀 손을 내 쪽에서 피했다.

"이건 제가 마시고 새로 타 드릴게요."

"됐어요."

김 주임이 잔을 빼앗아 싱크대에다가 검은 액체를 쏟아 버렸다.
익숙하게 물을 다시 넣고는 필터를 갈아 커피 메이커의 전원을 넣
었다. 슉슉 치솟는 하얀 수증기에서 따뜻한 물 향이 났다. 나는 할
일이 없어져서 배낭을 챙겨 들었다가 인사 없이 자리를 뜰 수는 없
어 애매하게 그 자리에 서 있었다.

"뭐 좀 물어봐도 되죠?"

등을 돌린 채로 김 주임이 불쑥 물었다.

"네, 물어보세요."

"한 팀장님이랑 일주일 일해 보니까 어때요?"

"좋아요."

어려운 질문일까 긴장했는데, 아니었다. 이번엔 기대하던 대답이었는지, 혹은 그 반대였는지, 김 주임은 김빠지는 소리를 내며 웃었다.

"설마 진심으로 하는 소리예요?"

"네, 당연히……."

나를 돌아보는 눈이 가늘어져 있었다. 나는 김 주임이 나를 싫어하는 것도 잊고 되물었다.

"누구든 그렇게 생각하지 않을까요?"

"그럴 리가 있나요?"

애매모호한 대답이었다. 커피 메이커의 불이 꺼졌다. 포트를 집어 들며 김 주임은 말을 이었다.

"이서단 씨 많이 혼나던데. 괜찮아요?"

"아…… 억울하게 혼나는 것도 아닌데요."

"매일 야근하는 것도 괜찮고? 보니까 집에도 일 가져가는 것 같던데."

"그건 제가 느려서 그런 거니까……. 팀장님이 야근하라고 눈치 주신 것도 아니고요."

정확히 말하자면 야근 없이는 끝내기 불가능한 양의 일이었기 때문이지만, 정작 한 팀장은 그 몇 배가 되는 일을 혼자 해치우는데 누가 감히 불평할 수 있었을까. 으음, 하고 감탄사를 길게 늘이는 김 주임의 표정이 마음에 걸려 나도 모르게 물었다.

"김 주임님은 마음에 안 드세요?"

곧바로 대답하지 않고 커피를 따라 낸 김 주임은 포트를 내려놓았다.

"한 팀장님은 음식으로 치면 호불호가 갈리는 음식이죠. 매운 떡볶이나…… 곱창 같은?"

상사를 동물 내장에 비유하는 패기에 나는 말문이 막혔다. 막상 말해 놓고 썩 마음에 들지 않았는지, 김 주임은 고개를 약간 기울였다.

"운동으로 치면 암벽등반이나 패러글라이딩 같은……."

"……네."

"더 적합한 표현이 있을 텐데 생각이 안 나네요. 여튼 일 잘하는 걸로는 따라갈 사람 없지만, 좋은 상사는 아니죠. 인간미 없지, 토 나올 정도로 일 많이 시키지."

김 주임이 잔까지 내려놓고 양손의 손가락을 꼽았다.

"쓸데없이 꼼꼼하지, 뭐 하나만 잘못해도 사람 반 죽여 놓지. 쉽게 생각하고 지원해서 들어왔다가 못 견디고 일주일 만에 뛰쳐나간 사람도 많아요."

그렇게 말하고 김 주임이 다시 등을 돌렸다. 대화의 끝을 의미하는 것 같은 침묵이 자리 잡았다. 탕비실까지 쫓아와 무슨 말을 하고 싶었던 것일까. 머그잔에서 물기를 털어 내는 김 주임의 뒤에 서서 나는 그녀가 뛰쳐나가고 싶어서 하는 말인지, 혹은 내가 뛰쳐나가기를 바라고 하는 말인지, 곰곰이 생각했다.

후자의 일은 없을 것이었다. 한 팀장은 작년 내내 내가 상상해 온 대로, 혹은 그 이상으로, 적어도 내게는 이상적인 상사였기 때문이다.

어느 정도였냐면, 그를 상사로 대하는 일주일 동안 나는 그가 지난주 호텔방에서 마주했던 남자와 같은 사람이라는 사실을 이따금씩 잊었다. 그도 완벽한 상사의 얼굴로 일관했기 때문에, 나 또한 며칠 만에 손을 덜덜 떨지 않고도 그를 마주할 수 있었다. 지난 토요일의 일은 꿈에서 겪은 것처럼 흐릿하고 비현실적이었다. 가끔은 일어나지 않은 일 같기도 했다.

"이서단 씨."

"……네?"

"마실래요?"

불쑥 눈앞에 하얀 머그잔이 들이밀어졌다. 다른 쪽 손에 본인의 잔을 든 김 주임이 "남아서."라고 짧게 부연 설명을 덧붙였다. 잔 안에 든 황갈색 액체는 내가 김 주임에게 내밀었던 커피보다 색도 향도 훨씬 커피다웠다.

"감사합니다."

고개를 숙이자, 김 주임은 대꾸 없이 고개를 돌렸다.

"먼저 가 볼게요. 보고서 끝내야 해서."

"네, 들어가세요."

"오늘 회식 있는 거 까먹지 말고 미리 일 끝내 놔요."

"네."

스쳐 지나가는 얼굴이 냉담했다. 사라지는 뒷모습을 보면서 건네받은 잔을 양 손바닥으로 감싸 안았다. 어쩌면 프로젝트가 끝날 때쯤에는 더 나아지지 않을까, 생각했다. 노력하다 보면 내 자리에서도 한 사람 몫을 해낼 수 있지 않을까, 그렇게 팀원들 한 명 한 명에게 이곳에 있어도 되는 사람으로 인정받을 수 있지 않을까. 움튼 희망은 눌러 죽이려 해도 쉽게 사그라지지 않았다.

내일이 토요일임에도, 한 팀장이 나를 호텔로 불러낼 가능성은 막연하게만 느껴졌다. 그가 거래를 잊은 것이 아닐까, 돌이켜 보고 말이 되지 않는 일이라고 후회한 것은 아닐까.

어쩌면 그럴 수도 있을 거라고 생각했다. 대가 없이 보상만 취하려는 사람의 어설픈 자기기만이었다.

그날 밤 회식 자리에서 나는 마시지도 못하는 술을 주는 대로 꼬박꼬박 받아 마시고, 화장실에서 몰래 토하기를 반복했다. 감기는 눈꺼풀을 억지로 다잡으며 구석 자리에서 별로 웃기지도 않은 이야기에 웃고 박수쳤다.

그리고 토요일 아침, 부어오른 목구멍과 머리가 끊어질 듯한 두통을 부여잡고 눈을 떴을 때, 머리맡을 더듬어 집어 든 핸드폰에는 문자가 도착해 있었다.

[오늘 같은 시간, 같은 장소.]

그 밑에 첨부된 링크는 구체적인 그림으로 올바른 관장법을 설명하는 페이지였다.

"늦어서 죄송합니다."

목소리가 잠겨 나왔다. 한 팀장이 문틈을 가로막고 서서 물끄러미 내려다보고 있었다. 로비에서 시계를 봤을 때는 11시 5분이었으니, 카펫이 다 해어지도록 복도를 서성인 지금은 11시 10분은 넘었을 것이다. 지금이 회의였다면, 여기가 회사였다면, 한 소리 듣기에 충분한 죄질이었다. 하지만 짧은 침묵 끝에 그는 별말 없이 옆으로 비켜섰다.

"들어와요."

지난주와 같은 방이었다. 창을 덮는 커튼이 반 정도 닫혀 있었다. 창가의 테이블에는 서류가 펼쳐져 있었고, 와인병이 열린 채 놓여 있었다.

아침부터 숙취로 고생한 탓에 희미한 알코올 향을 맡기만 해도 신물이 올라왔다. 술이라면 한 달은 쳐다보고 싶지도 않았다. 그럼에도 눈앞의 상황을 똑바로 마주할 자신이 없어, 정신을 흐트러뜨릴 수만 있다면 무엇이라도 괜찮을 것 같았다. 나는 침대가 아닌 테이블 쪽으로 기꺼이 걸음을 떼었다.

"서노 한 산반 수세요."

그러자 등 뒤에서 그가 대답했다.

"안 됩니다."

"······네?"

지금 보니 와인잔이 하나였다. 내 옆을 스쳐 지나간 그가 테이블 위의 서류를 한 묶음으로 정리해 단정하게 포갰다. 서류 가방 안에 넣으며 부연 설명을 덧붙였다.

"토하게 되면 지저분해집니다."

가방을 테이블 밑으로 내려놓은 그가 와인잔의 얇은 목을 대충 그러쥐었다. 가벼운 손짓에 붉은 액체가 찰랑찰랑 넘실거린다. 그는 느릿하게 한 모금 머금고, 잔을 테이블 위로 내려놓았다.

"어차피 맛이 덜 열렸네요."

"······."

"정 마시고 싶으면 끝나고, 그때 마시는 게 나을 겁니다. 비위가 약한 편인 것 같던데. 나야 상관없지만, 이서단 씨는 상관있지 않겠습니까?"

입술이 닿았던 곳, 잔의 얇은 모서리를 느리게 문질러 닦아 내는 손끝에 갑자기 머릿속이 엉켰다. 머리보다 몸이 먼저 그의 말을 이해했는지, 정신을 차렸을 때는 문 쪽으로 두어 걸음 뒷걸음질을 친 채였다.

한 팀장은 나를 내버려 두고 침대 쪽으로 걸음을 옮겼다. 내가 문을 열고 방을 나서지 못하리라는 것을 자신하는 사람처럼 뒤를 한 번 돌아보지도 않고, 침대 끝에 깊숙이 걸터앉아, 주머니에서 꺼낸 담배를 손가락 사이로 느릿하게 굴렸다.

"옷부터 벗으세요."

달칵, 라이터 소리가 났다. 담뱃갑을 주머니에 넣으며 그가 연기를 깊숙이 빨아들였다. 나른하게 풀린 얼굴로 다리를 양옆으로 넓게 벌렸다. 사이에 사람 한 사람이 꿇어앉을 수 있을 만한 공간을 남긴 채였다.

"술이 덜 깼나 본데, 시간 끄는 건 적당히 합시다. 오늘은 내가 피곤해서."

"……팀장님."

"옷 벗으라니까."

회의실에서 일주일 내내 들었던 건조한 목소리였다. 나는 하얗게 질린 손가락을 기계적으로 셔츠 깃에 가져다 대었다. 투둑, 단추가 풀려 나갔다. 그는 어설픈 스트립쇼에 딱히 관심이 있는 얼굴도 아니었다. 귀찮다는 표정으로 등을 느른하게 기대고 앉아 기다리고 있었다.

속옷까지 벗어서 개켜 놓자, 그가 짧게 지시했다.

"와서 무릎 꿇으세요."

느릿한 무릎걸음으로 그의 다리 사이까지 기어들어 갔다. 더 가까이, 라고 그가 나른하게 뱉었다. 급기야 허벅지 사이로 손끝을 툭툭 짚었다. 코가 사타구니에 닿을 지경이 되자, 그제야 그는 고개를 끄덕였다.

"그래요, 거기 앉아서."

"……."

"더 말이 필요합니까?"

"아……."

"알고 있으면서 재차 설명하게 만들 겁니까."

"……아닙니다."

"하세요, 그럼."

오래 전부터 각오한 일이었는데, 머리가 하얗게 비었다. 표정이 통제가 되지 않았다. 그의 벨트를 짚은 손이 내 손이 아닌 것처럼 떨리고 있었다. 버클을 잡고 헛손질을 해 대는 내 머리통을 그는 무심하게 내려다보았다.

"일하는 건 적응 좀 됐습니까?"

"……."

"할 말이 있으면 지금 하는 게 나을 텐데. 내 좆이 입에 박히면—"

"웃!"

"그때부턴 원활한 대화가 어렵습니다."

그는 웃는 얼굴로 갑자기 내 뒤통수를 강하게 잡아 사타구니 사이로 밀어붙였다. 아직 풀지 못한 버클과 바지의 빳빳한 천에 얼굴이 엉망으로 비벼졌다.

"애새끼도 아니고, 버클 하나 못 풉니까."

"으, 읍."

"숨 쉬세요. 냄새 맡으라고."

음습하게 으르렁거리는 목소리가 귀에 날아들고, 불룩한 사타구니 위로 내 코가 아예 묻혔다. 그는 머리통을 쥐고 누르는 손을 떼어 주지 않았다. 숨이 막혀 발버둥 치며 크게 들이쉬자, 그의 말대로 강한 살 냄새가 폐 속까지 침범했다.

"우, 읍!"

"일해 보니 어땠습니까? 그렇게 하고 싶다고 하더니. 뽑아 준 나한테 황송해서라도 스스로 기어와서 핥고 빨아야지, 내가 이렇게 일일이, 하나씩, 지도해야겠습니까?"

살 냄새, 사내의 살 냄새. 구역질이 나왔다. 그는 아랑곳하지 않고 허리를 들어 점점 더 불룩하게 솟는 덩어리를 천 너머로 내 뺨에 비볐다. 뒤통수를 쥔 손이 갑자기 떨어졌다. 그는 발작하듯이 물러나는 나의 두 손목을 잡아채 들어 올렸다.

"손 쓰지 말고 하세요."

"읍!"

"버클은 풀어 줄 테니까. 지퍼 내리고 꺼내세요."

손목이 높이 들리자 몸이 어쩔 수 없이 끌려갔다. 균형이 잡히지 않아 그의 바지 지퍼 위로 얼굴을 묻듯이 넘어졌다. 가까스로 이 사이에 잡아 문 지퍼의 고리에서는 핏물처럼 금속성의 맛이 났다. 이 사이에 물고 잡아 내리려 하는 동안 그의 바지는 줄줄 흐른 침으로 젖어 들었다. 지퍼가 벌어질수록 양쪽의 톱니가 내 입술을 할퀴었다. 뺨이고 턱이고 할 것 없이 얼얼했다.

마침내 드러난 검은색 속옷은 벌써 내 침으로 축축하게 젖어 있었다. 천을 단단하게 밀어 올리는 뭉툭한 살덩어리는 일주일간의 내 악몽이었다. 그가 손목을 잡고 있지 않았다면 어떻게든 뒷걸음질 쳤을 것이다. 속옷이 드러나자 비릿한 살 냄새가 더욱 강해졌다.

나는 어떻게 해야 하는지 알 수 없었다.

"천 위로 빨아. 혀 내밀어서 전부 싹싹 핥으세요."

아예 일일이 지시하기로 마음먹었는지 그는 내 코를 속옷에 처박으며 낮게 뱉었다. 두서없는 생각을 정리할 시간도 없었다. 나는 하라는 대로 무조건 입을 벌렸고 혀를 내밀었다. 묵직한 살덩이 위로 요령 없이 혀를 비볐다. 텁텁한 천이 혀에 달라붙었다.

천 아래로도 성기의 모양이 뚜렷해졌다. 지난주에 직접 두 손으로 쥐어 봐서인지 발기한 형태를 선명하게 상상할 수 있었다. 몸을 지탱한 무릎이 끊어질 것처럼 아팠지만, 눈앞의 공포에 비하면 아무것도 아니었다. 속옷 구멍 사이로 시커먼 거웃이 보였다. 살덩이의 검붉은색이 보였다.

질질 흐른 타액으로 검은 속옷이 더 검게 젖어 들었다. 그는 손을 들어 대충 내 머리를 쓰다듬었다. 뒷목까지 내려간 손에 힘이 들어가나 싶더니 다시 속옷 위로 얼굴이 문질러졌다.

"울지 말고."

"윽, 아윽, 훗……."

"뭘 했다고 웁니까. 수도꼭지도 아니고."

알아차리지 못했는데, 정말로 눈가에서 눈물이 흘러내리고 있었다. 입술이 성기 위로 짓이겨지고, 속옷은 타액뿐이 아니라 눈물 콧물로 진탕 젖었다.

"꺼내서 빨아요. 이서단 씨 때문에 최근에 내 업무량이 얼마나 늘어났는지 알기나 합니까? 그 값은 해야지. 양심은 어디 팔아먹었습니까?"

빨리 끝내고 싶다는 생각밖에 없었다. 덜덜 떨리는 혀로 속옷 구멍을 파헤쳐 들어갔다. 살덩이의 뜨거움에 혀가 닿자 뻣뻣하게 굳은 혀뿌리가 움츠러들며 속이 뒤집혔다. 뜨겁게 번진 눈을 일단 감아 버리면서 나는 정말로 와인을 마시지 않기를 잘했다고 생각했다. 한 모금이라도 마셨다가는 그의 말대로 하얀 침대보에 토해 올린 와인을 흩뿌렸을 것이다.

코를 비빌 수 있는 거리에서 보자 살기둥은 더욱 컸다. 숨이 턱 막힐 정도로 흉악했다. 아직 반밖에 서지 않았는데 검붉은 표면에 핏줄이 징그럽게 불거져 있었다. 커다란 살덩이가 속옷 밖으로 완전히 드러나는 순간, 나는 모든 각오를 잊고 얼어붙었다.

"좆을 입안에 다 넣고 핥아요. 내가 쑤셔 넣기 전에."

턱을 잡아 내리는 손길에 나는 엉겁결에 입을 벌려 선단을 물었다. 구역질을 필사적으로 참으며 입술을 커다랗게 벌렸다. 쑤셔 들어간 성기의 부푼 귀두가 입천장에 문질러졌다. 끈적한 액이 묻었다. 반도 넣지 않았는데 입안에 비릿한 냄새가 가득 찼다.

내 뒷목을 잡은 그가 손에 힘을 주었다. 주욱, 굵은 살기둥이 목젖까지 한 번에 파고들어 왔다. 나는 무릎을 달달 떨면서 그의 허벅지를 잡고 밀어냈지만, 소용이 없었다.

"숨, 숨을 못 쉬……."

"입 더 벌리세요. 전부 넣어야지, 아직 남았잖아."

가차 없었다. 성기를 빼내는 것을 허락해 주지도 않고 그는 오히려 손가락으로 내 입술을 더 잡아 벌렸다. 나는 몸을 비틀면서 입안에 좆을 가득 문 채로 기침했다. 목 안쪽이 괴롭게 꿈틀거리고 눈물이 흘러내렸다.

입안에 든 뜨거운 살기둥이 크기와 경도를 점점 늘리고 있었다. 굵직한 밑동이 기어코 안까지 틀어박히자, 선단은 목구멍 깊숙한 곳을 퍽 찔렀다. 난폭한 침입에 속이 확 뒤집혔다.

까끌한 거웃이 입술과 인중을 홧홧하게 긁어 댄다. 굵은 성기가 찢어 놓은 양 입가에서 핏물 섞인 타액이 질질 흘러내렸다. 눈을 질끈 감고 턱을 엇나갈 정도로 벌린 나는 토악질을 참는 것만으로도 벅찼다. 쯧, 머리 위에서 그가 한숨을 쉬었다.

"가관입니다. 이렇게 못하는 사람은 또 처음 보네."

"……."

"어쩔 수 없네. 혀 앞쪽으로 내밀고, 힘 빼세요."

경고처럼 들린 것은 착각이 아니었다. 그는 내 손목을 놓아주며 양손으로 내 머리 양쪽을 잡아 확 끌어당겼다. 조금 빠져나왔던 성기가 목구멍까지 단번에 틀어박혔다. 어찌 되었든 다 쑤셔 넣겠다는 듯이 내 머리통을 붙잡고 목의 좁은 입구를 뚫었다.

입을 쓸 수 있었다면 애원했을 것이지만, 그것조차 불가능하자 몸이 통째로 경련했다. 동그랗게 벌어진 목구멍으로 굵은 살덩이가 쑤셔 박혔다. 배 속은 뒤집히는데 헛구역질은 전부 틀어 막혔다. 코로도 숨을 쉴 수 없었다.

그는 내가 정말 숨이 넘어갈 즈음에는 성기를 조금 물려 주었다.

위를 다 쏟아 낼 것처럼 기침하고 하얀 시트 위로 타액을 질질 흘려도 그게 수치스럽다는 생각은 들지 않았다. 그저 숨을 쉬어야겠다는 생각뿐이었다. 정말로 여기서 조금만 더 한다면 죽을 것 같았다. 그는 내가 기침을 겨우 멈추고 정신을 차리려는 시점에 다시 무표정하게 성기로 입술을 비집어 열었다.

"으, 우……욱! 윽!"

"목구멍 안 열어? 언제까지 할 작정이야?"

"욱, 싫, 싫, 아, 어윽!"

양손으로 그의 허벅지를 움켜잡았다. 밀어내도 그는 강철로 만들어진 것처럼 꼼짝도 하지 않았다. 찢어진 입술 사이로 다시 굵은 기둥이 서서히 들어왔다. 진입이 느린가 싶더니 빠르게 쑤셔 박혔다. 나는 눈을 크게 떴다. 입안이 불룩하게 가득 차고 확장된 목구멍이 터져 나갈 것 같았다. 무릎은 아까부터 마비된 것처럼 감각이 없었다. 그는 눈물을 줄줄 흘리는 나를 힐끗 보더니 허리를 잠시 물렸다. 새빨갛게 충혈된 입안에서 번들거리는 기둥이 스륵 빠져나왔다. 그는 내 뺨에 젖은 살덩이를 치덕치덕 문질렀다. 시커멓게 도드라진 핏줄의 요철이 인중을 긁어내렸다.

"숨 쉬세요. 마지막입니다. 이제 쌀 때까지 안 뺍니다."

"흑, 으, 으, 커억……."

그는 진심이었다. 나는 그의 허벅지를 움켜쥔 손으로 몸을 지탱하고 기침을 토해 냈다. 눈물 고인 눈을 들자 그와 눈이 마주쳤다. 엉망진창이 된 얼굴을 찬찬히 살펴본 그가 무심한 표정으로 다시 내 머리통을 그러쥐었다.

폐가 저리고 아팠다. 끈적한 액체로 뒤덮인 목구멍이 뚫려 이제 겨우 허겁지겁 숨을 들이키는데, 거대하게 부푼 귀두가 벌써 입술을 누르고 들어오려 하고 있었다. 나는 울음이 터졌다. 입을 필사적으로 다물고 고개를 저으며 울었다. 흐느낌이 기침처럼 컥컥 터져 나왔다. 내 뒷머리를 잡은 그는 잠시 말없이 내려다보더니, 힘을 주려던 손가락에서 힘을 빼내고, 내 머리카락 사이를 부드럽게 헤집었다.

"십 초 주겠습니다."

"흐, 흐으읍, 으!"

물에 곧 잠길 사람처럼 나는 필사적으로 숨을 쉬었다. 표정 없이 기다려 주던 그는 정확히 10초가 지나자 내 뒷머리를 붙잡아 콱 앞으로 끌어당겼다. 머리를 가볍게 쓰다듬어 주던 손이 머리채를 휘어잡았다. 얼얼한 턱이 저항 없이 벌어지고, 길쭉한 기둥이 한 번에 목젖까지 처넣어졌다.

"혀를 써야지."

머리 위로 차가운 핀잔이 내려오는데, 나는 입을 벌리고 있는 것밖에는 할 수가 없었다. 턱도, 혀도 내 마음대로 움직여지지 않았다. 끝나기만을 기다리는 내 상태를 알았는지 그는 머리 양옆을 잡고 허리를 빠르게 움직였다. 오그라든 목구멍을 부푼 기둥이 연거푸 퍽퍽 쑤시고 빠져나갔다. 거친 드나듦에 입안이 헐고 찢기는 것 같았다. 나는 턱을 빠질 듯 벌리고 눈물, 콧물을 흘리면서 그가 끝내

주기만을 기다렸다.

마침내 딱딱하게 팽창한 성기가 즈윽 하고 점막을 짓누르며 빠져나갔다. 붉게 부어오른 입술에 번들거리는 선단이 비벼지고, 그 끝에서 정액이 터졌다. 벌린 입안에, 입가에, 인중에, 온통 비릿하고 뜨거운 진액이 쏟아졌다. 그는 여전히 단단한 성기를 내 뺨에 비비며 짧은 숨을 토해 냈다.

"턱 다무세요."

입안이 온통 다 그의 성기 냄새로 범벅이었다. 헛구역질 때문에 입을 다물 수가 없었다. 그는 억센 손가락으로 억지로 입을 닫게 하고, 입술 위의 정액을 스며들게 하려는 듯이 눌러 문댔다. 나는 뒤로 물러나려다가 고꾸라졌다. 하얗게 질린 양 무릎이 경련했다.

"이거야 말로 연습해 오세요."

덜덜 떨리는 몸을 웅크린 내 머리 위로 그가 차갑게 읊조렸다.

"바나나라도 입에 물고 빼는 연습을 하란 말입니다. 다음 주에도 이런 식으로 형편없으면 그냥 안 넘어갑니다."

"우욱…… 윽, ㅇㅇ."

"가서 얼굴 닦고 오세요. 아직 안 끝났으니까."

더 내려갈 곳도 없다고 생각했는데, 그 말에 나는 정말로 울음이 터졌다. 입을 다물어도 자꾸만 억누른 흐느낌이 새어나갔다. 그는 시끄럽습니다, 라고 칼처럼 잘랐다. 이번에는 진심으로 짜증이 난 목소리였다.

"언제까지 울어 댈 겁니까? 내가 이서단 씨를 납치해서 끌고 오기라도 했습니까? 제 발로 방에 걸어 들어왔으면 상황 인식은 분명히 하세요. 봐주는 것도 슬슬 한계가 있으니까."

"으, 흐으……. 으욱, 흐……."

"가서 씻고 정신 차리세요."

나는 욕실까지 반쯤 기고, 반쯤 고꾸라지며 몸을 옮겼다. 손이 너무 떨려서 손잡이를 돌릴 수가 없었다. 겨우 몸을 들여놓고 문의 걸쇠까지 채우자 다시 울음이 터졌다. 차가운 타일 바닥에 태아처럼 둥글게 엎드려 숨을 죽였다.

떨림이 조금 진정되자 빨갛게 카펫의 무늬가 새겨진 무릎을 문지르며 어떻게든 일어나 앉았다. 그가 여기까지는 들어오지 못한다고 생각하니 울음이 차차 잦아들었다. 욕실 밖에서는 인기척이 없었다. 나는 순간적으로 여기서 계속 문을 닫아 걸고 버티면 어떻게 될까 생각했다. 기다리다가 지쳐서 돌아가지 않을까. 얼마나 어이없는 생각인지, 진지하게 검토해 보다가 헛웃음이 터졌다.

그의 말은 틀린 것이 없었다. 그가 내민 거래의 타당성을 떠나 나는 피해자가 아닌 공범이었다. 과거의 경험은 내 사정이었고, 그의 알 바는 아니었다. 애초에 그는 알았다고 한들 신경 쓰지 않았을 것이다.

무릎에 얼굴을 묻고 숨을 길게 들이쉬고 내쉬었다. 떨리던 호흡이 점점 가라앉았다. 나는 천천히 비틀거리는 몸을 일으켜 세면대에 기대어 섰다. 찬물을 틀어서 지저분한 액체가 말라붙은 얼굴에 물을 박박 끼얹었다. 입안에 물을 채우고 여러 번 헛구역질을 하며 행구어 냈다. 목구멍의 아릿한 통증이나 정액의 냄새는 가시지 않았지만 찬물에 머리가 차가워졌다. 눈을 드니 거울 속에는 물이 뚝뚝 떨어져 내리는 창백한 얼굴이 있었다.

⬡

욕실을 나서자마자 나는 그에게 고개부터 숙였다. 침대 끝에 걸터앉아 담배를 태우고 있던 그는 눈을 힐끗 들었다.

"죄송합니다."

감기라도 걸린 것처럼 목소리가 심하게 갈라져 나왔다. 목 안이 난폭한 마찰로 전부 부어 있었다. 잠시 입을 다문 나는 시선을 내린 채로 천천히 단어를 골랐다.

"상황은 충분히 인식하고 있습니다. 알면서도 어리광 부려 죄송합니다. 제대로 하겠습니다."

"어리광."

한 팀장은 그 단어가 마음에 들었는지 혀로 느릿하게 굴려 발음했다. 몸을 일으켜 재떨이에 담배를 비벼 끄고 내 쪽으로 걸어왔다. 나는 그가 가까워지자 물러나려는 몸을 바짝 긴장시켰다. 제자리에 서서 처분을 기다렸다. 그는 손가락 두 개로 내 턱을 가볍게 들어 올렸다.

"좀 찢어지긴 했는데."

"윽……."

입가의 상처를 그가 손끝으로 살짝 눌렀다. 턱을 잡고, 얼굴을 양 옆으로 돌려 보더니 입술을 톡톡 쳤다.

"열어 보세요."

나는 얌전히 입을 벌렸다. 턱 관절이 욱신거렸다. 욕실 문에 나를 기대게 하고 입안을 들여다본 그가 손을 놓으며 말했다.

"그래도, 생각보단 잘 참던데."

"……."

"처음 해 보는 겁니까?"

나는 입을 다물고 고개를 가로저었다. 그는 별다른 반응 없이 침대 위로 걸터앉았다. 나는 아까부터 알몸이었고, 그는 옷을 전부 걸치고 있었다. 머리가 조금 헝클어졌을 뿐이지, 내가 안간힘을 쓰며 벌려 놨던 바지도 다시 벨트까지 깔끔하게 채워져 있었다.

나른한 눈을 든 그가 나를 가늠하듯 훑어 내렸다. 의견을 묻듯이 평온하게 말했다.

"이제 뭘 할까."

"……."

"와인을 지금이라도 마시겠습니까?"

나는 고개를 가로저었다. 그럴 줄 알았다는 듯이 그는 몸을 일으켰다.

"쉴 만큼 쉬었습니까?"

"……네."

"그럼 이리 와요. 앞에 만져 줄 테니까."

목소리가 낮았다. 그래서인지, 별것 아닌 말에도 호흡이 짧아지고 다리가 후들거렸다. 눈을 무조건 피하면서 나는 일단 침대 위에 올라앉았다. 가까이 오라는 일침이 떨어질까, 미리 그의 앞으로 무릎을 꿇었다.

한 팀장은 팔을 뻗어 내 자세를 조정해 주었다. 무릎을 꿇은 채로 허벅지를 넓게 벌리게 하고, 등 뒤로 양 손바닥을 겹쳐 깍지를 끼게 했다. 구부러진 등을 손바닥으로 쓸어 올려 허리를 쭉 펴게 했다. 포박당한 죄수 같은 자세였다.

한 팀장은 포승줄 하나 없이 나를 묶어 놓고 물러났다. 입가에 희미한 웃음을 띠고 나를 물끄러미 응시했다. 이제껏 무서움에 짓눌려 제 기를 펴지 못했던 수치심과 모멸감이 뺨과 귓불에 뜨겁게 번졌다. 나는 불안정한 호흡을 잠시 멈추고 고개를 옆으로 돌렸다.

"나 봐야지."

부드러운 목소리 속에 숨겨진 심이 단단했다. 나는 눈을 들었고, 웃음기가 온데간데없는 그의 눈을 마주했다.

한 팀장은 시선을 가까이 얽은 채로 천천히 손을 뻗었다. 손바닥으로 내 허벅지 안쪽을 쓸어 올리고, 축 늘어진 성기 끝을 가볍게 쓰다듬었다.

"웃⋯⋯."

"사세 _그대로._"

오므려지려는 왼쪽 허벅지 안쪽을 그가 손바닥으로 찰싹 내리쳤다. 아픔보다는 소리와 충격이 컸다. 뒤로 넘어질 것처럼 재차 물러난 나를 그가 말없이 강한 힘으로 다시 당겨 왔다. 치켜올린 손이 보였다. 붉어진 허벅지 위로 손바닥이 세게 내리쳐졌다.

"흣!"

이번에는 힘이 실린 타격이었다. 맞은 부위로부터 열기와 통증이 자르르 번져 나갔다. 상황이 이해되지 않아 나는 움직일 생각도 하지 못하고 아연하게 그를 올려다보았다. 눈이 마주치자 한 팀장은 냉랭한 얼굴로 시선을 그대로 되돌려 주었다.

"팀장님—"

"이서단 씨가 지금까지 했던 섹스가 어떤지는 모르겠는데, 앞으로는 내 방식을 배워야 할 겁니다. 삼 개월은 내 욕구를 맞춰 줘야 하는 입장이니."

"……."

"침대에서의 내 말은 절대적인 것으로 알아들으세요. 토 달지 말고, 꾸물대지 말고, 그냥 이행하세요. 그렇게 하지 못했을 시에는 이서단 씨에게 책임을 물을 겁니다."

이상했다. 의미를 전부 이해한 것도 아닌데, 가슴에 도장으로 찍어 내듯이 한 자 한 자가 묵직하게 박혀 들었다. 몸이 너무 떨려서 이를 악물어야 했다. 시선을 피하게 두지 않고 한 팀장은 끊어 물었다.

"알아들었습니까?"

"……네."

"허리 펴고, 다리 제대로 벌리세요."

나는 눈물을 깜박여 없애며 천천히 허벅지를 벌려 아까의 자세를 취했다. 시야가 뿌옇게 흐려져서 그의 얼굴이 잘 보이지도 않았다. 한 팀장은 내 다리 사이로 손을 넣어 성기를 잡아 들었다.

능숙한 손길로 수음이 이루어지는 동안 나는 소리 없이 울음을 눌러 삼켰다. 질척거리는 젖은 소리가 규칙적으로 귀를 적셨다. 무릎이 아팠고, 힘이 들어간 허벅지가 경련했다. 가쁜 숨을 참고 있다가 산소가 부족해지면 입을 열어 헐떡이듯 들이쉬었다. 그럴 때마다 목에서 자꾸만 이상한 소리가 새어나갔다.

적당한 강도로 쓰다듬는 손길에 성기는 단단하게 일어섰다. 내 기분 따위 아랑곳하지 않고, 갈증에 꺼떡거렸다. 적당히 부푼 성기를 쥐어 잡고 귀두의 벌어진 끝을 손끝으로 문지르며, 한 팀장은 열기라고는 한 움큼도 없는 목소리로 무덤덤하게 말했다.

"싸기 전에 허락 맡으세요."

"으, 으읍. 흐, 흐아, 으……."

흥분이 가파르게 고조되었다. 입안이 바짝 마르고, 등 뒤로 깍지 낀 손은 하얗게 질려 감각도 느껴지지 않았다. 몸부림치고 싶은 것을 참아 내며 목을 뒤로 젖혔다. 어떻게 허락을 구해야 할까. 혀 위로 모아 둔 단어들이 흩어졌다. 입을 열 때마다 새된 호흡만이 튀어나갔다.

"저, 으, 으, ……안, 흐으읏!"

머릿속이 끓어올랐다. 사출의 순간이 추락처럼 길었다. 벌벌 떨리는 몸이 꺾이고 허물어졌다. 그의 손이 성기에서 곧바로 떨어져 나가고, 매트리스가 크게 출렁거렸다.

"흐악!"

일어선 그에게 머리채가 잡혔다. 여운에서 통째로 끌려 나올 만큼 강한 힘이었다. 넘어진 채로 눈을 들어 마주친 검은 눈동자가 섬뜩할 정도로 불투명했다.

"이 정도면 구제 불능 아닙니까."

"으, 팀장님, 아웃!"

"이거면 줄 기회는 다 준 것 같은데."

머리가 침대로 콱 처박혔다. 엎드린 몸이 그의 허벅지 위로 끌어당겨졌다. 그의 오른쪽 허벅지 위로 내 늘어진 성기가 눌렸다. 검은 바지가 하얀 액으로 엉망이 되는데, 그는 아랑곳하지 않았다.

갑자기 바뀐 자세에 정신이 하나도 없었다. 땀으로 축축한 손바닥을 시트에 짚고 몸을 일으키려 했지만, 등에 고정된 손 때문에 꼼짝할 수 없었다.

"……팀장님."

"……."

올려다본 그는 눈을 감고 있었다. 이 악문 듯한 모양 좋은 입술에 천천히 혈색이 돌아왔다. 긴 숨을 천천히 내쉰 그가 다시 눈을 떴다. 셔터를 내린 것처럼 감정이 비치지 않는 눈이 내 목과 등허리를 훑고 내려가 그 아래로 길게 머물렀다.

"엉덩이 맞아 본 적 있습니까?"

말뜻을 이해하는 것이 느렸다. 나는 고개를 번쩍 들어 올렸다. 손에 힘을 주어 나를 못 일어나게 막으며 그가 다시 물었다.

"처음입니까?"

"팀장님."

"원래라면 이렇게 가볍게 넘어가지 않겠지만, 처음이니 스무 대만 때릴 겁니다. 맞을 때마다 숫자 세세요."

허벅지 사이로 내려온 손이 회음부를 매만졌다. 오그라든 성기가 그의 손끝에 스쳤다. 심장이 귓불까지 올라와 쿵쿵 뛰었다. 상황을 납득할 수 없어서 입을 벌려도 말이 제대로 나오지 않았다.

"틀리면 열 대씩 추가해서 다시 처음부터 때립니다."

허벅지 안쪽을 지분거리던 손이 서서히 골을 타고 올라 치솟아 있는 엉덩이 위로 얹어졌다. 한쪽 볼기를 쓸어 내려간 손이 다른 쪽을 둥글리듯이 문질렀다.

"다른 데는 볼만한 게 없는데, 이서단 씨는 엉덩이에만 살집이 있어서."

찰싹, 올라갔던 손이 오른쪽 볼기 위를 내리쳤다. 소리에 먼저 움츠러든 나는 숨을 멈춘 채로 간신히 비명을 삼켜 내렸다. 홧홧한 따끔함이 아릿한 둔통으로 잦아들었다.

"때릴 맛이 납니다."

그가 뒤늦게 문장을 느릿하게 끝맺었다. 때린 후 떨어져 나가지 않았던 손이 붉어진 엉덩이 위를 느리게 어루만졌다. 맞은 부위를 위로하듯이 쓰다듬으며 그가 여상하게 말했다.

"숫자 안 셌죠?"

"팀장님, 이런 건……."

목을 간신히 비틀어 그를 올려다봤지만 그는 들어 줄 생각이 없어 보였다. 그의 팔을 잡기 위해 뒤로 뻗은 손목이 붙잡혀 꺾였다. 등 뒤로 두 손목을 교차해 결박한 그가 저항을 벌하듯이 오므라드는 허벅지 사이로 손을 우악스럽게 밀어 넣었다. 회음부와 허벅지 안쪽의 여린 살이 단단한 손날에 짓눌렸다.

"흐읏!"

"서른 대. 내일 어디라도 앉고 싶다면 정신 차려요."

짝, 통증보다도 소리가 먼저였다. 소리 없이 숨이 터져 나왔다. 짝, 짝, 연달아 두 대가 더 떨어졌다. 갈수록 매서워지는 손 힘에, 손이 떨어지고 남는 여백에, 그가 무엇을 기다리는지 알 것 같았다. 나는 이마를 시트에 묻고, 숨을 한 번 들이쉬고 겨우 입을 열었다.

"……하나."

혀끝에 숫자가 걸려 잘 나오지 않았다. 얼굴로 피가 몰리듯이 새빨개진 것을 느낄 수 있었다. 모르고 넘어가 주면 좋을 텐데 그는 뺨만큼이나 붉어진 엉덩이를 쓰다듬으며 무덤덤하게 물었다.

"창피합니까?"

짜악, 다시 반대편 엉덩이에 매가 날아들었다. 무시 못 할 따끔함에 눈물이 핑 돌았다. 둘, 이라고 쥐어짜듯이 뱉었다.

"엉덩이가 사과 같아서는."

목소리에 드문 웃음기가 서려 있었다. 매서운 통증을 선사하던 손바닥이 내려와 다정하게 때린 부위를 문질러 주었다. 뭉근한 열기에 호흡이 떨려 나왔다.

"빨갛게 익혀 주겠습니다, 내가."

"읏!"

매서운 타격이었다. 나는 경직된 몸에 힘을 꽉 주었다. 따끔함이 가시기 전에 통증을 펴 바르듯 그가 부어오른 볼기를 어루만졌다. 나는 혀뿌리를 깳아 대는 울먹임을 삼키며 셋, 이라고 뒤늦게 뱉어 냈다. 모멸감에 시야가 흐려졌다. 힘의 차이만 없었다면 몸을 일으켜 그를 한 대 치거나, 뒤도 돌아보지 않고 방을 나섰을 것이다.

매가 떨어질 때마다 때리는 시간보다 뒤이어 어루만져 주는 시간이 훨씬 길어졌다. 무자비하게 내려치고, 손자국으로 울긋불긋 예민하게 달아오른 피부를 그가 달래듯이 쓸어 주었다. 아프게 부어오른 것이 딱하다는 듯이. 그 강약의 조절이 서럽고 기가 막혀서 눈물이 기어코 새어 나왔다.

"힘 안 빼면 본인만 더 아픕니다."

"흐윽, 흐, 읏······."

열다섯, 열여섯. 힘겹게 발음하는 숫자에 울음이 섞여 나왔다. 상상해 본 것 중에 이런 것은 없었다. 온몸이 뜨거웠다. 엉덩이에서는 불이 나는 것 같았다.

스무 대를 때리고 그는 내 상체를 일으켜 세웠다. 다리를 넓게 벌려 그 사이에 나를 앉히려 했다. 붉게 부은 엉덩이가 시트에 닿으려 해서 나는 고개를 저으며 더듬더듬 그의 팔을 끌어 잡았다.

"많이 아픕니까?"

그가 다정한 얼굴로 물었다. 내 머리채를 잡아 나를 꿇어앉히고 엉덩이를 뒤로 내밀게 했다. 턱을 억지로 잡아 끄니 나는 등 뒤로 고개를 틀어 새빨갛게 부은 둔부를 내려다볼 수밖에 없었다.

"볼만하지 않습니까. 예쁜 색이 되어서는."

내 몸이 아닌 것 같았다. 붓고 손자국이 울긋불긋 새겨진 엉덩이를 보자 왜인지 눈물이 뜨겁게 차올랐다. 흰 등 밑으로 엉덩이만 붉게 부풀어 있는 것이 기이했다. 숨이 턱 막히고 막막해지는 기분이었다. 그는 내 얼굴을 찬찬히 들여다보더니 손등으로 뺨을 닦아 내주었다.

"울어도 소용없어요. 열 대 남았습니다."

"……."

"입술 그렇게 깨물면 상합니다."

불과 30분 전에 입술 양쪽을 다 찢어 놓은 장본인이 다정하게 말했다. 나는 심호흡을 했고, 눈을 깜박여 눈물을 간신히 없앴다. 그는 붉은 둔부 위를 손톱으로 긁듯이 쓰다듬었다.

"이 색, 나는 좋아합니다. 뜨거워서 만지기에도 좋고."

손바닥도 뜨거웠다. 달래듯이 그는 여러 번 양쪽 엉덩이를 잡고 슥슥 문질러 주었다. 다른 사람이 때린 것을 위로해 주는 모양새였다.

"남은 열 대는 안 봐줍니다. 잘 참아요."

그가 내 상체를 일으켜 자신의 목에 팔을 두르게 했다. 마주 보고 감싸 안듯이 내 등 뒤로 팔을 돌려 양 엉덩이를 움켜쥐었다. 나는 울음으로 일그러진 얼굴을 그의 어깨에 비볐다. 가슴이 맞닿았다. 다가올 통증에서 도망치듯이 몸을 그에게로 가까이 밀어붙였다.

"쉬잇. 그만 울어요."

"훗, 흑……."

"힘들면 나를 잘 잡고 있어요. 금방 끝납니다."

뒷목에 뜨겁고 부드러운 것이 닿았다가 떨어졌다. 그의 입술이었다. 쪽, 쪽, 발갛게 달아오른 귓불과 목선에 부드럽게 키스한 그가 둔부에서 손을 떼었다.

"아니면, 좀 쉬었다 가겠습니까?"

마저 다 맞고 끝내는 게 현명한 일이겠지만, 나는 무서움을 못 이겨 고개를 끄덕거렸다. 내 허리에 팔을 두른 그가 손바닥으로 벌겋게 부은 왼쪽 엉덩이를 감싸 안듯이 잡아, 옆으로 당겼다.

"악!"

드러난 엉덩이 골 사이로 손가락이 쑤셔 들어갔다. 붉어진 항문 위를 찌르듯이 눌러 그대로 안으로 파고들려고 했다.

"팀장님……."

"이것도 싫습니까?"

그의 어깨가 내 눈물로 온통 젖어 있었다. 필사적으로 고개를 흔들다가 그의 목에 코를 아프게 부딪혔다. 그는 물끄러미 들여다보더니 방금 뒤쪽을 파고들려고 했던 손가락을 내 뺨에 비볐다.

"빨아요."

나는 저항 없이 입을 벌려 중지를 받아들였다. 혀로 휘감고 마디마다 열심히 핥았다. 그는 아까의 오럴 섹스로 붓고 헐어 있는 입안을 느릿하게 들쑤셨다. 목구멍까지 밀어 넣어 눌러도 나는 헛구역질을 참고 눈물만 흘려 냈다. 절박함이 보였는지 그의 눈가에 희미하게 웃음이 번졌다.

"소용없습니다. 이거 하나는 오늘 넣을 겁니다."

스륵, 젖은 손가락이 입술을 스치면서 빠져나왔다. 불거진 마디마다 번들거리는 타액이 묻어 늘어졌다. 그는 천천히 중지를 세운 채로 주먹을 내 등 뒤로 돌려, 반대편 손으로 다시 아픈 엉덩이를 잡아 벌렸다. 뜨겁게 부어 열기를 내뿜는 엉덩이의 골을 미끌거리는 손끝이 긁어 내렸다. 구멍 위를 몇 번 쓸더니 꾹, 힘을 주어 눌렀다.

"으, 으!"

온몸을 긴장시켰다. 꽉 오므라든 항문 탓에 굵은 손가락은 잘 들어가지 않았다. 그는 귓가에 대고 짧게 숨을 뱉었다.

"긴장 풀어요. 상처 납니다."

"팀장님, 저, 싫……."

욕실에서 그렇게 각오를 다져 놓고 어느새 또 같은 무너짐의 반복이었다. 나는 말하려다가 스스로 입을 다물고 그의 목에 뜨거운 눈가를 비볐다. 가쁜 호흡을 내쉬며 힘을 빼려고 안간힘을 썼다.

"그렇지, 잘 참아야지."

젖은 입술로 귓불을 어루만지며 말한 그가 다시 손가락에 힘을 주었다. 슥, 한 마디가 타액의 힘을 빌려 들어갔다. 그는 붉어진 엉덩이를 더 잡아 벌리며 계속해서 중지를 밀어 넣었다.

136

"안이 뜨거워."

귓가에 그가 속삭이듯이 낮은 목소리로 뱉었다.

"뜨겁고, 조여서…… 당장 좆을 안에 박아 넣고 쑤셔 주고 싶은데……."

단단한 주먹이 엉덩이에 닿았다. 손가락 하나가 뿌리까지 몸 안에 들어와 있었다. 나는 두 팔로 그의 목을 더 세게 끌어안았다. 눈을 감고 심호흡했다. 스륵, 건조한 소리를 내며 반쯤 뽑혀나간 손가락이 다시 푹 쑤셔 들어오더니 퍽퍽, 빠른 속도로 기계처럼 일정하게 피스톤질이 이어졌다.

"더 하다간 진짜 해 버리겠네."

갑자기 손가락이 뽑혀 나갔다. 그는 무너졌던 내 상체를 세우게 하고 자세를 바로잡았다.

"남은 매는 맞고 끝내야지. 엉덩이 듭시다."

"흐윽……."

나는 생명줄인 것처럼 그의 따뜻한 목을 끌어안았다. 뜨거운 손이 허벅지를 쓰다듬다가 짝, 예고 없이 내리쳤다. 더 심해진 통증에 몸이 움츠러들었다.

"허리 들어."

머리 위로 차가운 명령이 날아들었다. 내가 움직이지 않자 그는 아예 내 허리를 잡아 고정시키고 짜악, 짜악 몇 대를 더 내리쳤다. 이미 부어오른 엉덩이가 내 통제를 벗어나 제멋대로 경련하듯 떨렸다.

열 대를 다 때리고 그는 내 뒷목을 잡아 얼굴을 들게 했다. 흘러내린 눈물로 범벅이 된 뺨을 닦아 주면서 다정하게 웃었다.

"숫자 안 셌죠?"

그 말에 나는 하얗게 질렸다. 그의 어깨를 잡은 손끝이 달달 떨렸다. 꾸욱, 마지막으로 내리친 엉덩이를 그가 힘주어 문질렀다. 매 맞은 양쪽 엉덩이가 맥박이 뛰는 것처럼 크게 욱신거렸다.

입술을 깨물어 봤지만 소용없었다. 눈가가 떨리고 목이 경련하다가 결국 엉엉 아이처럼 울음이 터져 나갔다.

"저런."

"팀장님…… 제발, 저, 아파서……. 잘못, 잘못했어요……."

더 맞는다면 정말 버티지 못할 것 같았다. 참았는데, 노력했는데. 그걸 알아주지 않는 것이 어쩐지 서러워서 눈물이 났다. 그는 알 수 없는 무표정으로 우는 얼굴을 내려다보고 있었다. 나는 그의 셔츠를 그러쥐고 끅, 끅 힘겹게 숨을 쉬었다. 하루 종일 너무 울어 어지러웠다.

턱에 매달린 눈물이 뚝뚝 떨어져 내렸다. 그는 코가 닿을 거리에서 나를 들여다보다가 한숨을 쉬었다.

"알겠습니다."

"흑, 윽, 흐윽……."

"오늘은 넘어가죠. 그만 울어요, 더 안 때립니다."

한번 터진 흐느낌은 쉽게 멎지 않았다. 나는 고개를 뒤로 젖히고 끅끅 숨을 들이쉬었다. 그는 힘없이 매달린 내 몸을 들어 올려 침대에 엎드리게 했다. 목을 두른 내 팔을 풀어 내고 몸을 일으켰다. 나는 고개를 돌려 시트에 뺨을 기대고 울었다. 엉덩이가 너무 욱신거려서 제대로 잘못되어 버린 게 아닌가 겁이 났다.

멀어졌던 발소리가 돌아오고, 매트리스가 흔들렸다. 달그락거리는 소리가 들렸다. 한 팀장은 꺼내온 통의 비닐 포장을 벗기고 뚜껑을 열었다. 나는 뒤늦게 돌아누우려 했지만, 붙잡혔다. 열 오른 엉덩이의 살갗 위로 차가운 것이 흠뻑 닿았다.

"붓기는 금방 빠질 겁니다."

통에서 덜어 낸 연고를 양쪽 엉덩이에 넉넉히 펴 바르며 그가 덤덤하게 말했다.

"효과 좋은 약이니까 가져가요. 내일 아침에 일어나서 한 번 더 바르고."

녹아내린 연고가 허벅지 안쪽으로 흘렀다. 연고가 스며들자 예민한 피부가 따끔거리고 열이 올랐다. 직접 때린 엉덩이에 그는 세심하게 여러 번 약을 문질러 발랐다. 통증도 느껴지지 않을 정도로 조심스러운 손길이었다.

"얼굴 잠깐."

그가 내 상체를 일으키게 하고 턱을 잡았다. 연고를 찍어 올려 내 입가에 발라 주고, 상처를 확인하려는 듯이 신중하게 들여다본다. 나는 시선을 떨궈서 그의 눈을 피했다. 핀잔 없이 그의 손이 떨어졌다. 약통의 뚜껑을 닫아 내 옆으로 내려놓고, 비닐과 휴지를 구겨 일어섰다.

"나는 갈 테니까, 여기서 자고 가는 게 어떻습니까."

머리 위에서 그가 말했다. 명령이 아닌 권유처럼 들리는 말이었다. 생각해 볼 것도 없이 곧장 고개를 흔들자 그는 더 이상 권하지 않고 등을 돌렸다.

고개를 들어 얼굴을 이불 위로 묻었다. 저 멀리 가방과 코트를 챙기는 소리가 들리고, 인사도 없이 그는 나를 두고 나갔다. 문이 닫히고 발소리가 아득하게 멀어졌다.

하지만 결국 그날 그가 나를 남겨 두고 간 호텔방에서 나는 한 발자국도 나가지 않았다. 더 이상 아무것도 생각하지 않았고, 아무것도 마주하지 않았다. 엎드린 그대로 이불을 힘겹게 끌어와 몸 위로 덮고, 기절하듯이 잠이 들었다. 꿈도 기억도 뒤쫓아 오지 못할 만큼 깊숙하고 캄캄한 잠이었다.

나는 초등학교 때부터 친구와 싸웠다 하면 열이 나서 앓아누웠고, 중학교 때는 시험기간마다 열병이 도지는 게 일상이었다. 남자아이가 허약하면 안 된다고 매년 보약을 지어다 줬던 큰아버지는 나중에 내가 아웃팅 된 후 말했다. 그러게 애가 어렸을 때부터 쓸데없이 예민하더니.

군대를 다녀온 이후에는 많이 건강해졌다. 복학한 후 혼자 월세와 생활비를 벌기 위해 알바를 악착같이 뛰어야 했던 탓도 있을 것이다. 앓아누웠다가는 당장 먹을 게 없어졌다. 나는 간호해 줄 사람이 없었고, 아프다고 하루 쉴 수 있는 환경의 여유도 없었다. 거짓말처럼 열병이 낫고 나서 나는 깨달았다. 결국 전부 어리광이었던 것이다. 버틸 수 있는 사람만이 버텨 내는 것이 아니었다. 버텨야 하는 상황이 곧 버틸 수 있는 능력이었다.

그런데 그와 보낸 두 번째 토요일이 지나고, 일요일 오전에 집으로 돌아온 나는 열이 39도까지 올랐다. 먹은 게 없는데도 변기에 자꾸만 위액을 토해 내다가 아예 이불을 두르고 욕실 바닥에 엎드렸다. 몸이 으슬으슬 떨렸다. 그의 말대로 엉덩이의 붓기는 많이 가셔 있었지만, 나는 그래도 누울 수도, 앉을 수도 없었다. 붉어진 둔부를 보는 것도 무서워 옷을 갈아입을 때도 시선을 돌렸고, 챙겨 온 연고도 결국 바를 수 없었다.

열이 나자 오랜만에 꿈에 어머니가 나왔다. 차갑고 단정한 손등으로 열 오른 이마를 짚어 주었다. 소리 없이 엄마를 부르자 이불을 턱까지 꼼꼼하게 올려 덮어 주며 피곤한 얼굴로 웃었다. 더 자도 괜찮아, 라고 조용히 말했다. 자고 일어나면 열이 내려 있을 거야, 약 먹었잖아. 푹 쉬어야 내일 또 씩씩하게 일어나지…….

눈을 뜨자 몸이 차가운 욕실 바닥에 웅크려 있었다. 바닥에 뜨거운 이마를 비비며 떨리는 숨을 쉬었다. 창문에는 어둠이 까맣게 서려 있었다.

부어오른 목이 아팠다. 눈동자에 차오른 눈물이 느릿하게 흘러 바닥 위로 고였다.

어디로 가고 있다고 생각했을까. 무엇을 위해 노력해 왔을까. 어쩌면 내가 찾으려 했던 것은 이미 오래 전에 잃어버려 다시는 되찾을 수 없는 것, 혹은 처음부터 존재하지 않았던 종류의 것이었는지도 모른다. 이제 와서, 이렇게 멀리 달려와서, 이제야 그런 생각이 들었다. 처음부터 기다리고 있었을 막다른 길에 끝내 다다른 사람처럼.

"얼굴이 왜 그래요?"

세 명째였다. 웬만해서는 없는 사람처럼 나를 지나치는 권 대리까지 회의실을 들어서자마자 호기심 어린 시선으로 물었다. 나는 입가를 가리고 적당히 웃었다.

"주말에 좀 아파서요."

"목소리는 또 왜 그래? 많이 아프면 쉬지, 왜 나왔어요."

"보기보다 괜찮습니다, 죄송해요."

회의실은 오전 회의 준비가 한창이었다. 옆 책상에서 흩어진 문서들을 정신없이 정리하던 박 대리가 대화를 들었는지 내 쪽으로 힐끗 시선을 주었다.

뭔가 말하려다가 멈칫한 그가 내 얼굴을 뚫어져라 쳐다봤다.

"입술은 다쳤어요? 양쪽 다?"

"아……."

찢어진 입가를 서둘러 손으로 가렸다.

"그냥, 어쩌다 보니……."

말이 목구멍에 걸려 더 나오지 않았다. 얼굴이 새빨개졌다. 다행히 금세 흥미를 잃었는지 더 이상의 질문은 날아오지 않았다.

나는 고개를 숙여 내 자리에 놓인 서류를 뚫어져라 내려다봤다. 같은 문장을 몇 번 반복해 읽었다. 화장실에 다녀온 김 주임도 의자를 끌고 돌아다니고 있었고, 비어 있는 것은 한 팀장의 자리뿐이었다.

회의실 테이블 쪽으로 이동할 준비를 마친 박 대리가 다시 의자에 주저앉았다. 시계를 내려다보더니 반쯤 열려 있는 회의실 문 쪽으로 목을 길게 뺐다. 분위기가 어수선했다. 평소 회의 시작 시간이 벌써 5분은 지나 있었다.

"팀장님 어디 가셨어요?"

테이블에 자료를 갖다 놓고 오며 권 대리가 물었다. 박 대리는 문틈에 시선을 고정하고 으음, 하고 곤란한 소리를 길게 끌었다.

"아침부터 위층 불려 갔어요."

"뭐, 또?"

"그러게요."

권 대리가 혀를 찼다. 이러다가 올해는 발표회까지 무사히 못 가는 거 아냐? 하면서 낮은 목소리로 물었다. 박 대리는 이번에도 그러게요, 라고 웅얼거리듯 답했다.

바로 옆의 대화도, 아까부터 읽고 있는 서류도 새까맣게 웅웅거리며 하나도 들어오지 않았다. 박 대리의 구두 끝이 책상 다리를 의미 없이 툭툭 걸어차고 있었다. 나는 서류를 덮으며 벌떡 일어섰다.

"탕비실 다녀오겠습니다."

"지금? 팀장님 언제 오실지 모르는데."

권 대리가 말했지만, 박 대리가 고개를 휘휘 저었다.

"늦어지실 것 같은데요, 뭐. 가는 김에 나도 커피 한 잔 타다 줄 수 있어요?"

"아, 나도 부탁해요."

김 주임의 머리가 파티션 위로 삐죽 솟았다. 나는 책상을 잡아 몸을 지탱하며 고개를 끄덕였다. 식은땀으로 등이 축축했다.

"다녀올게요."

하지만 탕비실까지는 가지도 못했다. 회의실을 가로질러 문을 나서기 직전에 한 팀장이 문을 열어젖히며 성큼성큼 들어왔기 때문이다. 들고 있던 서류철을 테이블 위로 내팽개치며 그가 날카롭게 부른 것은, 다른 것도 아닌 내 이름이었다.

"이서단 씨, 금요일 밤까지 수정하기로 한 기획안 어디로 갔습니까?"

"예?"

회의실이 순식간에 조용해졌다. 원탁에서 자료를 읽고 있던 윤 대리가 주춤 몇 걸음 뒤로 물러났다. 눈앞에 있는 남자의 몸, 목소리. 그에 반응한 심장이 끊어질 것처럼 어지럽게 뛰었다. 입을 벌렸다가 다시 다물었다.

"그건, 금요일에…… 제가 팀장님 책상에…….."

그러다가 떠올랐다. 금요일에 일을 다 못 마치고 회식 자리에 끌려가면서, 겨우 완성한 기획안을 그의 책상에 올려 두었었다. 그랬다가 문턱까지 갔다가 뛰어 들어와 파일을 가방에 챙겨 넣었다. 다시 제대로 점검하고 토요일 오전에 일찍 출근해 제출할 생각이었다. 그랬는데, 일이 밀려 있었지만 토요일에는 결국 출근하지 않았다. 어마어마했던 숙취와, 저녁에 그를 봐야 한다는 생각에 까맣게 잊고 있었다.

그의 얼굴을 마주 볼 수가 없어 뒤로 점점 물러났다. 바짝 마른 입술이 따끔거렸다.

"죄송합니다. 제 책상에 있으니 지금 제출하겠습니다."

"그게 왜 내 책상이 아니라 이서단 씨 책상에 있습니까. 금요일 저녁이나 월요일 오전이나 이서단 씨한테는 다를 바 없는 모양입니다?"

"……죄송합니다. 제가 깜박 잊고…….."

빈정대는 어투가 평소보다 더 날카로웠다. 그의 심기를 불편하게 한 게 다른 사람이었다면, 그리고 토요일에 그와 만나지 않았더라면, 위층에서 제대로 성질 돋울 일이 있었나 보다 하고 생각 없이 넘길 일이었다. 그가 지금 화내는 대상이 내가 아니었다면.

"그래서, 지난주에 배정받은 일은 그것 빼곤 다 마쳤습니까?"

"……전부는."

"그러면 토요일에 왜 출근 안 했습니까? 일요일에는? 일은 다 못 끝내도 쉴 건 쉬고 놀 건 놀아야 직성이 풀립니까?"

"아니요. 집에서 일하려고⋯⋯."

"회사 놔두고 일거리 집으로 가져가지 말라고 몇 번 얘기했습니까? 이러니까 내가 —"

그가 돌연 말을 뚝 끊었다. 김 주임이 으악, 이라고 작은 목소리로 말했다. 툭, 뭔가 턱에 매달렸다가 떨어져 내렸다. 손을 멍하니 올려 보니 미지근한 액체가 묻어났다.

"그만하세요, 팀장님."

박 대리가 저쪽에서부터 허둥지둥 달려와 내 얼굴을 뚫어져라 쳐다보고 있는 그의 시야를 가로막고 섰다.

"이서단 씨 주말에 아팠답니다. 얼굴 허옇게 됐잖아요."

"아니, 나는."

그는 드물게 난처한 표정으로 말을 끊었다. 그 사이에 나는 계속 뚝뚝 소리 없는 눈물을 흘리고 있었다. 시야가 흐려져 더 이상 그가 보이지 않았다. 박 대리는 뒤돌아 나를 멍하니 보더니 일단 상황을 수습해야겠다 싶었는지 내 어깨를 감싸 안아 잡아끌었다.

"제가 데리고 나갔다 오겠습니다, 잠깐만⋯⋯."

다독이는 팔에 몸을 맡기고 이끌려 가고 있는데, 비켜설 것 같던 한 팀장이 팔을 뻗어 문을 쾅 밀어 닫았다. 코앞에서 출구가 사라졌다.

"어딜 갑니까."

"팀장님, 몇 분만."

박 대리가 작은 목소리로 뭔가 빠르게 말했다. 낮은 목소리로 실랑이가 벌어졌다.

나는 혼자 멍하니 서서 바닥을 내려다보았다. 나도 내가 왜 이러는지 알 수 없었다. 뒤늦게 입을 벌린 채로 이쪽을 쳐다보는 팀원들이 눈에 들어왔다. 노골적으로 얼굴을 찌푸린 권 대리도 있었다. 그러고 보니 나 때문에 가뜩이나 늦어진 회의의 시작이 한참 지연되고 있었다. 일단 나가야겠다고 생각해 문으로 급히 다가갔는데, 한 팀장이 한쪽 손을 등 뒤로 돌려 손잡이를 꽉 틀어쥐었다.

"그건 내가 알아서 할 일이고."

"그래도."

"그만 됐습니다."

서릿발 같은 목소리에 박 대리가 입을 다물었다. 당해 내지 못하겠는지 진이 빠진 얼굴로 얌전히 물러섰다. 한 팀장은 내게로 다시 몸을 틀었다.

"이서단 씨는 잠깐 나 좀 봅시다."

"팀장님."

박 대리가 다시 한번 만류했지만 소용없었다. 한 팀장은 거들떠보지도 않고 내 손목을 확 잡아끌었다.

"뭐들 하십니까? 먼저 진행하고 계세요. 박 대리님, 회의 진행하세요."

"네? 네."

정신을 차린 팀원들이 펜이며 폴더를 끄집어내며 회의 테이블로

슬금슬금 다가왔다. 그 광경을 마지막으로 문이 쾅 닫혔다. 나는 한 팀장에게 손목을 잡혀 끌려 나와 아무도 없는 회사 복도에 둘만 남게 되었다. 한 팀장은 나를 한쪽 벽으로 밀어붙이고 굳은 얼굴로 한 자씩 끊어 말했다.

"제정신입니까."

"……저, 잠시만……."

어디든 잠시 혼자 가야 했다. 감정을 추스를 시간이 필요했다. 그가 짜증이 머리끝까지 치민 표정으로 나를 물끄러미 들여다보았다. 몸을 비틀어도 손목을 놓아주지 않았다. 약해진 눈물샘이 또 왈칵 눈물을 쏟아 냈다. 뺨이 뜨거워졌다.

"시간을 주시면…… 저도 금방 다시 들어가겠습니다. 죄송합니다."

"이서단 씨가 잘못한 게 맞잖습니까."

그가 내 어깨를 붙잡고 고정했다. 집요하게 눈을 마주쳐 왔다.

"이해가 안 가서 묻습니다. 내가 지금 잘못한 게 없는데 꼬투리를 잡아 이서단 씨를 괴롭힌 겁니까?"

"……아닙, 니다."

"상사한테 처음 혼납니까? 나한테도 지난주에 많이 혼났잖아. 왜 울어요, 대체?"

"……."

나는 떨리는 입술 안쪽을 세게 깨물었다. 눈을 깜박이지 않으려고 애써도 서러운 눈물이 자꾸 차오르고, 기어코 흘러내렸다. 그는 우는 얼굴을 보더니 기가 차다는 듯이 숨을 뱉었다.

"내가 그 정도로 말이 심했다면, 사과하겠습니다."

"……아니요, 그건…….."

"그렇다 해도. 여기가 대학 동아리라도 됩니까? 이서단 씨는 회사 처음 다녀요? 회의실에서 울면 나머지 팀원들은 뭐가 됩니까?"

"……죄송합니다."

그가 어깨를 갑자기 놓아주었다. 나는 몸에 힘이 풀려 주저앉을 뻔했다.

"아팠습니까?"

나를 남겨 두고 회의실로 들어갈 줄 알았는데, 물러서서 나를 뚫어져라 보던 그가 난데없이 물었다. 나는 떨리는 손으로 눈가를 닦아 내다가 숨을 멈췄다.

"아팠어요, 어제?"

확인하듯이 들여다보는 시선을 피해 고개를 숙였다. 누가 창문을 열어 놓은 것처럼 가슴이 시큰거렸다. 그는 집요했다.

"뭐 때문에. 나 때문에?"

"……."

더 이상 참을 수가 없어 그를 밀쳐 냈다. 물러선 그의 미간이 찌푸려졌다.

"팀장님, 제발…… 회사에서는."

"그러게 누가 공사 구분 그따위로 하라고 했습니까. 침대에서는 그렇다 쳐도, 회의실에서 울면 내가 대체 어떻게 해 줘야 합니까? 말을 해 봐요."

나는 기겁했다. 얇은 벽 너머로 팀원들이 전부 있었다.

"팀장님, 제발, 제발 나중에, 여기서는."

엉겨 붙은 말을 쏟아 내자 그가 일단 물러나며 한숨을 쉬었다.

"알았습니다. 일단은 알았으니까, 오늘 일 끝나고 나 좀 봅시다. 제대로 이유를 듣지 않고는 그냥 못 넘어갑니다."

"……저 오늘은……."

"왜."

"오늘, 야근하려고……."

그가 몇 발짝 물러서자 그래도 불안정한 호흡을 가라앉힐 수 있었다. 그는 듣다가 기가 차다는 듯이 웃었다.

"누군 야근 안 하나. 저녁 때 시간 내세요. 식사나 같이 하게."

"그건……."

"그때까지 내가 납득할 만한 해명을 준비해 오는 게 좋을 겁니다. 회의는 안 들어와도 좋으니까 가서 마음 가라앉히고, 오후까지 수정된 기획안이나 내 책상에 올려놔요."

"아니요, 금방 들어가겠습니다. 잠깐 기다려 주시면—"

"좋을 대로 하세요."

그가 나를 남겨 두고 회의실 문을 벌컥 열고 들어갔다. 회의의 소음이 문틈으로 들려오더니 다시 문이 닫혔다.

나는 복도에 서서 어깨를 들썩이며 연거푸 울음을 삼켜 내렸다. 머리가 너무 아팠다. 차라리 오늘은 나중에 무슨 욕을 듣든 출근하지 말았어야 했다. 엉망진창이었다. 균열이 한번 생기자 전체가 무너져 내리는 것처럼 걷잡을 수 없었다.

세수를 하고, 회의실 문을 열고 들어갔을 때 팀원들은 내 붉어진 눈가를 힐끔거리기는 해도 별말을 하지 않았다. 마커를 붙잡고 유려한 글씨로 화이트보드를 점령한 그는 나를 돌아보지도 않고 말을 이어 나갔다.

"그래서 어쨌든 이 부분은 한 명보다는 여러 명이 맡아서……."

낮게 가라앉은 목소리를 듣지 않고 흘리면서 나는 테이블에 몸을 기대어 지탱했다. 서서 하는 회의인 게 다행이었다. 힘을 줄 때마다 엉덩이가 아릿하게 아팠다. 토요일이 지나갔어도 몸에 남아 있는 흔적이었다. 다시는 일어난 일을 없었던 일로 치부하지 못하도록 벌을 받는 것 같았다.

평소라면 야근했을 박 대리가 하필 그날따라 5시도 안 되어 퇴근했다. 그리고 6시 반에 권 대리가 퇴근하자 나머지 팀원들도 줄줄이 따라 나갔다. 김 주임은 문을 붙잡고 뒤를 돌아보다가 물었다.

"아프다면서 왜 안 들어가요?"

박 대리도 그렇고, 하루 종일 사람들은 까치발을 한 것처럼 내 눈치를 봤다. 아무 일 없었던 것처럼 구는 게 오히려 역효과를 불러왔는지, 의무실에 다녀오라는 말부터 일찍 퇴근하라는 말까지 한마디씩 안 건네는 사람이 없었다. 저절로 나오는 한숨을 숨기면서 고개를 들어 웃어 보였다.

"팀장님 돌아오시면 확인받을 게 있어서요. 저도 금방 퇴근할게요."

"알았어요, 그럼."

김 주임이 할 말이 더 있는 표정으로 문고리를 만지작거리다가 회의실을 나갔다.

문이 닫히고, 곁눈질로 살핀 한 팀장의 파티션 뒤는 여전히 비어 있었다. 옷이 남아 있으니 퇴근한 것은 아닐 텐데. 아침에 일을 집에 가져가지 말라고 혼난 것만 아니었어도 그가 돌아오기 전에 퇴근해 버리고 싶은 마음이 굴뚝같았다.

오전 회의가 끝나고 제출한 기획안을 그는 한 시간도 지나지 않아 빨간 펜으로 무참히 난도질해 돌려주었다. 위에 붙은 노란색 포스트잇에 [오늘 안에]라고 쓰여 있었다. 얼핏 보면 인쇄된 것으로 여길 만한 네모나고 단정한 글씨체였다.

피곤한 눈을 깜박이면서 스크롤을 죽 내렸다. 얼마 남지 않아서, 잘만 하면 그가 돌아오기 전에 마무리 지을 수 있을 것 같았다. 얼른 인쇄해서 그의 책상에 올려두면, 얼굴을 보지 않고 하루를 무사히 넘길 수 있을까. 키보드를 두드리는 손가락에 가속이 붙었다. 결국 화면에 열중해 있다가 인기척도 듣지 못했다.

"철자 틀렸어요."

그가 등 뒤에 어느새 서 있었다. 어깨를 넘어온 손가락이 화면을 톡 짚었다. 나는 제자리에 얼어붙어서 눈만 깜박였다.

"여기. 멍청한 실수가 취미입니까."

"아……."

그가 코트에 달고 들어온 겨울바람에 섞여 희미한 향수 냄새가 났다. 잘 알게 된 향이었다. 나는 뚫어져라 앞을 보며 깜박이는 마우스 커서를 그가 지적한 영단어에 가져다 댔다. 고쳐 쓰는 걸 지켜보던 그가 굽혔던 상체를 일으켰다.

"나갑시다."

"어디로……."

"저녁 먹고 들어와서 하세요. 오래 안 붙잡을 테니까."

피곤한 얼굴이었다. 그가 손가락에 차 열쇠를 걸어 빙빙 돌리며 턱짓으로 문을 가리켰다. 나는 고민하다가 눈을 아래로 내리깔았다.

"저 배가 안 고파서…… 그냥 여기 있겠습니다."

"뭔 소립니까, 그건."

"속이 안 좋아서요. 소화도 안 될 것 같고. 괜찮으시다면 다음에……."

"진심으로 하는 말입니까?"

그의 표정에 짜증이 스몄다. 나는 굴하지 않고 침묵으로 버텼다.

"내가 지금 밥 먹여 주겠다고 불러내는 게 아니잖아요. 나한테 할 말 있지 않습니까."

"앞으로는 오늘 같은 일 없을 겁니다. 컨디션이 좋지 않아서 실수했습니다. 팀원들에게는 내일⋯⋯."

"나랑 마주 앉아서는 밥도 먹기 싫단 얘기 아닙니까."

목소리가 낮게 깔렸다. 진심으로 기분 나빠 보이는 얼굴을 보며 나는 일단 입을 다물었다. 부정하려면 지금인데 할 말이 없었다. 가만히 있자 누가 봐도 사실이 되었다. 실제로도 사실이었다. 그는 차 열쇠를 움켜쥐며 한숨을 뱉었다.

"먹지 맙시다, 그럼. 이서단 씨가 굶고 싶다는데 내가 말릴 이유가 있습니까."

"⋯⋯죄송합니다."

"잠깐 따라 나와요, 그럼. 여기서 할 얘기 아니니까."

"그러면―"

"아무 데도 안 데려가니까, 잠자코 좀 와요. 죽여 버리고 싶네, 아주."

그가 이를 악물고 끊어 내듯이 말했다. 등 돌려 먼저 성큼성큼 멀어졌다. 나는 모니터를 끄고 몸을 일으켰다.

옥상으로 가는 걸까 생각했는데 그는 엘리베이터의 지하 층수를 눌렀다. 주차장이었다. 그의 성격이라면 충분히 나를 억지로 차에 밀어 넣고 데려가 밥을 먹일 것이다. 생각만으로도 체할 것 같았다. 어제부터 먹은 게 없긴 했지만 속이 안 좋다는 말은 사실이었고, 그와 마주 앉아 뭐든지 먹을 생각은 추호도 없었다.

내가 엘리베이터에서 내리지 않고 버티자 문을 가로막고 선 그가 이를 악무는 것이 보였다. 살기 어린 표정에 이러다 얻어맞을지도

154

모른다고 생각했는데, 의외로 그는 웃었다. 인내심의 한계를 훌쩍 넘어선 듯한 실소였다.

"차에만 탑시다. 문은 열고 있어도 좋으니까."

"……."

"부탁하기 일보 직전입니다, 내가."

하는 수 없이 고개를 끄덕였다. 구석진 곳에 주차된 그의 차는 덩치 큰 은색 아우디였다. 버튼으로 문을 열고 먼저 운전석에 탄 그가 차 앞유리를 통해 고갯짓했다. 나는 천천히 그의 조수석 문을 열었다. 가죽 내음이 시트러스 계열의 방향제와 섞여 희미하게 풍겼다. 연한 갈색빛의 가죽 시트 끄트머리에 엉덩이를 붙이고 걸터앉았다. 넓게 연 문은 그의 말대로 닫지 않았다.

그는 내게 시선을 주지 않고 앞을 보고 있었다. 주머니를 뒤져 담배를 꺼내더니 입에 물고 불을 붙였다. 능숙한 손놀림에서 포식자의 것을 닮은 팽팽한 여유가 보였다.

탁, 그가 열린 창문에 대고 담배를 털었다. 내 쪽으로 불어온 연기에 코가 간지러웠다.

"그래서."

한참 후에 그가 느릿하게 입을 열었다.

"왜 울었습니까?"

"……."

입을 벌렸다가 다물었다. 예상한 질문이었는데, 그래도 혀가 딱딱하게 굳었다. 그는 여전히 시선을 앞유리 너머에 두고 말했다.

"이걸 알아야 내가 상황을 파악할 수 있습니다. 프로젝트가 끝나려면 아직 멀었고, 혹시 모를 변수를 줄이는 것도 내 역할입니다. 주말의 일이 나머지 업무에도 영향을 미치게 되면 곤란해요."

"……."

"어쨌든 뽑았으니 한 사람 몫은 해야 되지 않겠습니까. 팀원들 사이에서 이서단 씨에 대한 불만 있는 건 잘 알 테고. 조용히 할 일만해도 모자랄 지경에 오늘 오전처럼 소란 일으키는 건 이서단 씨에게도 좋지 않고, 팀 전체에도 피해를 끼칩니다."

화를 낼 것이라고 생각했는데 평온한 목소리였다. 덤덤하게 이어나간 말은 구구절절 옳았다. 어쩌나 아무렇지 않게 말하는지 순간이 관계가 대단히 상식적인 것이라고 착각할 정도였다.

"왜 울었습니까?"

아까 질문의 메아리였다. 나는 벌린 입술로 공기를 빨아들였다.

"모르겠습니다."

"유추라도 해 봐요. 본인 눈깔 아닙니까."

"……이유는 딱히 없었습니다. 그냥 어제 열이 나서, 정신이 없었고……. 최근에 많이 울다 보니까 눈물샘이……."

말하고 나니, 말하려던 건 그게 아니었다. 그가 희미하게 입꼬리를 틀어 올렸다.

"최근에 많이 운 것은, 역시 나 때문입니까?"

"……."

"그럼 내 쪽이 파블로프고. 이서단 씨는 개새끼가 되나?"

"그건 아닙니다. 그렇게까지는……."

목소리가 갈라져 나왔다. 나는 숨을 고르며 시선을 유리창으로 돌렸다. 귀신처럼 희게 질린 얼굴 너머로는 주차장의 서늘한 조명이 텅 빈 공간을 비추고 있었다. 호 불면 숨이 하얗게 김이 되어 허공에 스며들었다.

"어제는 왜 아팠습니까. 그것도 나 때문에?"

"……가끔 그렇습니다. 팀장님 때문이 아니라……."

그가 담배를 문 채로 얼굴을 돌렸다. 나른하게 가라앉아 있는 표정에 아까의 분노는 없었다. 나는 겉옷을 가지고 나왔어야 한다고 후회했다. 추워서 손끝이 차게 얼어붙었다. 그래서 팔을 뻗어 문을 닫자, 차 안은 순식간에 밀폐된 공간이 되었다.

한 팀장은 꽁초를 차 안의 디스포저에 비벼 넣고 창문을 올렸다. 침묵이 자리 잡았다.

하루 종일 빠근하게 긴장해 있던 몸을 차 시트에 묻고 가만히 숨을 쉬었다. 열이 내린 자리에 찾아드는 탈력감이 몸을 휩쓸었다. 왜인지 지금 옆에 앉아 있는 사람은 회의실의 냉정한 상사도 아니었고, 호텔에서의 위험한 남자도 아닌 것 같았다. 만나 본 적 없는 사람. 지금 고개를 돌리면, 내가 모르는 얼굴을 하고 있을 것 같았다.

"내가 침대 위에서 이서단 씨에게 한 일 중에, 앓아눕게 할 정도로 힘든 일이 있었습니까?"

한참의 침묵이 지나고, 그가 평소처럼 상스러운 단어를 섞지도 않고 나직하게 물었다. 나는 애쓰지 않아도 어제 열이 오른 내내 반추했던 토요일의 악몽을 선명하게 떠올릴 수 있었다. 무릎을 꿇고 입술을 열어 그의 성기를 받아들였고, 그가 만족할 때까지 목구멍을 유린당했다. 거기까지라면 아마도 납득할 수 있었을 것이다. 내가 서명한 가상의 계약서에 그런 조항은 있었다. 하지만 그 후에 벌어진 일은 내게 어려웠다. 떠올릴 때마다 눈이 따끔거리고 목이 멜 정도로, 기이하게 서러웠다.

"그저께까지는…… 몰랐다가, 깨달았습니다."

초점을 두지 않고 창문을 내다보며 작게 중얼거렸다.

"왜 저한테 굳이 이런 제안을 하신 건지 잘 몰라서, 그동안 이해하기 힘들었는데……. 어렵게 생각할 일도 아니었다는 걸 이제야 알았습니다. 제가 어떤 일로 팀장님께 밉보였는지는 모르겠지만, 단지 저한테."

"잠깐."

그가 말을 끊었다. 목소리가 이상해 눈을 돌리자 그의 얼굴에는 처음 보는 의아한 표정이 떠올라 있었다.

"방금 내가 이서단 씨를 싫어하고 있다는 요지의 말을 들은 것 같은데."

"……몰랐는데, 그저께 겨우 깨달았습니다. 그래서."

"그저께 언제."

"그저께……."

혀끝에 말이 뭉쳐 나오지 않았다. 얼굴에 빨갛게 열이 올랐다. 미간을 좁힌 채로 나를 뚫어져라 보던 그가 고개를 옆으로 기울였다.

"이 경우에는 희롱하려는 게 아니니 표현이 노골적이어도 이해하세요. 펠라 시켰을 때? 그게 싫었습니까?"

나는 말없이 고개만 흔들었다. 그는 가늠하려는 듯이 핸들에 손가락을 가볍게 두드렸다.

"그럼 스팽?"

"스팽……?"

"엉덩이."

귀 끝까지 새빨갛게 붉어져 있을 것이다. 나는 시선을 피해 아래로 눈을 떨어뜨렸다. 그의 성격대로 차가 깨끗했다. 방금 청소한 것처럼 바닥에 먼지가 없었다.

"나 참."

그가 중얼거렸다. 뭔가를 알아듣지 못할 만큼 작게 읊조리더니 웃었다. 처음 듣는 웃음소리에 나는 어깨를 움츠렸다. 불쑥 내 앞으로 내밀어진 얼굴에는 진심으로 즐겁다는 빛이 떠올라 있었다. 눈가를 접은 그가 내 어깨를 가볍게 잡았다.

"내가 이서단 씨에게 단순히 반감이 있어서 이 제안을 한 것이라고 생각했습니까?"

"……"

"내가, 이서단 씨를 싫어해서, 권력을 똥처럼 휘두르며 호텔로 불러낸 겁니까? 싫어해서, 무릎 위에 엎어 놓고 엉덩이를 때렸고?"

"……"

"그래서, 그걸 그렇게 알아차리고 운 겁니까?"

"……."

미치겠네, 라고 그는 툭 내뱉었다. 나는 아까부터 무슨 말을 해야 할지 알 수 없어 시선을 피하고 있었다. 정확히 말하자면 그래서 운 건 아니지만, 설명해 봤자 소용없을 것을 알고 있었다.

"그럼, 아닙니까?"

그의 말이 끝난 것 같기에 다시 조심스레 물었더니, 그가 입술을 깨문 채로 입꼬리를 틀어 올렸다.

"많이 아팠습니까?"

난데없는 질문에 눈을 깜박였다. 그가 친절하게 턱짓으로 내 골반 쪽을 가리켰다.

"엉덩이, 아팠어요?"

"……."

"세게 때린 건 아니라고 생각했는데. 애들 장난질도 아니고 고작 서른 대 스팽에, 이서단 씨가 이렇게까지……. 생각을 해 봐요. 내가 이서단 씨에게 반감이 있었던 거면 어디 골목길에라도 끌고 가 주먹질을 했지, 침대에 엎어 놓고 엉덩이를 때렸겠습니까."

혼란스러웠다. 말이 귓속으로 들어갔다가 의미로 변환되지 못하고 그대로 나왔다. 그는 뭐가 그렇게 즐거운지 입가에 웃음을 매단 채로 나를 지켜보고 있었다.

"어렸을 때 부모님한테 매 안 맞았습니까?"

"거의……."

"이서단 씨는 몸이 민감해서, 통각도 예민하긴 할 겁니다. 아무리 그렇다고 해도…… 정말 그 정도로 힘들었어요? 멍이라도 들었습니까? ……일단 좀 봅시다."

그가 불쑥 내 바지를 향해 손을 내렸다. 나는 뻣뻣하게 굳어 그의 손을 필사적으로 가로막았다. 겨우 2주 만에 길들여진 패턴대로라면 손 치워, 라고 싸늘한 명령이 떨어져야 하는데, 그는 가만히 멎었다. 물끄러미 쳐다보더니 아직 말라 있는 내 눈가를 손끝으로 쓸었다.

"여기서 억지로 벗기면 또 울겠지."

"……."

"수도꼭지 같아서는."

욕처럼 발음하는데 표정은 누그러져 있었다. 나는 뭐가 뭔지 모르겠어서 머뭇거렸다. 그는 항복하듯이 두 손을 들고 물러나 앉았다. 억지로 바지를 벗길 생각은 정말로 없다는 듯이.

"그리고, 내 기억에는 그때―"

"이 얘기는 그만하면 안 되겠습니까?"

얘기가 나올수록 기억이 머릿속에서 재생되고 그가 매섭게 내리쳤던 엉덩이에 열이 오르는 기분이었다. 얼굴을 보이기 싫어 고개를 옆으로 틀었다. 창유리에 비칠 정도로 뺨이 달아올라 있었다.

"……알겠습니다."

웃음기가 짙게 섞인 목소리로 그는 말했다.

"이 얘긴 여기까지 하고, 내 입장을 정리해 주겠습니다. 첫째로, 내가 섹스 중에 이서단 씨에게 한 일은 이서단 씨에 대한 반감의 표현이 아닙니다. 둘째로, 내 섹스 취향은 남다르긴 하지만 그렇게 극단적이진 않습니다. 도저히 못 참을 정도로 아프고 괴로우면 그렇다고 말하면 돼요. 그저께도 그렇게 말했으면 줄여 줬을 겁니다."

"제가 어떻게—"

"그 정도의 권리는 이서단 씨에게 있습니다. 뭐든 다 참을 필요는 없어요. 이게 왜 굳이 설명까지 해야 하는 내용인지는 모르겠는데."

그가 잠시 말을 끊었다. 눈이 마주쳤다.

"아무래도 내가 이서단 씨의 상식 수준을 오해한 모양입니다. 그래도 법이 있는 나라에 사는데, 내가 무슨 짓을 하든 다 수용할 생각이었습니까?"

"……하시던 말, 마저 해 주세요."

"그래요. 셋째로, 나도 최근에 알았지만, 나는 침대에서 이서단 씨가 울면 기분이 좋아집니다. 이 또한 이서단 씨에 대한 반감의 표현이 아닙니다. 단, 회의실에서는 울지 않는 걸로 합시다. 가뜩이나 스케줄 빠듯한데 팀 분위기 완전히 흐트러졌습니다, 오늘."

"죄송합니다."

다른 건 몰라도 그 부분은 이해할 수 있었다. 고개를 숙여 사과하자 그가 고개를 짧게 끄덕였다.

"내일이라도 이서단 씨 업무에 실수가 있으면, 오늘 박 대리의 인상적인 표현을 빌려서, 짱돌로 개 잡듯이 혼낼지도 모릅니다. 당연하지만 그것도 이서단 씨를 싫어해서가 아닌, 기본적인 공사 구분의 문제입니다. 이것도 이해했습니까?"

"네, 그건…… 이해했지만."

"했지만?"

"그래도……"

정상적이었고, 상식적이었다. 하나하나 타일러 주고 확인해 주는 목소리에 웃음기가 배어 있었다. 어제 내내 악몽의 중심이 되었던 사람이 아닌 것처럼. 차가운 말을 내뱉고 내 기분은 안중에도 없다는 듯이 무자비하게 휘두르던 폭군이 아닌 것처럼. 그래서 마른 눈가가 또 따끔거렸다. 목이 메어 말이 끊겼다. 할 생각이 없었던 말까지 입술을 비집고 나왔다.

"제가…… 그렇게 잘못했는지, 이해를 못 하겠어요. 저는 정말……"

"그럼 금요일 기한이었던 업무를 월요일에 제출하는 게 잘한 짓입니까?"

그가 기가 차다는 듯이 되물었다. 나는 하릴없이 고개를 저었다.

"그게, 아니라. 그거 말고…… 처음에, 저한테……"

"울지 말고 말해요."

"제가…… 팀장님 허락 없이……. 그게 그렇게까지 화를 내실 일이라는 게, 저는 납득이 안 가서……"

"이건 또 뭔 소리야."

그가 핸들에 기댄 손으로 머리를 짚었다. 나는 눈을 감았다 떴다. 정말로 울 생각은 없었는데, 그래서 그와 마주 앉아 식사하지 않으려 했는데. 서러웠다. 목이 꽉 조여 말이 잘 나오지 않았다.

"제가, 허락 맡지 않고…… 그래서 매 맞는 건 벌이라고, 하셨으니까……."

"아."

그가 상체를 일으켰다. 눈에 초점이 돌아왔다. 오늘 본 것 중에도 가장 어이없다는 표정으로 나를 쳐다봤다. 얼마나 허탈해 보이는지 나는 울려다 말았다. 떨리는 입술을 깨물고 그를 올려다보았다.

"이거 점점…… 애를 데리고 장난친 기분인데."

"……네?"

"잘못은 무슨. 그건 이서단 씨 엉덩이를 때려 보고 싶어서 꼬투리 잡은 게 당연하잖습니까."

"꼬투리……."

"이서단 씨는 어째 거의 서른 살이 되도록 간단한 플레이의 개념도 모릅니까?"

"……플레이……?"

"하지 마요. 앵무새도 아니고."

그가 뺨을 닦아 준 손으로 내 코끝을 가볍게 꼬집었다. 기분이 나빠 보이지는 않았다. 아니, 오히려 좋아 보였다. 나는 이제 그의 앞에서 눈시울을 붉힌 횟수를 한 손으로 다 셀 수도 없었다. 바닥까지 너무 자주 떨어져 수치스럽지도 않았다. 훌쩍, 소리 내서 콧물을 삼켰더니 그가 글러브 박스에서 티슈 한 팩을 꺼내 쥐어 주었다.

"이거 가지고, 일단 들어가서 일하세요. 퇴근하든지."

"팀장님은……."

"나는 밥부터 먹고 올 생각입니다. 정말로 같이 안 갑니까?"

이해할 수 없는 대화 끝에 분위기가 유해지긴 했어도 여전히 그건 싫었다. 입을 다물고 고개를 내젓자 그가 그럴 줄 알았다는 듯이 차의 시동을 걸었다.

"그럼 내리세요."

"……잠시만요."

"왜 또."

"저…… 해 주신 말씀을 하나도 이해하지 못한 것 같아서요."

솔직하게 말했더니 그가 화를 내는 대신 또 미묘한 표정으로 웃었다.

"이젠 놀랍지도 않네요. 여기서 얘기하긴 너무 길고, 내가 찬찬히 알려 주는 것으로 하죠. 토요일마다."

"……네."

"몸 추스르고 일 제대로 합시다."

차 문을 열고 내린 나는 닫기 전 그의 얼굴을 훔쳐보았다. 한 뼘의 거리가 다시 생겨 있었다. 엄격한 상사의 얼굴이었다.

"다녀오세요."

문을 닫고 허리를 숙여 인사하자 그가 끄덕임으로 답했다. 선에 완벽하게 맞춰 주차되어 있던 차가 주차장을 빠져나갔다. 추위에 떨며 서서 그 뒤꽁무니의 불빛이 사라질 때까지 지켜보던 나는 엘리베이터를 향해 천천히 걸음을 옮겼다.

버튼을 누르고 엘리베이터를 기다리며 생각했다. 아까 이 질문의 모양을 띈 여백이 있었다. 이번에는 물어봤다면 모든 걸 설명해 주던 그가 답했을 수도 있는데, 왜인지 입이 떨어지지 않았다. 기회는 이미 물 건너가 앞으로 오랜 시간 돌아오지 않을 것 같다는 생각이 들었다.

단순한 반감이 아니라면, 무엇이었을까.

당신은 내게 왜. 왜 이토록 나에게.

〰〰〰

사전에서 '플레이'를 찾아보았다.

[게임, 운동 경기, 경기의 내용—]

해당 사항이 없는 것 같아 스크롤을 죽 내리다가 덜컥 숨을 먹어 버렸다. 철자가 달랐다. 플레이play가 아닌 플레이flay라는 단어가 있었다. 무려 [(가죽이 벗겨지도록) 후려치다]라는 뜻이었다.

〰〰〰

설 연휴 전날인 목요일, 비몽사몽간에 알람 소리를 잠재우고 창문으로 내다본 주차장이 온통 하얀 눈으로 덮여 있었다. 녹지 않으면 오늘 귀성길에 오르는 사람들이 고생 좀 하겠구나 싶을 정도로 갑작스러운 폭설이었다.

목도리까지 둘둘 두르고 무장한 채로 밖으로 나왔더니, 어두운 새벽의 찻길에 벌써 눈 치우는 차량들이 다니고 있었다.

회사 앞의 역 계단으로 나왔을 때는 심지어 잠잠했던 하늘에서 부슬부슬 눈이 내리고 있었다. 신호를 기다렸다가 길을 건넜다. 무엇이 낯설게 느껴지나 했더니, 회사 앞 넓은 인도가 발자국 하나 없이 하얗고 깨끗했다. 평소라면 이미 쌓인 눈이 지저분한 갈색 덩어리가 되어 인도 양옆에 몰려 있었을 텐데, 일찍 출근한 탓에 지나간 사람이 없는 모양이었다.

계단을 올라갔다가 다시 내려왔다. 목도리를 시린 코끝 위로 칭칭 올려 감은 채로, 회사 앞 인도를 이쪽 끝부터 저쪽 끝까지 왔다갔다 꼼꼼하게 내 발자국으로 뽀득뽀득 채웠다.

올라와서 본 회의실에는 불이 켜져 있었다. 김 주임인가 했는데 아니었다.

"……아."

모니터가 켜져 있는 것은 분명히 한 팀장의 자리였다. 기척을 냈으니 다시 돌아서서 나갈 수도 없고, 어쩔 수 없이 파티션 위로 조심스럽게 고개를 내밀었다. 화면을 바쁘게 스캔하고 있는 단정한 옆얼굴이 보였다.

"안녕하세요."

고개 숙여 인사하는데 뭔가 날아왔다. 얼떨결에 받아 보니 남색 손수건이었다.

"머리 닦으세요."

눈을 힐끗 들며 한 팀장이 말했다.

손을 올려 더듬어 봤더니 머리에서 자잘한 눈 알갱이들이 묻어나왔다. 거울이 없어서 보이지 않았지만 그가 손수건을 던져 줄 정도면 상태가 심각했나 보다. 무안한 기분에 손수건을 만지작거리다가 말했다.

"화장실 가서 휴지로 닦아도……."

"벌써 준 거니까 그냥 닦아요. 물 떨어지기 전에."

더 사양하면 혼날 것 같아 얌전히 접힌 손수건을 펼쳤다. 낯설기도 하고 익숙하기도 한 향수 냄새가 났다. 거칠고 퇴폐적으로 느껴졌던 향은 땀 냄새와 분리되자 의외로 섬세하고 온화했다. 부드러운 면으로 젖은 앞머리를 닦으며 작게 감사합니다, 라고 중얼거리자 일에 집중하는 것처럼 보였던 그가 바람 빠지는 소리를 내며 갑자기 웃었다.

"사람이 강아지도 아니고."

"네?"

"감기 걸리면 회의실에서 추방합니다. 몸 제대로 관리하세요."

"네."

이 손수건 빨아서 돌려줘야 할까? 빤다면 세탁기로 빨래해도 되나? 한 번도 손수건을 써 보지 않았으니 알 턱이 없었다. 구겨진 것을 손바닥으로 펴서 다시 원래대로 접었다. 모니터 옆에 놔두자 시야 끝에 자꾸 덜컥거리며 걸렸다. 후각이 민감한 편도 아닌데 손끝에까지 낯선 잔향이 번져 있는 것 같았다.

"이서단 씨."

30분 정도 자료를 봤을 때였다. 평소에 새벽에 혼자 있을 때는 넓은 회의 테이블에 자료를 펼쳐 놓고 사용하는데, 지금은 그가 있으니 그렇게 하지 못하고 키보드를 옆으로 세워 둔 채로 책상 가득 책과 노트를 늘어놓고 보는 중이었다. 가까운 곳에서 들리는 목소리에 펜촉이 주욱 미끄러졌다. 한 팀장이 바로 옆 파티션에 팔을 기대고 나를 지켜보고 있었다.

"팀장님."

"시간 낼 수 있으면 오늘 미팅은 지금 하죠. 어제 제출한 보고서 관련해서 물어볼 것도 있고."

"아…… 네."

"대충 정리되면 자료실로 오세요."

등을 돌린 한 팀장은 먼저 자료실로 들어가 버리고, 바람이 지나간 것처럼 넋이 나간 나는 피곤한 눈꺼풀 위를 꾹꾹 문질렀다. 그러고도 제대로 잠이 깨지 않아 물을 터는 개처럼 고개를 좌우로 여러 번 흔들었다. 정신을 바짝 차린 상태로 들어가도 매번 녹초가 되는 미팅인데, 이렇게 이른 새벽에 예고도 없이 불러내다니 한 팀장다운 방식이었다.

인쇄된 자료와 필기도구를 챙겨 들고 자료실에 발을 들였다. 문은 열어 두고, 한 팀장과 마주 보는 자리에 엉덩이를 붙였다. 책상 위에 어제 제출한 보고서가 올려져 있었다.

태블릿을 들여다보던 한 팀장이 힐끗 시선을 들고 말했다.

"피드백 다 읽고 얘기합시다."

"네."

내려다본 종이 첫 장에는 의외로 별다른 표시가 없었다. 거침없는 획으로 빨간 밑줄 그어진 문장 두어 개, 날카로운 갈고리 같은 한 팀장 특유의 물음표 두어 개. 다음 장도 그다음 장도 마찬가지였다. 마지막 장에는 빨간 느낌표가 하나 찍혀 있었다. 손끝으로 만져보니 종이에 옅게 홈이 파였을 정도로 힘주어 내려 그은 획이었다. 나는 그 느낌표가 무서워서 페이지를 얌전히 다시 덮었다. 처음부터 끝까지 보고서를 한 번 더 읽었다.

"팀장님."

조심스럽게 부르자, 그가 태블릿에서 하던 작업을 마무리지었다. 커버를 덮어 옆으로 치우고 시선을 들었다. 폭격이라도 대비하듯 몸을 긴장시킨 나를 물끄러미 보더니, 불쑥 입을 열었다.

"내가 너무하다고 생각합니까?"

"⋯⋯네?"

눈을 들었다. 한 팀장은 덤덤한 표정으로 재차 물었다.

"일 따라오는 것도 벅찬데 공부까지 해 오라고 해서. 대가는 대가대로 치르고 TF 들어왔는데 야근은 야근대로 하고 있고. 억울하다고 생각하는 건 아닙니까?"

"아니요, 한 번도 그렇게⋯⋯."

마땅한 부정의 말이 생각이 안 나서 입을 다물고 일단 고개만 흔들었다. 나를 지켜보던 한 팀장이 그렇습니까? 라고 무덤덤하게 말했다.

"그럼 됐고."

"……팀장님."

"열심히 하는 건 좋은데, 아무리 업무 보조 수준의 일이라고 해도 업무를 공부보다 우선시하세요. 피곤한 상태로 일하면 실수가 나오기 마련입니다."

"네."

"보고서."

내 앞의 종이를 향해 그가 가볍게 턱짓했다.

"나한테 설명해 보세요."

"……전체를요?"

"3페이지에 D사 관련한 부분."

D사? 예상했던 부분이 아니라 눈을 깜박이는데, 한 팀장이 보고서를 끌어갔다. 휙휙 넘기고 페이지 중간쯤을 손끝으로 찍어 눌렀다. 내가 볼 수 있도록 종이를 빙그르르 돌려놔 주고 말했다.

"이건 저자 생각이 아니고 요약의 탈을 쓴 이서단 씨 개인의 의견으로 보이는데. 틀립니까?"

"……."

"저자는 사례를 인용하면서도 섣부른 결론은 피하려고 노력하는네, 이서단 씨 요약은 명쾌하네요. 며칠 전에도 내가 이런 말을 했던 걸로 기억하는데."

평이한 말투라 얼핏 들었다면 칭찬으로 들렸을 것이다. 그가 짚어 준 부분을 다시 읽으며 나는 해당 책을 필사적으로 떠올렸다. 원서였고 늦은 밤이었던 데다가 원문에서 그리 중요하게 다뤄진 부분은 아니었지만, 더듬다 보니 기억이 났다. 생각을 정리하고 다시 내 문장을 읽어 보니 그의 말이 맞았다. 며칠 전에 지적받은 부분과 비슷한 실수였다.

"죄송합니다."

"죄송한 게 문제가 아니라. 이서단 씨는."

그렇게 말하고 한 팀장은 잠시 말을 끊었다.

"이서단 씨는, 지금까지의 보고서나 기획안의 경향을 보면 개인의 영향력에 지나치게 큰 무게를 두고 있는 것 같습니다. 성공 사례들이 지나치게 회자되어서 그 반대의 경우가 훨씬 많다는 것을 잊어버리기 쉬운데……."

그가 보고서를 힐끗 내려다보았다.

"D사의 경우에는 컨설턴트가 발을 빼지 않았어도 어려웠을 겁니다. 클라이언트 쪽에서 개선 의지가 부족했고, 환경적인 여건도 불리했어요. 나머지 요건이 갖추어져 있지 않은 상태에서 아이디어만으로 죽어 가는 기업을 되살릴 수 있다고 여기는 것은 낙관론입니다."

가만히 듣고 있던 말의 무엇이 나를 긁어 놓았는지, 정신을 차려 보니 입을 열어 대거리하고 있었다.

"그래도, 해 보기 전엔 모르는 일이잖아요."

무표정한 눈이 힐끗 내 얼굴을 향해 들렸다. 예상치 못한 듯 눈썹이 올라가 있었다.

"문제도 눈에 보이고, 고칠 방법도 아는데, 어려울 것 같아 일찍 포기해 버린 것은 비겁한 게 아닌가요? 먼저 클라이언트를 설득하려고 노력해 보는 것이—"

"비겁함에는 다른 이름이 있는데."

그가 내 말을 끊었다.

"기업의 언어로 효율이라고 부릅니다."

무딘 날로 내리치듯이 단단한 어투였다. 낱말 여백마다 무수한 가시가 사납게 솟아 있는 것 같아서 나는 아무 말도 못하고 입을 다물었다.

한 팀장은 피곤한 얼굴로 눈을 잠시 감았다 떴다. 무언가를 참아 삼키듯이 다문 잇새로 천천히 숨을 뱉었다. 그리고 나를 쳐다보지 않은 채로 고저 없이 말했다.

"컨설턴트를 의사로 비유한다 해서 기업이 얌전히 수술대에 드러누워 줄 거라고는 생각하지 말아요. 고착된 건 쉽게 변하지 않습니다. 왜 그러냐고 따져 봐야 소용없어요. 알고 보면 이유가 있는 것도 아니니까."

"……"

"이서단 씨는 시스템의 자기방어력을 우습게 보는 것 같은데, 그 예를 들어 주자면…… 시스템과 맞지 않는 방식을 고수하는 사람은 시간이 지나면 순응하고 침묵하거나, 혹은 자연스럽게 튕겨 나가게 되어 있습니다. 다른 사람도 아니고 이서단 씨한테 내가 굳이 이 말을 해야 할 줄은 몰랐네요."

나는 한 대 얻어맞은 기분으로 입을 다물었다. 한 팀장은 여전히 내게서 시선을 돌린 채로 자리에서 일어나 태블릿과 서류를 챙겨 들었다.

"실질적인 구현에 대해서 더 생각하세요. 실전 경험이 없다 해서 이론에만 의존하려 들지 말고."

인사 없이 그가 내 의자를 스쳐 지나갔다. 평소보다 빠른 발소리가 멀어지고, 저만치 멀리 회의실의 문이 닫히는 소리가 귓속을 찌르듯 울렸다.

회의실 안은 하루 종일 어수선했고 분위기가 들떠 있었다. 이렇게 자진해서 일을 많이 하는 사람들이더라도 코앞의 연휴는 반가운 모양이었다. 하루 종일 점심도 건너뛰고 무서운 속도로 옆에서 타자를 쳐대던 박 대리는 6시가 다 되어 가자 털썩 쓰러지듯 뒤로 길게 기지개를 켰다. 의자 등받이가 삐걱거리는 소리가 들렸다.

"이제 퇴근하시게요?"

고개를 돌려 물었더니, 눈을 감은 채로 박 대리가 고개를 미약하게 흔들흔들했다.

"못 끝냈어요. 이거 오늘까지 팀장님 드려야 해서. 늦는다고 집에 전화해야겠네."

"박 대리님은 오늘 출발한다고 하시지 않으셨어요?"

파티션 위로 올라온 김 주임의 머리가 물었다.

"본가 대구 아니에요? 벌써 어두워지는데 언제 내려가시려고요?"

"아…… 그러게요."

의자를 뒤로 밀어낸 박 대리가 핸드폰을 꺼내 화면을 노려보다가 앓는 소리와 함께 다시 엎어 두었다.

"집에도 갔다 가야 해서. 와이프 벌써 짐 다 챙기고 대기 중일 텐데, 큰일 났네."

"그냥 내일 아침에 가는 건 안 돼요?"

"내일 아침에 내려가는 게 제일 막힌다잖아요. 그리고 연말 때도 못 갔고, 월요일엔 우리 회사 안 쉬니까 출근할 거고……. 지금 벌써 차 막히고 있겠죠? 얼마나 걸리는지 그런 거 어떻게 알아보나?"

"검색하면 나올걸요, 아마. 실시간으로 정보 떠요."

김 주임이 아예 의자를 이쪽으로 끌어왔다. 한 팀장이 아까부터 자리에 없어서인지 수다를 떨고 싶어서 좀이 쑤시는 표정이었다. 나는 핸드폰으로 교통 정보를 검색하기 시작한 박 대리와 김 주임의 대화 소리를 한 귀로 흘리며 컴퓨터 화면을 들여다보다가 난데없이 어깨를 툭툭 치는 박 대리의 손에 돌려 앉혀졌다.

"이서단 씨는 내일 내려가요?"

"……네?"

"어디로 내려가는데? 고향 어디예요?"

김 주임도 박 대리의 옆에서 나란히 나를 쳐다보고 있었다. 쏟아지는 시선이 부담스러워 나는 의자를 뒤로 물렸다.

"저는 내일도 출근하려고……."

"어?"

"왜?"

둘이 동시에 물었다. 반응이 이렇게 요란할 줄 몰랐던 나는 입을
열었다가 다물었다.

"아예 안 내려가요? 본가가 어딘데?"

"……서울, 인데……."

"아, 그래서? 좋겠네요. 나는 부모님이 서울 사는 사람들이 제일
부럽더라고. 심지어 연말에는 와이프 친정에 갔는데, 거기는 부산
위쪽이에요. 휴게소마다 미어터지고, 내려가다 애는 뒤에서 토하고
울고……."

일을 끝내는 것은 아예 포기했는지 박 대리가 의자를 반대로 돌
려 앉으며 주렁주렁 이야기를 늘어놓았다. 마침 문을 열고 들어오
던 권 대리가 물었다.

"누가 토하고 울어요?"

"우리 딸애. 작년에 부산 내려갈 때 차에서…… 난리도 아니었
어요."

"아…… 이번에도 부산 내려가요?"

"아니요, 이번에는 대구. 권 대리님은 서울이죠?"

"작년까지만 해도 서울이었는데, 시부모님이 귀농하셔서서…… 저
도 이번엔 내려가야 돼요. 내일 새벽 일찍 출발할 건데…… 반나절

은 안 걸리겠죠?"

이야기는 다시 교통 얘기로, 그리고 위아래로 형제가 많아 조카들 세뱃돈 때문에 등골이 휘겠다는 박 대리의 불평으로 이어졌다. 내게서 모든 관심이 떠난 것 같아 안심하며 고개를 돌리려는데, 박 대리의 어깨 너머로 김 주임의 웃고 있는 옆얼굴이 보였다. 그 순간 나는 아무런 이유도 없이 여동생을 떠올렸다.

"……집도 좁은데, 바글바글하게 한 방에 애들이랑 해서 다섯 명씩 끼어서 자야……."

"……그 많은 식구가 밥은 어떻게 먹어요? 뭐 따로 안 사 가고……."

뭐가 비슷했을까. 묶어 올릴 수 있는 길이의 생머리가 비슷했나, 말끝을 확 내던지는 듯한 퉁명스러운 말투가 비슷했나. 아니, 그 정도는 특징도 아니고 무엇도 아닐 텐데, 그 나이대의 여자를 보면 그게 누구든 자연스럽게 여동생이 떠오를 때가 있었다. 길거리에서 대학생으로 보이는 여자들에게 유난히 시선을 빼앗기는 것도 아마 그래서였을 것이다.

책상 위 핸드폰을 한 번 만지작거리고 손을 떼어 냈다. 그때, 대화가 돌고 돌아 또 내게로 왔다.

"이서단 씨는 아직 부모님이랑 사나 봐요?"

"네?"

"아니, 출근까지 한다길래."

"출근한다고요? 내일?"

권 대리였다. 나는 고개를 끄덕였다.

"부모님이랑 사는 건 아니고…… 따로 나와 살고 있어요."

"아, 그럼 저녁에나 가게? 내려갈 걱정은 안 해서 좋겠네요."

"아…… 네."

그때 박 대리의 핸드폰이 울렸다. 대화가 그쯤에서 끊겨서 다행이었다. 사과와 변명과 어울리지 않는 애교를 섞으며 박 대리가 통화하는 사이에 나머지 팀원들은 자리로 돌아갔다. 어떻게 알았는지 귀신같은 타이밍이었다. 박 대리의 목소리 말고는 조용해진 회의실의 문이 열리고 한 팀장과 윤 대리가 함께 들어섰기 때문이다.

등 뒤의 한 팀장을 눈치 채지 못하고 통화를 마무리 지은 박 대리는 의자를 돌리다가 등받이에 뒤통수를 부딪쳤다.

"박 대리님."

"……팀장님."

평소라면 업무 시간에 사적인 통화를, 로 시작하는 신랄한 말로 박 대리를 반쯤 죽여 놓았을 한 팀장은 물끄러미 내려다보더니 소리 없이 한숨을 쉬었다.

"오늘은 이만 퇴근하세요. 남은 건 내가 처리할 테니까 내 메일로 보내 주고. 대신 충분히 쉬고 월요일에는 제시간에 출근하는 걸로 합시다."

"진짜로요?"

확인하면서도 박 대리는 벌써 입이 귀에 걸려 있었다. 도리어 그 옆의 권 대리가 올려다보며 되물었다.

"팀장님은 지금 퇴근 안 하시게요?"

"안 합니다. 권 대리님도 일 마무리됐으면 일찍 퇴근하세요."

"팀장님은 설 어디서 보내세요? 고향 내려가세요?"

윤 대리였다. 부지런히 짐을 챙기던 박 대리도 멈칫했는데, 한 팀장은 힐끗 돌아보더니 별 말 없이 대답했다.

"서울이 고향입니다. 설 계획은 딱히 없고, 내일까지는 정상적으로 출근할 계획입니다."

"네? 팀장님도 출근하세요?"

박 대리가 흥미롭다는 목소리로 말했다.

"그럼 내일은 이서단 씨랑 둘만 회사에 남으시겠네요."

그 순간, 시선이 얽혔다. 나는 심장이 뚝 떨어지는 것을 느끼며 책상 밑으로 손가락을 꽉 쥐었다. 박 대리는 내 기분은 알 턱 없이 말을 잇고 있었다.

"이서단 씨도 내려갈 일 없어서 내일 출근한다고 했거든요, 아까."

"아, 저는……."

"그렇습니까?"

한 팀장이 내게 시선을 고정한 채로 미미하게 웃었다. 집에서 일하겠다고 말하려던 나는 체념하고 입을 다물었다. 하루 종일 단둘만 회의실에 남아 있을 것을 생각하니 벌써부터 숨이 막혔다. 거기다가 그다음 날은 토요일이었다. 매주 주말이 오지 않기를 필사적으로 바라는 직장인은 이 방뿐 아니라 회사 전체에서도 나밖에 없을 것이다.

파일을 저장하고 컴퓨터를 종료했다. 일찍 퇴근하는 나머지 팀원들 뒤로 따라붙었다. 복도에서, 로비에서 흩어져 인사를 나누고 회전문을 통해 밖으로 나오니, 오랜만에 퇴근길의 직장인들로 길이 붐비고 있었다.

그날 밤, 나는 집으로 바로 가지 않고 마트부터 들렀다. 역에서 집까지 가는 길에 있는 24시간 동네 마트가 아닌, 반대편 출구에서 나와 20분을 걸어야 나오는 대형 마트였다.

입구에서 노란색 바구니를 집어 들고 에스컬레이터를 내려가 야채 코너를 찾았다. 연휴 전 막바지 장을 보는 가족들 사이로 섞여 들었다. 다른 사람들의 카트가 지나갈 때마다 비켜서며 한참을 서서 손가락으로 일일이 둘레를 재어 보았다. 바나나 두 송이, 오이 세 개. 다 넣자 바구니가 묵직했다. 빠른 손으로 바구니를 받아 드는 계산대의 점원은 일에 치여 죽을 것 같은 얼굴이었다. 내가 카운터 옆에서 뒤늦게 콘돔 한 통을 잡아 계산대 위에 올려놨을 때도 아무것도 눈치 채지 못했고, 아무것도 묻지 않았다.

잔뜩 긴장하고 문을 열었던 것이 무색하게 회의실은 비어 있었다. 어두운 공간에 서늘한 공기가 감돌았다. 불을 켜고 난방 스위치를 올리고, 창문으로 다가가 블라인드를 걷었다. 창밖으로 내다보이는 회사 앞 도보에는 지나다니는 사람 한 명 없었다. 나는 자리에 코트를 벗어 걸어 놓고, 지하철에서 읽던 대학 교과서를 꺼냈다. 뻑뻑해진 눈을 몇 번 문지르고, 책갈피 삼아 끼워 둔 믹스커피 껍질이 삐죽 튀어나온 곳으로 책을 열었다.

공부하면서도 등 뒤의 회의실 문이 언제 열릴까 신경을 곤두세우고 있는데, 한 팀장은 평소 출근 시간까지도 나타나지 않았다. 일이 생겼을까, 아니면 다른 이유였을까. 나 때문일 리는 없었다. 내 쪽에서는 그를 피할 이유가 차고 넘쳤지만, 한 팀장은 내가 있든 없든 전혀 아랑곳하지 않을 것이 분명했다.

그는 나에게 거래를 제의한 것이 반감 때문이 아니라고 말했지만, 나는 이제야 그날 면접실에서 그가 지었던 표정을 어렴풋이 이해할 수 있을 것 같았다. 싸구려 농담처럼 회사 안을 떠돌던 내가 친 사고의 소문을 들으며 그는 무슨 생각을 했을까. 아무것도 모르는 나를 경멸했을까, 가소롭다 생각했을까. 이토록 극단적인 방법으로, 내가 틀렸다는 것을 몸소 증명해 보여 주고 싶었을까.

가슴이 꽉 막힌 것처럼 답답해졌다. 의자를 빙 돌려 컴퓨터를 등지고 앉았다. 비어 있는 회의실 테이블을 보며 멍하니 눈을 깜박이는데, 문손잡이가 돌아가는 소리가 들렸다. 피할 시간도 없이 문을 열고 들어오는 한 팀장과 눈이 마주쳤다.

나를 보고 그가 잠시 멈칫했다. 짜증이 여실히 드러나 있던 피곤한 표정이 자취를 감추고, 익히 아는 무덤덤한 무표정으로 가라앉았다. 찰나의 순간이었다. 내게서 눈을 돌리고 테이블 위에 가방을 내려놓은 그가 말했다.

"정말로 출근할 줄은 몰랐네요."

"……집으로 일 가져가지 말라고 하셔서요."

의도는 그게 아니었는데 그를 원망하는 것처럼 말이 나왔다. 한 팀장은 별 반응 없이 자료를 가방에서 꺼내 테이블에 배열하기 시작했다. 한참 뒤에야 가방을 바닥으로 내려놓으며 그가 말했다.

"내가 그렇게 말했다고 안 가져가는 것도 아니면서, 대답은 꼬박꼬박 잘하네요."

질책하는 목소리는 아니었다. 사과하려다가 나는 얌전히 입을 다물었다. 한 팀장은 허리에 손을 짚고 늘어놓은 자료를 내려다보더니, 이쪽으로 시선을 돌렸다.

"오후에 컨설팅팀 사람들도 두어 명 잠깐 들어오기로 해서, 부서 쪽에 가 있게 될 것 같습니다. 나한테 직접 물어볼 거나 확인받을 게 있으면 가급적 오전에 해결하세요. 그 이후에 내가 필요하면 부서 쪽으로 직접 와도 되고, 이메일로 연락 줘도 상관없습니다."

"네."

나에게는 차라리 다행인 일이었다. 한 팀장은 이쪽으로 걸어오더니 본인의 자리에서 의자를 빼서 가져갔다. 지금 보니 타이도 없고 흰 셔츠의 위쪽 단추를 풀어 둔 차림새였다. 아침에 편한 옷을 옷장에서 꺼내 놓고 잠시 갈등했던 나는 자료를 정리 중인 그의 옆모습을 힐끔 한 번 보고, 내 타이를 몇 번 당겨 조금 느슨하게 풀었다.

답답하게 막혔던 숨통은 트였는데, 문제는 일이었다. 질문에는 늘 성심성의껏 대답해 주는 박 대리가 옆에 없으니 자꾸만 막히는 부분이 생겼다. 일단 별표를 쳐 놓거나 하이라이팅 기능으로 노랗게 칠하고 넘어갔다.

그럴 때마다 셔츠를 팔꿈치까지 걷어 올리고 서류에 몰두해 있는 그를 몇 번 조심스럽게 돌아보았다. 하지만 입을 열었다가도 다시 수그러들었다. 그러다가 도저히 물어보지 않고는 넘어갈 수 없는 부분이 거대한 장벽처럼 등장해 내 앞을 가로막았다. 나는 작게 벌린 입술 사이로 혀끝을 잘근잘근 씹었다. 숨을 크게 들이쉬고 막 입을 열려던 때였다.

"왜."

올려다보지 않고 그가 말했다. 태블릿 위로 펜은 여전히 빠르게 움직이고 있었다.

"물어볼 것 있으면 여기로 갖고 와요."

"……바쁘신 것 같아서요."

"이서단 씨는 본인 업무부터 걱정하세요."

심드렁한 목소리였다. 나는 몸을 일으키려다가, 컴퓨터 화면에 뜬 것을 저쪽으로 가져갈 수 있는 방법이 없음을 깨달았다.

"……팀장님."

이번에는 그가 펜을 멈추고 고개를 들었다. 나는 가능한 그의 심기를 거스르지 않을 만한 표정으로 말했다.

"이쪽으로 와 주시면 안 될까요?"

한 팀장은 나를 뚫어져라 보더니 말없이 자리에서 일어났다. 이쪽으로 그가 걸어오는 동안 나는 의자를 옆으로 최대한 옮겨 앉았다. 옆 파티션이 있는 곳에 기대어 선 그가 내 화면을 내려다봤다. 바람 빠지는 소리로 웃더니 말했다.

"가관이네. 지금까지 안 물어보고 뭐 했습니까?"

"……아."

미처 스크롤을 내리지 못한 탓에 아까부터 노랗게 칠해 둔 부분이 전부 그의 눈에 띈 모양이었다. 한 팀장은 내 몸 앞으로 팔을 뻗어 마우스를 잡았다. 내 의자 팔걸이에 한 손을 짚어 몸을 숙이고, 스크롤을 맨 위로 올려 화면을 꼼꼼하게 들여다보기 시작했다. 벌어진 깃 사이의 목울대가 미세하게 움직이는 것이 보일 정도로 거리가 가까웠다. 나는 몸을 최대한 뒤로 빼고 시선을 무릎 위로 고정했다.

"다 안 봐주셔도 괜찮아요. 나중에 진짜 모르겠는 것만 따로 여쭤보면 되고, 아니면 박 대리님 돌아오셨을 때……."

한 팀장은 대답도 해 주지 않았다. 그가 보고 있는 화면으로 나도 어쩔 수 없이 시선을 돌렸다. 마우스 포인터가 별 표시를 잔뜩 찍어 두고 옆에 [이거 뭐지???]라고 써 놓은 부분 위로 멈춰 있었다. 갑자기 뺨이 뜨겁게 달아올랐다.

"팀장님."

그 밑으로는 [!!!??????!!!] [<-확인해야 됨!] [****%%$##%나중에 수정!!] 따위도 즐비하게 늘어서 있었다. 한 팀장의 옆얼굴이 웃는 것처럼 미묘했다. 눈꼬리가 접혀 있는 것 같았다.

"뭐부터 볼까요."

"아…… 그럼 밑부분에, 그…….

마우스를 되찾고 싶은데 그의 손이 비켜 주지 않았다. 그 옆으로 손을 조심스럽게 띄우자 그제야 단정한 손가락이 느릿하게 물러났다. 나는 그가 넘겨준 마우스를 그러쥐었다. 체온이 손바닥에 감기 듯 맞닿아 왔다.

"이 부분만 알려 주시면 돼요. 프로세스 어떤 걸 써야 하는지 헷갈려서……."

내가 가리킨 부분을 찬찬히 들여다본 그가 입을 열었다.

"이건 양쪽 다 메리트가 있으니까 내 의견만 듣지 말고 자료 참고하세요. 리바이 들어가면 권 대리 쪽에서 분석 올려놓은 게 있을 겁니다. 자료 보고도 모르겠으면 나한테 다시 질문하고. ……또 뭐?"

"……그럼 이것도……. 이거 용어 모르겠어요. 찾아봤는데 안 나와서……."

예전에도 느낀 적이 있었지만, 무언가를 가르칠 때의 한 팀장은 다른 사람 같았다. 장황한 것 없이 꼼꼼했고, 대답마다 마음을 읽은 듯이 궁금증의 정곡을 꿰뚫었다. 그 명쾌함과 답지 않은 인내심에 홀려 나는 다람쥐처럼 그의 앞에 질문을 굴려와 탑을 쌓았다. 그의 시간을 30분이나 허비하고, 손목시계를 힐끗 내려다보는 그의 눈에 그제야 뒤늦게 정신을 차렸다.

"지금 컨설팅부 가셔야 해요?"

"아니."

중간부터 박 대리의 의자를 끌어와 앉았던 한 팀장은 의자를 뒤로 밀어냈다. 몸을 일으키더니, 내 키보드를 눌러 문서를 저장하고 화면을 암전시켜 버렸다.

"점심 먹으러 갑시다."

"……지금요?"

"열두 시 넘었어요."

정말이었다. 내가 회의실 벽의 시계를 확인하는 사이에 한 팀장은 걷어 올렸던 소매를 정돈하며 벌써 코트까지 걸쳐 입고 있었다. 나는 그 모습을 빤히 쳐다보다가 일단 그가 앉아 있던 박 대리의 의자를 제자리에 밀어 넣었다. 의자에 걸쳐진 내 코트에 손을 대고 망설였다.

"나오세요. 나가서 간단하게라도 먹읍시다."

회의실 문까지 연 그는 그제야 비협조적인 조짐을 눈치 챈 모양이었다.

"또 배가 안 고프다고 할 겁니까?"

"……저는 매점에서 사 먹을게요. 팀장님은 컨설팅부 들어가셔야 하고, 벌써 팀원분들 오셨을지도 모르는데……."

"왔다는 연락은 받았어요. 점심 먹고 들어가면 되니까 문제없습니다. 그리고 매점은 오늘 안 엽니다. 쓸데없는 소리 하지 말고 이리 나와요."

휴일인 것을 까먹고 있었다. 더 시간을 끌다가는 지난번처럼 그의 차가 있는 주차장으로 끌려갈 가능성이 농후했다. 단정한 얼굴에 슬슬 짜증의 기미가 스미는 것이 보여 심장이 빠르게 뛰었다.

"바로 옆에 편의점 있으니까 괜찮아요."

"……이서단 씨."

목소리가 낮았다. 저절로 입술이 깨물렸다. 그때 눈살을 찌푸린 그가 진동하는 핸드폰을 주머니에서 꺼냈다. 액정을 보더니 다물어진 입술에 힘이 들어갔다. 그는 미련 없이 다시 주머니에 핸드폰을 밀어 넣고 회의실 문을 젖혀 열었다.

"편의점 가든지, 그럼."

"네?"

"따라와요. 그만 꾸물거리고."

이제 정말 변명이 없어진 나는 어쩔 수 없이 목도리만 둘둘 두르고 코트와 지갑을 챙겨 서둘러 그를 따라 나갔다. 복도와 엘리베이터, 회사 로비를 거쳐 그의 뒤를 종종걸음으로 따라갔다. 대각선으로 로비를 가로지른 그가 왼쪽 출입구 앞에서 멈춰 서더니 나를 향해 돌아섰다.

"밖에 춥습니다. 옷 제대로 입으세요."

"……네."

그가 걸음이 워낙 빨라 뒤쫓아 가면서 코트에 한쪽 팔만 집어넣고 대충 껴입은 상태였다. 팔을 끼우는 사이 훑어보던 그가 또 지적했다.

"타이 제대로 매세요. 풀 거면 아예 풀고. 너저분해서 보기 흉합니다."

"……네."

목도리를 일단 풀고 타이를 올리려고 했는데 잘 되지 않았다. 그가 코트에 양손을 찔러 넣은 채로 지켜보고 있어서 손이 말을 듣질 않았다. 결국 타이를 아예 끌러 내려서 대충 접었다. 또 지적할 게 없나 찾는 것 같은 한 팀장은 정작 노타이에 셔츠 단추도 풀려 있었고, 검은색 롱코트를 여미지 않고 대충 걸쳐 입은 채였다. 그런데도 감히 너저분하다는 말이 나오지 않을 정도로 깔끔한 느낌이 드는 것을 보면 옷이 아닌 분위기 차이인 것 같았다.

돌돌 만 타이를 코트 주머니에 넣자 불룩 동그랗게 주머니가 튀어나왔다. 허전해진 목 위로 목도리를 다시 둘둘 둘러 코까지 말끔하게 덮었다. 또 한마디할 것 같던 한 팀장은 물끄러미 나를 쳐다보더니 한 손으로 문을 밀어 열었다. 들이닥친 겨울 공기가 매서웠다. 다 녹지 못한 눈이 인도 곳곳에 지저분하게 얼어 있었다.

편의점 로고가 보이기 시작하자 나는 갑작스러운 깨달음에 입을 열었다가 다물었다. 커피도 믹스커피는 안 마시는 그가 편의점에서 삼각 김밥이나 라면을 먹는 것은 상상이 잘 되지 않았다. 같은 생각을 했는지, 편의점의 유리문이 스르륵 열릴 때쯤 그가 건조하게 말했다.

"이런 데서 끼니를 때우니까 이서단 씨가 빌빌거리는 겁니다."

편의점의 공기가 음식 냄새로 후덥지근했다. 빨리 아무거나 사서 빠져나가는 것이 상책이었다. 도시락이라도 하나 사서 회사로 돌아가 먹을 생각에 나는 그의 멈춰 선 어깨 너머로 두리번거렸다. 도시락이 진열된 칸 옆쪽의 테이블에 남녀가 마주 앉아 있었다.

"팀장님!"

그때 인기척에 올려다본 여자 쪽이 눈을 크게 뜨더니 손을 흔들었다. 남자 쪽도 고개를 들더니 젓가락을 내려놓으면서 소리 내어 웃었다.

"팀장님도 여기 오셨어요?"

지금 보니 얼굴이 낯이 익었다. 지난번에 한 팀장을 따라 컨설팅 부로 인사차 갔을 때 봤던 얼굴들이었다.

"점심 따로 드시고 오신다고 하셨잖아요."

"그래서 저희는 대충 때우려고 나왔어요. 언제 오실지 몰라서."

"대충 때우려는 사람이 왜 이리 많아."

건조한 대답에도 여자가 생글거렸다. 그리고 의자에서 바지런히 가방을 치우고 한 팀장이 앉을 수 있도록 옆으로 옮겼다. 그때 남자가 한 팀장 뒤에서 고개만 내민 나를 발견했다.

"아, TF 막내분이네요."

눈을 든 여자와 시선이 마주쳤다. 슬쩍 찌푸려지는 미간을 보고 나는 고개 숙여 인사했다.

"막내분도 와서 앉으세요. 아, 뭐 드시게요? 팀장님은 뭐 드실 거예요?"

"됐습니다."

탐탁지 않은 눈으로 도시락 칸을 들여다보던 한 팀장이 대답했다. 코트 주머니에서 지갑을 꺼낸 그가 내게 카드를 내밀었다.

"가서 원하는 걸로 사 오세요. 앉아 있을 테니까."

"……괜찮습니다."

몇 걸음 물러섰다. 한 팀장은 눈썹을 느리게 치켜올렸다.

"밥을 안 먹겠다는 겁니까, 내 카드로 계산하기 싫다는 겁니까?"

"……팀장님은 안 드실 거면 제가 알아서 사 먹겠습니다. 비싼 것
도 아니고……."

"비싼 게 아니니 거절할 이유가 없지 않습니까. 뭐가 문젠지 모르
겠는데. 여기가 아닌 다른 식당에 갔으면 이서단 씨는 나와 더치페
이라도 할 생각이었습니까?"

관객이 있는 실랑이가 불편했다. 남자는 밥 먹는 것도 잊었는지
젓가락 쥔 손을 턱에 괸 채로 나를 흥미롭게 쳐다보고 있었다. 한 팀
장은 내 손목을 잡아 카드를 올려놓으려 했다. 어깨가 닿을 정도로
몸이 바짝 가까워졌다.

"나한테 밥을 얻어먹는 게, 뭐가 그리 싫어."

나에게만 들리도록 조용히 끊어 묻는 눈빛이 형형했다. 손목을
파고드는 긴 손가락의 악력이 무시 못 할 수준이었다. 나는 이를 악
물고 상황을 모면하기 위해 일단 카드를 받아 들었다. 그때 여자가
손을 흔들어 주의를 끌더니 밝게 말했다.

"그럼 내가 사 줄까요?"

"……네?"

"우리 팀 소속이잖아요, 서류상. 그럼 내가 선밴데. 밥 사 줄게요,
편의점 밥이라 미안하지만. 뭐 먹고 싶어요?"

"……아니요, 괜찮습니다."

여자가 재미있다는 듯이 웃고 있었다. 그냥 해 본 말인 모양이었다. 나는 한 팀장에게서 등을 돌리고 그의 카드를 쥔 채로 편의점 매대 사이로 들어갔다. 라면, 과자, 술안주. 식품이 빼곡하게 채워진 선반 너머로 말소리가 들렸다. 한 팀장의 목소리, 뒤따르는 누군가의 웃음소리. 잠시 숨을 고르고 눈을 감았다 떴다.

배는 고팠지만 입맛이 있는 건 아니었다. 혀끝으로 건드려 보면 입천장과 볼 안쪽이 부어 있는 것 같았고, 목 안쪽은 감기라도 걸린 것처럼 삼킬 때마다 먹먹하게 아팠다. 때 아닌 새벽 벼락치기의 여파였다.

그의 카드를 손바닥에 쥐고, 나는 숙제라도 받은 사람처럼 편의점 안을 꼼꼼하게 돌았다. 네모난 카스테라 하나, 삼각 김밥 세 개, 사과맛 소다 한 캔. 카운터 위에 그의 돈으로 사먹는 점심을 나란히 올려놓았다. 삑, 삑, 바코드를 찍은 알바생이 손을 내밀어 한 팀장의 카드를 받아갔다. 내가 고른 것들이 검은 봉투에 부스럭 부스럭 담겼다.

"뭐 샀어요?"

테이블로 돌아가자 여자가 궁금하다는 듯이 물었다. 한 팀장이 앉아 있는 앞으로 카드를 내려놓으며 나는 대답했다.

"삼각 김밥이랑 빵이요."

"그것밖에 안 샀어요? 더 비싼 걸로 사지 왜, 한 팀장님 개인 카드인데. 팀장님이 일 많이 시키죠? 원래 이럴 때 복수하는 거예요."

마지막 말은 귓속말인 양 내 쪽으로 몸을 기울인 채였다. 한 팀장

191

은 눈살을 찌푸렸지만 별말 없이 카드를 거두어가 지갑 안에 꽂아 넣었다. 여자는 건너편의 자리를 가리키며 밝게 말했다.

"앉아요, 왜 서서 그래요."

"저는 회사 들어가서 먹으려고요."

"응? 왜?"

한 팀장의 시선이 느껴졌지만 무시했다.

"일 얘기하셔야 하는데 제가 방해될 것 같기도 하고, 저도 일 빨리 끝내고 퇴근하고 싶어서요."

"아쉽네요. 그럼 나중에 밥 같이 먹어요."

손을 흔들어 주는 것에 고개 숙여 답하고 봉지를 들고 돌아서는데, 한 팀장이 일어섰다.

"들어가기 전에 잠깐 나 좀 봅시다."

"……네."

어쩔 도리가 없었다. 그가 사 준 음식들이 달랑거리는 봉지를 들고 그를 따라 편의점 밖으로 나왔다. 등 뒤로 자동문이 스르륵 닫혔다. 찬 공기가 매서웠다.

목도리를 입까지 추켜올리며 나는 그를 올려다보았다. 주머니에서 담배를 꺼낸 한 팀장은 익숙한 손으로 불을 붙이고 있었다. 바람 탓에 라이터 불이 미약하게 흔들거렸다. 손으로 바람을 가린 그가 연기를 깊게 빨아들이고 천천히 내뱉었다. 나른하게 풀어진 표정으로 입을 열었다.

"내일 설날인데, 나한테 할 말 없습니까?"

"……네?"

생각지도 못한 말이었다. 한 팀장은 검지와 중지 사이에 얇은 담배를 대충 끼운 채 내게로 몸을 틀었다. 웃는 것처럼 표정이 미묘했다.

"요일을 옮겨 달라든지, 내일은 한번 봐 달라든지."

"내일……."

"이서단 씨는 내일 부모님 댁 안 갑니까?"

"……아."

무슨 말인지 그제야 알아들었다. 새해 복 많이 받으세요? 라고 말할 뻔했는데, 그게 아니라 다행이었다.

"저는 원래 안 가서…… 상관없습니다. 근데 팀장님은……."

미리 생각했다면 신경 썼을 부분이었다. 박 대리며 권 대리가 그렇게 이야기를 늘어놓는 것을 보고도 떠오르지 않은 것이 신기했다.

힐끗 눈썹을 치켜올렸던 한 팀장이 담뱃재를 툭 털며 대답했다.

"낮에 잠깐만 다녀올 거니까 영향 없습니다. 그럼 평소대로 봐도 되겠네요."

"……네."

"요일을 옮겨 달라 하면 옮겨 주려 했는데. 이서단 씨에게는 안타깝게 됐습니다."

깔끔하게 떨어지는 말에, 등 뒤의 문이 닫혔는지 확인하고 있던 나는 고개를 들었다.

"왜……."

"내일 내가 기분이 굉장히 안 좋을 예정이라. 이서단 씨가 나를 감당해 낼 수 있을지 모르겠네요."

공공연하게 나를 화풀이의 대상으로 삼겠다 말하는 남자 앞에서 나는 입을 가만히 다물었다. 아무 말도 할 수가 없었다. 추위에 조금씩 몸이 떨렸다. 한 팀장은 담배를 마지막으로 빨아들이고 플라스틱 테이블 위 재떨이에 꽁초를 비벼 껐다.

눈이 마주쳤다. 내 표정을 물끄러미 지켜보던 그가 손을 뻗어 벌어진 코트 깃을 여며 주었다. 사무적인 손길은 볼일만 마치고 미련 없이 떨어져 나갔다.

"그럼 이서단 씨 새해의 첫 밤은 예정대로 나와 보내는 걸로 합시다."

"……네."

"들어가서 점심 남기지 말고 먹어요. 일하다가 물어볼 게 있으면 메일로 연락하고."

네, 라고 덜덜 떨리기 시작한 잇새로 대답했다. 소리 없이 열린 자동문은 한 팀장이 들어서자 다시 매끄럽게 닫혔다. 유리를 통해 나머지 두 명이 있는 테이블에 다시 앉는 그의 등이 보였다. 옆의 여자가 도시락 칸을 가리키며 그에게 몸을 기울여 무언가를 신나게 설명하기 시작했다. 소리는 들리지 않았다.

얼어붙은 손을 코트 소매로 덮으며 걸음을 옮겼다. 코트의 틈새마다 싸늘한 바람이 숨어들었다. 휴일의 길거리는 조용하고 적막했다. 아무도 살지 않는 도시 같았다.

⁂

이상한 낌새를 눈치 챈 것은 문 앞에 도착했을 때였다. 무엇이 다른지 정확히 설명할 수는 없지만, 노크를 하려고 든 손이 망설임이 아닌 다른 이유로 머뭇거렸다. 문에 붙은 번호를 한 번 더 확인했다. 그리고 익숙하게 뒤틀리는 배 속을 참아 내며 문을 두드렸는데, 들려오는 인기척이 없었다.

귀를 문에 대고 들어 봐도 마찬가지였다. 한 걸음 물러선 나는 핸드폰을 꺼내 한 팀장에게서 온 연락이 없는 것을 확인했다. 문자함에는 지난주에 그가 보내 준 링크만이 보라색으로 둥둥 떠 있었다.

화면을 끄자 잠금 화면에 하얀 숫자가 떠올랐다. [23:01] 잠시 복도를 둘러본 나는 핸드폰을 손에서 놓칠 뻔했다. 그새 무음으로 해 놓은 핸드폰의 화면이 요란하게 번쩍이고 있었다. 맨 위에 커다란 글자로 적힌 것은 그의 이름이었다.

핸드폰은 소리 없이 긴 신호음을 끈질기게 반복했다. 울리다 보면 알아서 끊어질 거라고 생각했는지도 모른다. 얼어붙은 채 쳐다보고만 있던 나는 그제야 천천히, 원치 않는 곳에 질질 끌려가듯이 화면을 밀어 올렸다.

-도착했습니까?

인사를 기다리지 않고 그가 물었다. 실제보다 낮고 서늘하게 들리는 목소리였다. 왜 이렇게 늦게 받느냐는 핀잔도 없었다. 수화기 너머로 웅성거리는 잡음이 섞여 들리고, 차의 경적 소리가 멀찍이 울렸다.

"……네."

-지금 어딥니까.

"방 앞 복도인데……."

어디세요, 라고 물으려다가 입을 다물었다. 한 팀장은 잠시 조용했다. 짧게 내쉰 숨소리가 귓가에 닿아 왔다. 그리고 그가 군더더기 없이 말했다.

-미안합니다.

"……."

-미리 연락을 해야 했는데, 경황이 없었습니다. 지금 가는 중이지만 삼십 분은 더 걸릴 것 같은데, 그때까지 기다릴 수 있겠습니까?

괜찮다고 말하는 선택지 외의 것이 나에게 있기는 했을까. 매번 완벽했던 사람의 꼬투리를 잡은 것 같은 속 좁은 만족감이, 그걸 변명으로 이용해 도망치고 싶은 비겁한 마음이 혀끝까지 차올랐다. 그 쓰고 떫은맛이 신물처럼 느껴졌다. 그걸 알기라도 한 듯이 그가 덤덤하게 말을 이었다.

-약속을 어긴 건 내 쪽이니까, 이서단 씨 마음대로 해도 괜찮습니다. 그대로 집에 가서 오늘 약속은 없던 일로 해도 좋고. 좋을 대로 해요.

"……정말로, 그렇게……."

-내가 너무 뻔한 걸 물었습니까?

그가 웃었다. 그답지 않은 쓴 웃음소리였다.

안도감이 배 속의 단단한 똬리를 녹이듯 휘감았다. 심장이 빠르게 뛰었다. 한마디면 되는 일이었다. 그러겠다고 말하고, 전화를 끊고, 왔던 길을 그대로 따라 지하철을 타고 다시 집에 가면 되는 일이었다. 매주 가까워지는 토요일은 숨 쉴 공간을 주지 않고 점점 내 숨통을 조여 왔고, 나는 다음 주 토요일까지의 늘어난 말미가 간절했다.

눈을 감은 채로 이마를 복도의 차가운 벽에 기댔다. 이를 꽉 악물었다가 천천히 힘을 풀어냈다.

"여기서 기다리겠습니다."

─⋯⋯프런트에 가서 내 이름을 대면, 키를 줄 겁니다. 확인이 필요하면 그쪽에서 나한테 전화할 거고. 방 안에 들어가 있어요.

"그냥 카페 같은 데서 기다렸다가 오겠습니다."

─그러든지.

그는 강요하지 않고 통화를 마무리 지었다.

─도착하면 연락하겠습니다.

"네."

인사 없이 전화가 끊어졌다. 나는 핸드폰을 든 손을 떨어뜨리고 소리 없이 머리를 벽에다가 두어 번 찧었다. 눈을 감은 채로 호텔 밖 번화가의 지도를 머릿속으로 그렸다. 늦은 밤까지 여는 카페가 근처에 수두룩했다. 지나올 때 북적이는 사람들로 가득했던 테이블을

197

생각했다.

로비에 있는 화장실에 한 번 다녀왔다. 16층의 방문은 그가 안에 없어서 그렇게 무섭지 않았다. 나는 뭉쳐진 배 속을 풀기 위해 천천히 심호흡했고, 복도를 서성이면서 혀끝으로 부어 있는 입안을 조심히 쓸어 보았다. 집에서 보다 온 업무를 생각하거나, 시간이 있으면 그에게 물어봐야 할 질문들을 우선순위대로 정리했다.

한 팀장이 도착했을 때 나는 문 앞에 앉아 무릎 위로 턱을 묻고 있었다. 서둘러 일어선 나를 힐끗 보고, 그는 일단 카드키를 문에 꽂아 넣었다. 그토록 굳게 닫혀 있던 문이 쉽게 열렸다.

"청승맞게 거기서 뭐 합니까."

피곤함을 숨기지도 않은 목소리였다. 답을 들으려는 질문은 아니었다. 그의 뒤를 따라 방에 들어가며 나는 다시 단단하게 꼬이는 긴장에 숨을 내뱉었다.

한 팀장은 장갑을 벗어 의자 위로 대충 던져 두었다. 길거리의 서늘한 바람이 코트자락에서 물씬 묻어났다. 코트 단추를 풀어 내는 속도나 타이를 잡아 끌러 내리는 손길에 실린 힘에서 나는 그가 어제 했던 경고가 허튼소리가 아니었음을 실감했다. 그를 화나게 한 대상이 누군지는 모르나, 그 사람은 여기 없었고, 오늘 그의 손바닥 위에서 노닐어야 하는 것은 나였다. 그를 상대하는 것은 내 역할이었다.

소매 단추를 끄르며 돌아본 한 팀장은 벌써 옷을 벗기 시작한 나를 보고 힐끗 눈썹을 치켜올렸고, 이내 웃었다. 단단한 선으로 굳어 있던 얼굴이 조금 누그러졌다.

"꼬투리 안 잡히려고 발 빠르게 움직이는 겁니까?"

나는 셔츠를 개키며 대답 없이 고개를 숙였다. 방 안에 들어와 있었다면 아예 옷을 미리 벗어 뒀을 것이다. 버클을 풀자 바지가 발목까지 흘러내렸다.

라이터 소리가 났다. 담배를 피워 문 채로 한 팀장은 침대에 털썩 앉았다. 몸을 뒤로 깊숙하게 물리고 다리를 벌린 채로 앉아 내가 옷을 벗는 것을 감상했다. 편안한 자세, 편안한 표정이었다. 그럴싸한 구경거리가 생긴 것처럼.

나는 옷을 벗어 개켜 두고 나서 한 번의 독촉도 나오기 전에 먼저 그의 다리 사이로 반듯하게 무릎을 꿇었다. 카펫의 짧은 모가 살갗에 배겨 들었다. 고개를 숙여도 뒤통수에 비스듬히 떨어지는 시선을 느낄 수 있었다.

그는 별말 없이 손을 뻗어 대충 내 머리통을 눌렀다. 코가 그의 바지 앞섶에 부딪혔다.

"해 보세요."

피곤으로 까슬하게 가라앉은 목소리였다.

나는 망설이지 않고 그의 지퍼를 잡아 내렸다. 속옷 구멍에서 성기를 끄집어냈다. 아직 발기하지 않은 성기는 뜨끈하고 묵직한 살덩이였다. 쳐다보면 망설이게 될 것 같아 눈을 감고 기둥을 받쳐 들어 그 둥근 끝을 입에 넣었다. 입술 안쪽의 연한 살에 뜨겁고 매끄러운 선단이 비벼졌다. 입을 오므리고 빨아들이듯이 머금은 채로, 혀로 딱딱해지기 시작한 귀두를 핥아 올렸다.

크고 단단한 손이 뒤통수를 잡고 머리카락 사이로 파고들었다. 몸이 더 바짝 그에게 밀어붙여졌다.

"눈 떠야지."

숨소리가 짙게 섞인 목소리였다. 나는 가빠지는 숨을 참으며 눈을 내리깐 채로 부풀기 시작한 기둥을 더 깊게 머금었다. 혀를 뾰족하게 내어 아랫부분의 요철을 핥고, 넓게 펴서 기둥 아래부터 여러 번 쓸어 올렸다. 그동안 손으로는 성기의 밑동을 잡아 쓰다듬었다. 굵은 음모가 손가락 사이로 까슬하게 비벼졌다.

내가 무릎 꿇고 그의 성기에 열중하는 동안 그는 이따금씩 억누른 숨소리만 뱉어 냈다. 진한 살 냄새와 담배 연기의 매캐함이 섞여 들었다. 머리카락 사이를 부드럽게 헤집던 손가락이 옮겨와 귀의 둥근 바퀴를 살살 쓰다듬고, 엄지의 단단한 부분으로 붉어진 귓불을 문질렀다. 등골을 타고 오른 소름에 어깨가 움칠 떨렸다.

크게 벌린 턱이 아파 왔다. 얕게 넣고 빼면서 꾹 조일 때마다 한계까지 벌어진 입술의 양 끝이 아팠다. 혀도 감각을 잃은 듯이 더뎠고, 마찰로 열 오른 볼 안쪽의 살이 얼얼하게 부어 있었다.

그래도 그걸로는 역부족이었는지, 나른한 숨을 길게 뱉은 한 팀장이 내 뒷머리를 힘주어 눌렀다.

"좆을 목구멍까지 넣어야지. 요령 피우지 말고."

부드러운 목소리인데 손길은 억셌다. 준비할 시간도 없이 앞으로 머리가 당겨졌다. 입천장을 찌르던 살 기둥이 단숨에 안으로 밀려 들어갔다. 딱딱하게 부푼 귀두가 부어오른 목젖을 찔렀다. 컥, 하고 숨이 터져 나갔다.

길이도 굵기도 아까보다 팽창해 있었다. 단숨에 반쯤 빠져나갔다가 다시 안으로 박히는 두꺼운 기둥이 기어코 입술을 확 찢어놓았다. 나는 생리적인 눈물을 줄줄 흘리며 입을 더 벌렸다. 그의 허벅지를 붙잡고 몸을 지탱해, 발버둥 치는 대신 힘을 빼고 받아들였다. 어차피 그가 사정하지 않으면 끝나지 않는 일이었다. 두려움에 작게 오그라든 목구멍을 그가 도구처럼 함부로 사용했다. 아예 뚫어 버리겠다는 듯이 깊숙이 밀어 넣고 들쑤셨다. 뜨겁고 굵은 살 기둥이 들락거릴 때마다 예민한 뺨 안쪽의 피부를, 부어오른 입천장을 사납게 긁었다. 나는 기도를 틀어막던 귀두가 뒤로 빠질 때마다 익사 직전의 사람처럼 숨을 가쁘게 들이쉬었다. 입안을 끈적하게 채우고 질척이는 소리를 내는 것은 나의 타액이기도 했고 그의 체액이기도 했다.

이쯤 되면 연습이 무슨 소용이었는지 알 수 없었다. 어차피 단단한 손에 의해 머리가 고정돼 내 의지대로 움직일 수 있는 것은 없었다. 가끔 난폭한 피스톤질이 느릿해질 때마다 짓눌렸던 혀를 움틀거려 기둥을 열심히 핥는 것이 전부였다. 입안이 얼얼하게 마비돼서 제대로 하고 있는 건지도 알 수 없었다. 귀두의 갈라진 틈이나 기둥으로 이어지는 부분의 굴곡에 혀끝을 넣어 어설프게 핥다 보면 그가 또 머리를 끌어당겨 목구멍으로 성기를 처넣었고, 나는 토악질을 필사적으로 참으며 기다려야 했다.

끝도 없이 시간이 늘어졌지만, 지난번보다는 훨씬 짧은 지옥이었다. 그가 목 깊숙이 쑤셔 넣었던 성기를 빼내 주었다. 나는 참았던 기침을 한 번에 쏟아 냈다. 찢긴 입술 사이로 굵은 기둥이 스윽 문질러지고 빠져나갔다. 흐려진 시야로 새빨갛게 번들거리는 귀두의 흉물스러움이 보였다.

"눈 감아."

으르렁거리듯이 그가 내뱉은 명령에 반사적으로 눈을 감자마자, 뜨겁고 점성이 있는 액체가 얼굴 위로 흩뿌려졌다. 몇 번에 걸쳐 뺨에, 질끈 감은 눈꺼풀 위에 흠뻑 분사되었다. 나는 어찌할 바를 모르고 덜덜 떨고 있었다. 사정을 마친 귀두를 그가 끈적하게 젖은 내 입술 위로 느리게 비볐다. 짜고 비린 맛에 신물이 올라왔다.

"볼만한데."

목소리에 웃음기가 섞여 있었다. 휴지 뽑는 소리가 났다. 곧 세심한 손길로 그가 내 눈가를 닦아 냈다. 나는 장님처럼 그에게 몸을 의지한 채 얼어 있었다.

"눈에 들어가면 따갑습니다. 앞으로도 얼굴에 좆물 받을 때는 눈 감으세요."

뺨까지 닦아 준 그가 찢어진 입가를 쓸었다. 나는 눈을 떴다. 목소리가 방금 내 입안을 찢어 놓고 들쑤시던 사람 같지 않게 친절했기 때문이다.

한 팀장의 눈꼬리가 느른하게 풀어져 있었다. 눈이 마주치자 그가 턱짓으로 아직 반쯤 서 있는 성기를 가리키며 말했다.

"마무리하세요. 싹싹 핥아서 묻은 건 삼키고."

"……."

"방금까지 잘해 놓고, 이건 또 힘듭니까?"

툭, 그가 허리를 추켜올렸다. 방금 닦아 낸 뺨에 다시 끈적이는 성기가 치덕치덕 비벼졌다. 다물린 입술 위를 누르는 두꺼운 선단에 나는 하는 수 없이 입을 벌렸다. 입술을 둥글게 오므려 기둥을 물 수 있는 데까지 물고 닦아 냈다. 미지근한 점액질이 걷혀 나와 고스란히 혀 위에 묻었다. 토하고 싶다는 생각에 식도가 뻣뻣하게 굳었다.

입안에서 빠져나간 성기를 다시 바지 안으로 정리하고 지퍼를 올린 그가 나를 물끄러미 내려다봤다. 시선이 내리꽂히자 도망갈 수 없었다. 나는 혀 위의 비릿한 점액 덩어리를 삼키고 싶지 않아 입 안을 둥그렇게 부풀린 채로 몸을 들썩거렸다.

"삼키라고 했지."

"……읍!"

"다 먹지 않으면 밤새 내 좆을 입에 물릴 겁니다. 배가 터지도록 마시고 싶은 게 아니면 삼키세요. 지금."

나는 입을 다물었다. 메스꺼운 것이 느릿하게 식도를 타고 넘어갔다. 서러움인지 수치심인지 알 수 없는 것으로 눈꼬리가 뜨거워졌다.

"그래서."

입가에 남아 있는 정액을 내 입술 위로 꾹 눌러 펴 바르며, 그가 느릿하게 입을 열었다.

"어디 가서 다른 남자 좆이라도 빨다 왔습니까."

자연히 턱이 들렸다. 그의 눈가에 느른한 웃음기가 묻어 있었다.

"안 하던 짓을 하는 걸 보면 그간 퇴근하고 바빴나 봅니다. 허락 없이 어디 가서 입을 놀리기라도 했습니까?"

그가 내 찢어진 입가를 손끝으로 툭툭 헤집었다. 신경줄을 건드리는 것처럼 얇고 위태로운 통증이었다.

대꾸하려다가 입을 다물었다. 잠자코 불안정한 숨을 가라앉혔다. 입술을 쓸던 그의 손끝이 뺨을 타고 올라와 귓불을 매만졌다. 헝클어진 머리를 정리해 귀 뒤로 넘겨 주며 다정하게 물었다.

"뭐로 연습했습니까."

"……"

"시청각 자료라도 참고했습니까. 혀 쓰는 건 누구한테 배웠어요?"

"……"

"질문을 들었으면 대답해야지."

단단한 손바닥이 등 아래쪽을 느리게 문질러 내렸다. 매서운 타격감이 생생해 엉덩이가 오므라들었다. 나는 눈물을 깜박여 없애며 시선을 아래로 기울였다.

"그냥…… 연습했습니다."

"그냥 뭐로."

"……바나나랑…… 오이."

"오이?"

그가 뜻밖이라는 듯이 되물었다.

"마트에 갔는데, 모양이 비슷한 것 같아서……."

말해 놓고 땅 속으로 잠겨 들고 싶은 수치심이 찾아들었다. 그는 눈가를 누그러뜨리고 소리 내어 웃었다. 무엇이 유쾌한지, 그새 기분이 괜찮아진 건지, 내가 고개를 돌리며 몸을 뒤로 물리자 굳이 붙잡지 않았다.

다리가 쥐가 난 것처럼 말을 듣지 않았다. 바닥에 넘어지듯 주저앉아 있는 나를 내버려 두고 한 팀장은 얇은 담배를 입에 물었다. 라이터에 불을 붙이며 불분명한 발음으로 지시했다.

"쉬고 나면 타이 갖고 이리 오세요."

"……네?"

"테이블 위에."

시선이 돌아갔다. 평소 와인이 놓이는 테이블에는 아까 그가 목에서 풀어 낸 남색의 타이가 반듯하게 접힌 채 놓여 있었다.

"왜……."

"가져와 보면 알지 않겠습니까."

심드렁한 대답 끝의 날이 서 있었다. 경고등처럼 그 의미가 훤했다. 나는 얼얼해진 무릎을 문지르고 천천히 일어났다. 손에 잡히는 울 넥타이는 생각보다 묵직했고, 세밀한 스트라이프 무늬가 새겨진 표면이 거슬거슬했다.

그의 앞으로 다가가 두 손으로 타이를 내밀었다. 받아 든 한 팀장은 턱짓으로 나를 침대 위에 앉혔다. 담배를 들지 않은 쪽의 손으로 빨갛게 자국이 남은 양쪽 무릎을 살피고, 가볍게 혀를 찼다.

"밑에 뭘 까는 게 낫겠네요, 앞으로는. 다리 움직여 보세요. 오른쪽도."

양쪽 다리를 무릎 아래로 움직이게 시켜 본 그가 담배를 마지막으로 빨아들이고 줄어든 꽁초를 비벼 껐다. 찢어진 입가를 가까이 들여다보던 눈이 힐끗 들리며 시선을 맞대어 왔다.

"손 내밀어 보세요. 아니, 양쪽 다."

"……이렇게요?"

두 손바닥을 반듯하게 붙여 내밀며 그를 불안하게 올려다봤다. 지난번엔 엉덩이였으니, 이번엔 손바닥을 때릴 생각인가 싶었다. 어렸을 때 다녔던 학원에서나 맞아 봤던 방식이었다. 그마저도 가물가물했던 것이, 나는 크게 처벌받을 만한 일을 한 적도 없는 모범생이었다. 다른 아이들이 맞는 것을 지켜봤던 기억만이 선명했다.

다행인지 불행인지 한 팀장은 내 손을 붙잡아 깍지 끼듯이 손바닥을 겹치게 했다. 가까이 붙은 손목 위로 휘릭 무언가 감겼다. 침대 위에 놓여 있던 넥타이였다.

"팀장님—"

"가만있으세요. 쓸리면 아픕니다."

손을 붙든 힘을 이길 수가 없었다. 내가 몸을 비트는 사이에 그는 능숙하게 타이를 손목 사이와 바깥쪽으로 감아 단단한 매듭으로 고정시켰다.

"너무 꽉 조입니까?"

확인하듯이 그가 물었다. 나는 묶여 있는 손을 내려다보며 머릿속이 하얗게 물들어서 아무 말도 할 수 없었다. 매듭을 몇 번 더 조정한 그가 타이를 죽 잡아당겼다. 나는 줄에 묶인 개처럼 손목이 묶여 그에게로 끌려갔다.

한 팀장은 침대 머리맡의 나무 기둥 장식에 타이의 남은 한쪽 끝을 통과시켰다. 두 번 조여 묶고 탁탁 당겨 풀리지 않는 것을 확인했다. 그리고 묶인 내 양팔을 머리 위로 들게 해 나를 눕혔다.

천장을 보는 개구리 같은 자세였다. 그는 내 양 발목을 잡아 옆으로 당기고, 벌어진 다리 사이로 몸을 밀어 넣었다. 무릎 뒤쪽을 눌러 몸을 반으로 접다시피 했다. 허공에 들린 엉덩이와 배 쪽으로 늘어진 성기가 그의 눈앞에 훤히 드러나 있었다.

그제야 나는 목소리를 되찾아 그를 작게 불렀다. 팀장님, 하고 또 막막하게 끊어진 말에 그는 미간을 슬쩍 찌푸렸다.

"왜 벌써부터 엄살입니까."

"……저……."

무슨 말을 할 수 있었을까. 무섭다는 말은 그에게 아무 의미가 없을 것이다. 어차피 눈앞의 남자는 이성적이고 상식적이던 회사에서의 남자가 아니었다. 아무것도 설명해 주지 않을 것 같았고, 아무것도 이해해 주지 않을 것 같았다.

나는 눈을 감았다. 숨을 들이쉬고 내쉬는 일에 집중했다. 손목을 묶은 끈에 매달린 인형처럼 팔에서 힘을 풀었다. 방 건너편에서 달그락거리는 소리가 들리고, 침대가 다시 무게로 들썩였다. 들린 엉덩이 밑으로 푹신한 것이 받쳐졌다. 다리를 더 넓게 벌리도록 그가 다시 자세를 고쳐 주었다.

"왜 집에 가랄 때 안 갔습니까?"

무덤덤한 질문이었다. 따뜻한 손바닥이 엉덩이를 어루만지고 쓸어내렸다. 오른쪽, 그다음에 왼쪽. 그리고 양손으로 엉덩이를 잡아 반죽하듯이 힘주어 주물렀다. 사이를 벌리고 엉덩이 골을 손톱 끝으로 훑어 내렸다. 튀어 오른 몸을 그가 잡아 눌렀다.

"갔으면 지금 이 짓을 안 당해도 될 텐데."

"……웃—"

항문 위로 정확하게 손가락이 찔러 들었다. 나는 손이 묶인 걸 잊고 몸을 앞으로 크게 젖혔다. 그 반동으로 옆으로 넘어지듯 뺨이 이불 위로 묻혔다. 타이가 손목을 매섭게 파고들었다. 땀에 젖은 앞머리가 눈을 찔렀다. 치워 내고 싶어 손을 내렸는데 움직이지 않았다. 손목이 양쪽 다 묶여 있었다.

그제야 깨달았다. 정말로 이제는 도망치고 싶어도 그럴 수 없는 상황이었다. 그가 나에게 어떤 짓을 하든, 나는 꼼짝없이 그것을 감내해야 하는 신세였다. 칼로 찌른다 해도 저항할 수 없을 것이고, 장기를 꺼내 간다 해도 속수무책이었다.

"……웃!"

엉덩이 사이로 질척하고 차가운 액체가 흘렀다. 깜짝 놀라 눈을 뜨니 한 팀장은 크고 둥근 통에서 투명한 젤리 같은 것을 잔뜩 퍼내서 내 엉덩이 사이에 뭉텅이로 떨어뜨리고 있었다. 미끌거리는 손가락이 회음부부터 아래까지 천천히 문지르기 시작했다. 녹은 젤이 골을 타고 뚝뚝 떨어지는 느낌이 선연했다.

필사적으로 오그라드는 다리를 그가 잡아 벌렸다. 발목을 꽉 쥐는 손의 악력이 그 자체로 경고였다. 나는 몸에서 힘을 풀며 간헐적으로 심호흡했다. 눈을 너무 질끈 감아서 눈꺼풀 안쪽이 붉게 번졌다.

"오늘 일도…… 기특하다고 상을 줘야 할지, 멍청하다고 벌을 줘야 할지."

"훗……."

스윽, 손끝이 입구 위로 미끄럽게 넘어 다녔다.

"이서단 씨는 생각했던 그대로의 성격이라 오히려 매번 놀랍습니다. 그렇게 살아 봤자 하등 도움이 안 된다는 걸 진즉에 깨달았을 텐데도."

듣든 안 듣든 상관없다는 듯이 조용한 목소리였다. 손끝이 오므라든 주름 위를 꾹 누르고 물러났다. 젤을 끌어모아 바르고 다시 꾹 힘을 가했다.

"흑, 으으……."

"힘 빼세요."

그렇게 말하면서 그가 중지를 푹 밀어 넣었다. 미끄러운 젤의 힘을 빌려 두 마디 정도가 단숨에 안으로 들어왔다. 나는 아랫배를 얻어맞은 것 같은 이물감에 입을 벌렸다.

"남과 타협하는 건 둘째치고, 스스로와 타협하는 법도 모르면."

"으읏, 그……!"

"이런 식으로 손해를 보는 거라는 걸 오늘 배우고 가도록 합시다."

멈추지 않고 단단한 손가락이 파고들어 왔다. 그의 손등이 엉덩이에 부딪혔다. 몸이 묶여 있지 않았다면 그를 어떻게든 밀어냈을 것이다. 손가락 하나를 다 넣은 그가 안에서 빙글빙글 돌렸다.

섬뜩한 감각이었다. 예민한 내벽이 침입자를 내보내려는 듯이 엉겨 붙었다. 그는 넣은 채로 손을 잘게 흔들었다.

"안이 왜 이렇게 좁아."

픽, 빠져나갔던 손가락이 예고 없이 한 번에 뚫고 들어왔다. 꿰뚫리는 듯한 이물감이 괴로웠다. 나는 고개만 가로저으며 숨을 가쁘게 쉬었다.

"힘 좀 빼요. 넓혀야 해서 더 빠르게 할 겁니다."

"으으, 으윽!"

얕게 들어와 젤을 펴 바르던 손이 다시 깊이 틀어박혔다. 길고 마디가 불거진 중지의 모양이 선명하게 각인될 정도로 내벽이 꽉 조여 들었다. 그는 아랑곳하지 않고 푹푹 손가락을 박아 넣기 시작했다. 쿨쩍거리는 소리가 비현실적으로 크게 울려 귓가에 닿았다.

"그렇게 조이지, 말고. 오물거려 봐요. 구멍에 힘, 빼라고."

"윽!"

찰싹, 엉덩이를 세게 얻어맞았다. 손가락이 빠르게 들락이자 내벽이 나갈 때마다 딸려 나갔다. 내장이 뒤집힐 것 같았다. 그는 중지를 뿌리까지 박고 털듯이 거칠게 흔들었다. 엉겨 붙는 벽을 손끝으로 누르고 비볐다. 마찰로 몸 안이 뜨거워졌다.

그러고는 갑자기 움직임이 느려졌다. 손끝이 교묘하게 안쪽에서부터 둥글게 둥글게 어루만지며 돌아 나왔다. 부어오른 내벽을 눌러 벌리며 양옆으로 밀어냈다.

"으, 흐으, 읏······."

"어디야, 대체."

크게 벌어진 허벅지 안쪽이 당겼다. 손목도 아까부터 얼얼했다. 몸 안에 들어간 손가락은 닿는 면적마다 지문을 새길 듯이 꼼꼼하게 안을 파고들고 있었다. 거북함에 소리 없이 헐떡이며 허리를 뒤틀었는데, 갑자기 몸이 발작하듯이 튀었다.

"흐읏!"

"그렇게 갑자기 움직이면 다칩니다."

그가 상체를 숙여 내 얼굴을 들여다봤다. 물끄러미 눈을 맞추더니 희미하게 입꼬리를 올렸다.

"깊은 데 있네. 여기, 아무도 만져 준 적 없습니까?"

"으, 으읏!"

그가 배 내벽의 한 지점에 파고든 단단한 손끝을 대고, 미세하게 움직여 자리를 잡더니, 콱 눌렀다. 정말 막무가내로 눌러 비볐다. 나는 다리를 구부리며 앞쪽으로 올라붙었지만, 허리가 잡혀 끌려 내려갔다. 눈앞에 붉은 게 번쩍였다. 몸이 말을 듣지 않았다.

"그, 흣! 으, 그만, 흐으으······."

"한번 찾으니 잊어버릴 걱정은 안 해도 되겠는데."

그가 내 젖은 눈가를 쓸어내 주었다. 중지를 입구까지 빼내었다가 다시 밀어 넣으면서 반동으로 붓기 시작한 곳을 쑤셨다. 꿰뚫리는 통증이 매서웠고, 끝은 끔찍하게 달았다. 경련하는 엉덩이를 부드럽게 쓰다듬으며 그는 같은 동작을 두 번, 세 번, 길들이듯이 반복했다.

"여기를 내 걸로 헐 때까지 문지를 겁니다, 알아요? 내 좆을 구멍에 넣어서, 이서단 씨가 울면서 빌 때까지 여길 찔러 줄 겁니다. 뒤로만 가 본 적 있어요? 어떤 건지 알고 싶지 않습니까?"

"흐아아! 으읏, 그, 훗, 아윽!"

"안이 다 젖어서 이제 아프지도 않겠네."

뒤를 뚫는 손가락이 늘어났다. 굵어졌다. 그는 한쪽 손으로 엉덩이를 양쪽으로 젖히고 벌름거리는 입구를 옆으로 잡아당겼다. 빠끔 입 벌린 주름으로 손가락 두 개를 모아 찔러 넣었다. 안쪽을 들여다볼 것처럼 넓게 벌렸다. 쿨쩍쿨쩍거리는 젖은 소리를 들려주려는 듯이 여러 개의 손가락이 몸 안에서 제멋대로 요동쳤다. 숨을 제대로 쉴 수가 없었다.

"그렇게 좋습니까? 이렇게 앞을 다 세울 정도로?"

"악!"

단단해진 성기가 그의 손에 잡혔다. 그는 발갛게 솟은 귀두를 딱딱한 엄지로 비비고, 손으로 감싸 쥐어 몇 번 훑어 주었다. 가파르게 치솟은 사정감이 터지기 바로 직전에 손이 떨어졌다. 나는 덜덜 떨리는 몸을 고장 난 것처럼 웅크렸다. 입술이 갈증으로 바짝 말랐다.

뒤에 밀어 넣은 손가락이 장난처럼 입구 바로 안쪽을 치댔다. 숨이 가빠서 들이쉬는 공기가 맵게 느껴졌다. 입을 열어서 하려던 것이 애원이었는지는 알 수 없지만, 눈을 뜨자마자 혀 위의 말들이 잊혔다.

내 성기를 잡은 한 팀장이 끝부분에 다물린 입술을 대고 있었다. 뭉근한 감촉이 닿고, 가볍게 눌리고, 떨어져 나갔다. 다리 사이에 자리 잡은 그와 눈이 마주쳤다. 무덤덤한 목소리로 그가 말했다.

"잘한 게 뭐가 있다고 내가 상을 주는지 모르겠네요."

"팀장님, 훗!"

"오늘은 싸기 전에 허락 맡을 필요 없습니다."

젖은 소리와 함께 그의 입안으로 성기가 완전히 빨려 들어갔다. 동시에 몸 안으로 파고든 손가락이 배 쪽의 벽을 짓이기듯 문질렀다. 스위치가 눌린 것처럼 몸이 절정으로 내동댕이쳐졌다. 미처 억누르지 못한 흐느낌이 새어 나갔다.

하얀 액으로 젖은 입술을 닦아 내며, 그가 질척하게 젖어 있는 엉덩이 골 사이로 혀를 길게 내어 쓸었다.

"그래, 그렇게 울어야지."

만족스러운 목소리였다. 양손의 손가락이 쉴 시간도 주지 않고 예민해진 입구로 파고들었다. 난폭한 삽입이었다. 깊숙이 드나들 때마다 딸려 나가는 붉은 내벽을 그가 입술로 세게 빨아들여 핥았다. 단단하게 세운 혀를 벌어진 입구로 밀어 넣고 안쪽을 혀로 문질렀다. 뜨거움이 나를 휩쓸고 속절없이 무너뜨리며 지나갔다. 심장이 자꾸만 높은 곳에서 떨어져 내렸다.

"느껴집니까? 구멍이 풀어져서 벌름거리는 게."

"하으, 흐으……. 흐으윽!"

"손가락으로는 성에 안 차는 게 아닙니까? 지금 당장, 내 걸 넣어서, 쑤셔 줄 수 있는데. 그게 낫지 않겠어요? 여기를—"

그가 넣은 손가락을 양쪽으로 잡아당겼다. 입구가 즈윽 늘어났다. 팽팽해진 주름 위를 그가 느리게 핥더니, 얇은 점막에 날카롭게 이를 세웠다.

"여기를 다 찢어 줄 수 있는데, 좋지 않겠습니까?"

"싫, 아아으으! 하으…… 하으으, 아아!"

얕게 치대던 손가락이 단번에 깊게 찔러 들었다. 잔뜩 부은 부분이 쉽게도 손가락에 투둑 걸렸다. 그는 퍽퍽 인정사정없이 손끝을 문댔다. 나는 소리 내어 울면서 몸을 비틀었다. 눈앞이 검게 물들었다가 하얗게 색이 빠졌다.

경련하는 몸을 그가 잡아 눌렀다. 뻐금뻐금 벌어진 입구 위로 부드럽게 키스했다. 쪽, 쪽, 입술이 닿았다가 떨어졌다. 안쪽에 들인 손가락으로 뭉근하게 문지르다가 점점 속도를 붙였다. 회음을 쓸어 올린 입술이 다시 귀두 위로 입을 맞췄다. 머금어지고 강하게 빨아 올려진 순간, 귀에 웅웅거리는 이명이 울렸다. 아무것도 보이지도 들리지도 않았다.

정신이 들었을 때는 한 팀장이 젖은 손가락을 휴지로 닦아 내며 나를 내려다보고 있었다. 상체를 일으키려 하자 그가 손을 뻗어 제

214

지했다.

"손 풀어야 하니까 가만히 있어요."

몸이 젖은 솜이라도 된 것처럼 힘이 들어가지 않았다. 그래서 나
는 가만히 누워 눈을 깜박이면서 그가 넥타이의 매듭을 끌러 주기
까지 기다렸다. 다시는 안 풀릴 것처럼 단단하던 매듭이 그가 손을
대자 스르륵 흘러내렸다. 해방된 손목 안쪽이 쓰라리고 따끔거렸
다. 팔이 저리고 아팠다. 눈앞으로 내려 보니 드문드문 붉게 쓸린 자
국이 남아 있었다.

손목을 잡아 올려 누가 봐도 묶인 흔적을 들여다보던 그가 별일
아니라는 듯이 말했다.

"집에 가서 약 바르고, 하루이틀은 다른 사람 보는 데서 셔츠 소매
걷지 마세요. 손 씻거나 할 때도 신경 쓰고."

"……팀장님."

"왜."

그를 불러 놓고 입을 다물었다. 혀 밑으로 말들을 삼키고 고개를
저었다. 한 팀장은 추궁하지 않고 구겨진 타이를 대충 말아 쥐고 몸
을 일으켰다. 일어날 것처럼 다리를 내리더니, 마음을 바꾼 듯이 침
대 가장자리에 다시 천천히 걸터앉았다.

잠이 올 것처럼 정신이 가물가물했다. 실제로 잠이 들었을지도
모른다. 느리게 눈을 깜박이자 흐려졌던 시야가 밝아졌다. 그의 등
이 보였다. 그 너머의 창문 밖으로는 도시의 불빛이 어둠을 바다 삼
아 점점이 빛나고 있었다.

"이서단 씨."

그가 불렀다. 방을 나서지도, 나를 두고 가지도 않은 채로. 반듯하게 다려져 있던 셔츠의 등판 부분이 어느새 구겨져 있는 게 보였다. 그가 손에 쥔 넥타이도 마찬가지였다.

환청이었을지도 모른다. 눈에 보이는 등은 미동이 없었고, 다음 말은 이어지지 않았다. 기다리다가 나는 무거운 눈꺼풀을 감았다. 젖은 속눈썹이 뺨에 끈적하게 달라붙어 떨어지려 하지 않았다. 힘겹게 뜬 눈으로 반듯한 등의 선을 흐리게 덧그렸다. 그는 끝까지 나를 돌아보지 않았고, 나는 늪에 잠기듯 무거운 잠에 빨려들었다. 그가 무슨 말을 하려 했는지는 끝내 알 수 없었다.

목요일 아침에 회의실에 들어서자, 빨간 마커로 수정된 스케줄이 화이트보드에 붙어 있었다. 느낌표가 찍힌 곳을 보니 다음 주 월요일 출발이었던 그의 출장이 금요일로 앞당겨져 있었다. 보기 드문 긴급사태였다.

"그럼 내일이잖아?"

권 대리가 머리를 잡아 뜯으려 했다.

"다 같이 밤새워야 하나?"

"금요일이나 월요일이나 똑같다고 할 거면 주말 출근을 시키질 말든가, 이 회사 주 5일제라고 누가 그랬어요? 팀장님은 어쩌실 생각이래요?"

"출장 전에 처리해야 하는 것만 오늘로 당겨서 하고, 나머지는 다음 주로 미루겠다고 말씀하셨어요."

미리 연락받고 온 박 대리도 눈 밑이 검었는데, 정작 정각에 회의실로 들어선 한 팀장은 태연했다.

"그렇게 됐습니다."

"그럼 오늘 안에 어디까지······."

"미룰 수 있는 건 다 다음 주로 미루고, 오늘 끝내야 할 일만 정리해 배분했습니다. 밤 열한 시 전에는 집에 보내 드립니다."

그가 들고 온 폴더를 하나씩 나눠 주었다. 징징대던 김 주임도 빠르게 읽어 내리느라 조용해졌다. 마지막으로 내 앞에 툭 떨어진 폴더에는 전력을 다하면 오늘 끝낼 수 있을 일의 목록이 짧게 적혀 있었다. 두 번 읽고 나는 화이트보드 옆에 선 그를 올려다봤다. 박 대리도 같은 생각을 했는지 팀장님, 하고 앓는 목소리로 물었다.

"이거 빼고 남는 일은······."

"남는 일은 제가 알아서 합니다."

여유롭게 마커를 돌리던 그가 대답했다.

"거기 적힌 것만 오늘까지 확실히 마쳐 주시면 되겠습니다."

"그래도······."

"떠들 시간 없으니 회의도 생략합니다. 오늘 일정은 다음 주에 다녀와서 해결하겠습니다. 내일 할 일은 내일 아침까지 공지하고, 월요일부터 일정은 전부 수정해서 각자 메일로 넣어 드립니다. 질문 있으시면 남고, 아니면 각자 가서 일하세요."

내 속도로는 정말 눈이 부서져라 화면을 들여다보며 처리해야 오늘 퇴근할 수 있을 것 같았기 때문에, 지체 않고 폴더를 챙겨 들었다. 가방을 정리하는 박 대리의 옆을 지나 막 나서려는데, 한 팀장이 고개를 돌렸다.

"이서단 씨는 잠깐, 자료실에서 나 좀 봅시다."

"막내한테 화풀이는 안 됩니다, 팀장님."

"나를 뭐로 봅니까."

그래도 돌아가기 전에 내게 눈을 걱정스럽게 찡긋하는 것을 보니 박 대리는 그를 뭐로 보는 모양이었다. 나는 몇 가지 질문을 마치고 팀원들이 하나둘씩 책상으로 돌아갈 때까지 혼자 서류를 다시 읽고 있었다. 긴장으로 뱃가죽이 당겼다. 왜 불렀을까. 뭘 잘못했지. 머리를 굴려도 아무것도 생각나지 않았다.

"이서단 씨."

마침내 마지막 팀원까지 서류를 끌어안고 돌아가고, 한 팀장은 내게 손짓하며 자료실로 들어가 내 뒤로 문을 단단하게 닫았다. 산소가 갑자기 훅 빠져나간 것처럼 숨이 막혔다. 나는 평소 내 자리에 마지못해 엉덩이를 붙였다. 한 팀장은 자료실 테이블에 걸터앉으며 대뜸 물었다.

"오늘 저녁에 별다른 계획 있습니까?"

"……예?"

나는 당황해서 그가 준 서류를 내밀었다.

"이거 할 건데요."

"그건 아는데."

그는 가까이에서 보자 누적된 피로로 얼굴이 날카롭게 서 있었다. 말을 뎅겅 자르는 것이 영 심기가 불편한 것 같아 나는 얌전히 입을 다물었다.

"끝나고 나서 밤에 계획이 있냐고 묻는 겁니다."

"……없습니다."

이 판국에는 뭐가 있어도 취소할 수밖에 없을 것이다. 한 팀장은 미간을 설핏 찌푸리고, 테이블에 앉은 채로 나를 향해 몸을 틀었다. 움직이면 무릎끼리 닿을 것 같았다. 나는 굳은 채로 멀뚱멀뚱 시선을 밑으로 굴렸다.

"출장 때문에 토요일에 내가 없으니까."

그가 낮게 잠긴 목소리로 설명했다. 뺨에 와 닿는 시선이 느껴졌다.

"아……."

그제야 나는 깨달았다. 그렇구나. 출장이 앞당겨지니 그런 문제가 있었다. 내일 출발이라면 당연히 토요일에는 그가 없을 것이다.

"그러면……."

"오늘 하자고."

그가 다짜고짜 말했다. 나는 숨을 끅 먹었다.

"왜. 싫습니까?"

나도 모르게 눈을 들었다가 시선이 마주쳤다. 검은 눈의 밑바닥에는 어둡게 끓어오르는 것이 있었다. 본능적으로 몸이 움츠러들고 심장이 빠르게 뛰기 시작했다.

"팀장님이 피곤하실 것 같아서……."

"언제부터 이서단 씨가 나를 걱정했습니까."

그가 무표정한 얼굴을 가까이 붙였다. 따뜻한 숨결이 뺨에 와 닿았다. 나는 뒤로 한 뼘 물러나며 눈을 어디다 둘지 몰라 헤맸다.

"그래도, 내일 아침에 출장이시고……."

"내일 아침에 출장이니까 지금 풀자는 게 아닙니까."

무덤덤한 말에 귀 끝이 뜨거워졌다. 그는 기다려 줄 생각도 없는지 나를 몰아붙였다.

"그래서 된다는 겁니까, 안 된다는 겁니까."

"이렇게 당일에 갑자기……."

"이서단 씨에겐 이게 낫습니다."

"네?"

눈을 들었다. 한 팀장은 입꼬리를 설핏 올렸다. 나른하게 내리뜬 눈꺼풀이 맹수의 눈동자를 감추자 얼핏 얼굴이 부드러워졌다.

"그 성격에는 갑자기 통보하는 편이 근심 걱정을 덜지 않습니까. 토요일까지 마음 졸이는 것보단 낫다고 생각하는데."

"팀장님은 언제부터 제 걱정을 하셨습니까."

말이 뾰족하게 나갔다. 그는 표정 변화 없이 느릿하게 눈썹을 치켜 올렸다. 그것만으로도 나는 튀어나왔던 발톱을 슬그머니 갈무리했다. 오금이 저릴 지경이었다.

"나라고 이서단 씨 걱정을 하면 안 됩니까."

"……죄송합니다."

"요즘 내가 하는 건 거의 이서단 씨 걱정뿐인 것 같은데."

그가 몸을 느른하게 일으켜 기지개를 켰다. 멍하니 얼굴을 지켜보다가 시선을 내렸다. 정말로 오늘 호텔로 끌려가기도 싫었지만, 그가 안색이 안 좋아 보이는 것도 사실이었다. 입술을 안쪽을 물고 테이블을 내려다보다가 결국 고개를 들었다.

"알겠습니다."

"아홉 시까지 끝내세요."

"……예?"

"나는 아홉 시에 여기서 나갈 생각이니까, 아홉 시까지 일 마무리하세요."

"팀장님, 그건 도저히……."

"내가 하라면 하는 겁니다."

그가 나를 내려다보며 간결하게 웃었다. 빈틈 하나 내주지 않는 통보에 나는 입을 벌렸다가 바로 포기했다. 이럴 시간에 빨리 일이나 하는 편이 나았다. 내가 군말 없이 일어서자 그가 나를 위해 친절하게 문까지 열어주었다. 나는 스쳐 지나가며 몸을 움츠렸다. 토끼처럼 통통통 뛰는 심장 소리가 그에게까지 들릴 것 같아서였다.

내 자리까지 뛰다시피 걸으며 생각했다. 그나저나 관장은 언제, 어떻게.

그럴지도 모른다고 생각했지만 정말로 관장은커녕 물 한 모금 마실 시간도 없었다. 점심 저녁도 건너뛰고 샌드위치를 집어 먹으며 화면에서 눈을 떼지 않고 일했다. 옆에 있던 박 대리가 귀에서 수증기가 나오겠다면서 어깨를 툭툭 쳐 줄 정도였다.

한 팀장이 준 업무량은 절묘했다. 아슬아슬하게 불가능과 가능의 경계선에 걸쳐져 있었다. 9시가 무리한 요구라고 항의할 수도 없었고, 그렇다고 단 5분을 마음 놓고 쉴 수도 없었다. 어쨌든 내일 출장을 가는 것은 내가 아닌 그였고, 그가 9시라고 했으니 그의 시간에 맞춰야 했다.

일에 지쳐 잠시 수면 위로 머리를 들 때마다 오늘밤에 호텔에서 그를 봐야 한다는 사실이 무거운 돌처럼 머리를 짓눌렀다. 도망치듯이 다시 일에 열중하다 보면 또 잊어버렸다. 기억날 때마다 심장이 덜컹 내려앉는 기분이었다. 하루 종일 단거리 경주를 뛰는 강아지처럼 헥헥거리며 전속력으로 질주했다. 마침내 마지막 저장 버튼을 누른 것은 8시 50분. 10분이나 여유가 남아 있었다.

"진짜 했네."

머리 위에서 목소리가 들렸다. 나는 숨을 토해 내며 자라처럼 목을 움츠렸다. 눈을 굴려 올려다보니 한 팀장의 얼굴이 내 어깨 너머로 화면을 훑어보고 있었다.

"내 메일로 보내 놓고. 갑시다."

"지금이요?"

"그럼 지금이지 내일이겠습니까."

그는 벌써 코트를 입고 있었다. 나는 이메일에 파일을 첨부하며 눈앞에 닥친 현실에 뒤늦게 앓았다. 미처 관장을 할 시간이 없었다. 가다가 약국에 들러 달라고 말해야 하나.

그의 뒤를 따라 지하주차장으로 내려가 지난번에 봤던 아우디에 오를 때까지도 적당한 타이밍에 말할 생각이었는데, 차가 출발하자 혀가 마비되었다. 심장 소리가 너무 커서 어지러울 정도였다. 마른 입술을 축이면서 하릴없이 창밖을 내다보았다. 어쩌다가 마음을 다잡고 시선을 돌릴 때마다 그는 굳은 표정으로 앞유리를 내다보고 있었다. 완고하고 단단한 침묵을 어떻게 뚫어야 할지 알 수 없었다.

그의 성격답게 신호 한 번 안 어기는 안전하고 신속한 운전이었다. 핸들을 대충 그러쥔 손은 별로 움직이지도 않는 것 같은데, 차선을 바꾸는 차의 궤적이 군더더기 없이 아름다웠다. 머리부터 발끝까지 잔뜩 긴장해 있지 않았으면 매끄러운 승차감에 꾸벅 졸았을지도 모른다.

호텔 주차장에 들어설 때쯤 마침내 안절부절못하던 마음이 극에 달했다. 배 속이 긴장으로 뒤집어졌다. 나는 발을 동동 구르고 싶은 충동을 참으며 작게, 쥐어짜듯이 말했다.

"팀장님……."

"왜."

지하로 들어서고 있었다. 그가 고개를 내 쪽으로 돌리자 노란 불빛이 그의 뺨에 날카로운 음영을 새겼다. 나는 땀이 흥건한 손바닥으로 무릎 위를 만지작거렸다.

"불렀으면 말을 해요."

"저……."

그때 그가 손을 들어 올려 내 말을 멈추게 하고 창문을 열었다. 주차요원에게서 티켓을 받아 드는 동안 나는 어지러운 눈꺼풀을 감았다가 떴다. 목이 꽉 잠겨서 말이 잘 나오지 않았다.

후진 주차를 끝내고 나서야 그는 나를 돌아보았다. 시동이 꺼진 곳에 움푹 꺼진 까만 침묵이 자리 잡았다. 나는 내 발끝을 내려다보면서 이대로 사라져 버리고 싶었다.

"왜."

그가 간결하게 물었다.

"할 말 있으면 빨리 하세요."

"……저, 시간이 없어서……."

앞유리 너머의 주차장을 보며 토해 내듯이 말했다. 어둠 속에서도 보일 만큼 뺨이 뜨겁게 달아올라 있었다.

"준비를, 못 해서……."

"무슨 준비."

"……뒤……."

"……아."

그가 뒤늦게 반응했다. 웃는 소리가 났다.

"그 말을 하려고 오는 내내 똥 마려운 강아지처럼 끙끙거렸습니까."

"……."

"나 좀 봐요. 그게 그렇게 부끄럽습니까?"

턱을 잡은 한 팀장이 뻣뻣하게 저항하는 내 고개를 억지로 돌리게 했다. 어슴푸레한 어둠 속에서 눈이 마주치자마자 나는 얼굴이 새빨갛게 붉어지다 못해 수치심에 눈가가 뜨거워졌다. 이런, 이라고 그는 짐짓 난처하다는 듯이 웃었다.

"정말로 저는, 일찍 끝내고, 약국에 다녀오려 했는데……."

억울했다. 머릿속으로 잡은 기한은 사실 8시 40분이었다. 회사에서 가까운 약국이 있었다. 편의점 옆이었다. 끝내고 달려갔다 와서 회사 화장실에서……. 그렇게 일하는 틈틈이 분 단위로 계산하고 있던 것이 억울해져서, 내게는 무겁고 힘겨운 일이 그에게는 늘 놀림감으로 전락하는 것 같아서, 온종일 쫓겼던 초조함이 눈가에 맺혔다.

"안 우는 날이 없네, 쉿."

"팀장님이, 오십 분에, 나가자고, 안 하셨으면……."

"알았어요. 알았으니까 그만 웁시다."

울먹거림이 섞여 들자 그는 아예 소리 내어 웃었다. 턱을 치켜들게 해 우는 얼굴을 감상하듯이 빤히 내려다봤다. 나는 눈을 감고 떨리는 입술 안쪽을 깨물었다. 정말 하루도 안 우는 날이 없었다. 나도 할 말이 없을 정도로 한심했다.

차 안이 조용해서 내가 불안정한 숨을 꾹꾹 삼키는 소리까지 전부 들렸다. 어깨를 간헐적으로 들썩이는데, 질끈 감은 눈가에 부드러운 감촉이 닿았다.

"준비 안 해도 됩니다."

쪽, 반대편 눈꺼풀 위에도 가볍게 입술이 내려앉았다. 아슬아슬 저릿한 감촉에 발가락이 오므라들었다. 나는 벌린 입술로 겨우 숨을 쉬었다. 그는 부드러운 입술로 양쪽 눈가를 어루만지며, 다시 말했다.

"진작 물어봤으면 말해 줬을 텐데."

"……그래도, 어떻게……."

이왕 말이 나왔으니 이제 어쩔 수 없었다. 욕실에 틀어박히고 밖에 그가 있는 동안 처리하는 수밖에 없었다. 숨을 가라앉히고 그렇게 부탁하려고 눈을 떴는데, 그의 얼굴이 코가 닿을 만한 거리에 있었다. 아니, 실제로 코가 닿았다. 슥 하고 스치더니 가볍게 코끝이 비벼졌다.

"저녁 먹으러 온 겁니다."

"……네?"

"지난주에 먹으려 했는데 이서단 씨가 퇴짜 놨잖아요. 여기 호텔 일식당이 맛있습니다. 초밥 좋아합니까?"

"……."

"아홉 시 반까지 밖에 주문을 안 받습니다. 시간이 애매하긴 한데, 예약해 뒀으니까 지금 올라가면 될 겁니다."

그가 왼손에 찬 손목시계를 보여 주었다. 은색 바늘이 25분을 가리키고 있었다.

나는 어지럽게 돌아가는 머릿속을 다잡으며 입술을 다물었다. 아
니, 9시까지 일을 끝내라고 했던 것이…… . 안 먹어도 된다고 말하
려니 최대한 그 이후의 일을 미루고 싶었고, 굶은 여파가 닥쳐오는
지 공복감이 느껴지긴 했다. 먹는 것까진 좋은데 바로 침대로 직행
하려면…… . 그 생각의 끝을 읽은 것처럼 그가 무심하게 말했다.

"다 먹고 이서단 씨를 집에 데려다줄 겁니다."

"그럼 팀장님은…… ."

"나는 회사로 돌아가서 아침까지 출장 준비."

단정한 얼굴에는 왜 당연한 것을 묻냐는 희미한 귀찮음이 떠올라
있었다. 내가 눈을 깜박거리는 사이 그가 내게로 상체를 기울였다.
찰칵, 안전벨트가 풀리며 뱀처럼 느리게 내 몸을 가로질렀다.

"올라갑시다. 늦습니다."

"저녁만 먹으러, 호텔까지 온 겁니까?"

"왜."

차 문을 연 그가 다리를 밖으로 걸친 채로 내 쪽을 돌아봤다. 긴
손가락 사이로 벌써 얇은 담배가 들려있었다.

"그건 불만입니까? 호텔을 호텔답게 이용하고 싶은 마음이 간절
합니까?"

"……아닙니다."

"이서단 씨 뜻이 정 그렇다면 밥 먹고 방으로 갈 수 있습니다. 로
비 들르는 길에 예약해 두는 편이 낫겠습니까?"

뻔하게 답을 아는 희롱이었다. 할 말을 잃은 나는 차 문을 더듬거리다가 겨우 열었다. 내리자 열쇠를 가볍게 던져 올려 고쳐 잡으며 문을 잠근 그가 앞서 걸어갔다.

익숙한 호텔 로비에 도착했을 때는 다시 한번 반신반의했다. 이렇게 사람을 안심시켜 놓고 방으로 끌고 들어가 침대에 엎어 버리는 것은 그가 충분히 할 만한 일이었다. 엘리베이터를 타자마자 그의 손가락을 뚫어져라 쳐다봤다. 문 닫힘 버튼을 누른 그가 두 줄로 늘어선 숫자 위를 가볍게 훑어 내리며 나를 돌아봤다. 나는 엘리베이터 뒤쪽에 경계하는 자세로 바짝 붙어 서 있었다.

"상사를 그렇게 못 믿어서 어떻게 합니까."

그가 나를 내려다보며 희미하게 웃었다. 16을 스쳐 간 손가락이 21에 안착했다. 빨간 불이 핑 들어오고 엘리베이터가 움직이기 시작했다. 그래도 나는 16층을 스쳐 지나가고 정말로 21층에서 문이 열릴 때까지 의심의 눈초리를 거두지 않았다.

천장이 높은 레스토랑을 들어선 시간은 정확하게 9시 반이었다. 저녁 시간이 지나서인지 내부가 한적했다. 웨이터가 안내한 예약석은 나무로 된 긴 테이블 앞의 카운터석이었다. 자리마다 만들어진 초밥이 놓이는 매끄러운 돌 도마가 놓여 있었다.

"초밥을 고른 이유는 세 가지가 있는데."

내 의자를 먼저 끌어내 주며 그가 느릿하게 말했다. 가죽으로 된 시트 위에 엉덩이를 붙이자 혼란스럽던 마음이 조금 가라앉았다.

"세 가지 다 듣고 싶습니까?"

"……세 가지 다 들어야 합니까?"

그가 또 재미있다는 듯이 입꼬리를 올렸다. 메뉴를 들어 친절하게 내게 들려 주었다.

"내가 하는 말 중에 유익하지 않은 게 있습니까."

"……팀장님, 여기……."

비쌌다. 메뉴를 열고 가격을 훑어 내린 내가 눈을 깜박였다. 그러고 보니 평생 이렇게 제대로 된 식당에서 초밥을 먹어 본 적이 없는 것 같았다. 그래서 이 정도로 값나가는 음식이라고는 생각하지 못한 것이다.

"먹고 싶은 대로 시켜요."

한 팀장이 관대하게 말했다. 고개를 들어 그를 보니 눈가에 웃음기가 진득했다.

"남겨도 되니까 배부를 때까지 먹어요. 결정하기 힘들면 다양하게 시키는 게 낫겠습니까?"

그가 메뉴를 다시 가져갔다. 나는 얼굴을 식히기 위해 눈을 다른 데로 돌렸다. 창 너머로 한강의 야경이 펼쳐져 있었다. 그 사이 그는 결정을 마친 모양이었다. 웨이터를 불러 설명하는 동안 나는 매끈한 도마의 표면을 내려다봤다. 웃는 것도 우는 것도 아닌 창백한 얼굴이 비쳤다. 뒤늦게 황송하고, 뒤늦게 복잡했다.

"무슨 생각합니까."

그가 의자에 나른하게 기대어 앉았다. 하루 종일 일한 것은 똑같은데 녹초가 된 것은 나뿐인지, 피곤한 얼굴이 아직 여유로웠다. 서

츠의 소매나 밑단도 구겨짐 없이 반듯했다. 시선을 들어 얼굴을 마주하니, 그가 눈썹을 들어 올렸다. 대답해 보라는 독촉이었다.

"이유가, 궁금해서요."

"세 가지 다?"

초밥을 고른 이유가 아니라 밥을 사 주는 이유가 궁금한 것이었는데, 그는 굳이 손가락을 꼽아가며 설명하기 시작했다.

"첫째는, 입이 짧은 이서단 씨에게는 양이 적고 종류가 다양한 편이 나을 것 같아서."

"……."

"둘째는, 마주 앉아 먹지 않아도 되는 게 이서단 씨 마음에 들 것 같아서였습니다."

배려로 무장한 설득력 있는 이유였다. 나는 그 세심하고 상식적인 생각의 나열에 현혹돼 도사린 함정을 못 본 척하고 기어코 발을 내디뎠다.

"세 번째는—"

"세 번째는, 내가 식사 후에 찢어 놓을 입술로 밥을 먹는 건 제법 볼만할 것 같아서."

그리고 당연히, 움푹 늪지대에 빠져들었다. 그는 내 표정을 보고 입가를 설핏 들어 올렸다. 친절하게 굳이 부연 설명까지 달아 주었다.

"호텔에 다른 식당도 있지만, 이서단 씨는 입이 작아서 한입에 다 들어가는 음식이 어울립니다."

"팀장님……."

머리가 아파 왔다. 그는 손을 뻗어 아까의 눈물로 아직 발갛게 물든 내 눈가를 가볍게 쓸었다.

"편하게 먹어요. 신경 쓰라고 하는 말은 아닙니다."

신경이 쓰였다. 밥 먹는 내내 그에게 얼굴을 보일 자신이 없었다. 그때 카운터 뒤로 높은 모자를 쓴 일본인 셰프가 나타났다. 한 팀장은 언제 턱을 괴고 나를 말로 희롱했냐는 듯이 반듯한 자세로 돌아갔다.

눈앞에서 작은 밥덩어리가 오밀조밀 만들어졌다. 그 위로 생선살이 탐스럽게 얹히고 소스가 발렸다. 그는 내 도마를 먼저 셰프 앞으로 밀어 주었다.

"팀장님 먼저……."

"드세요. 나는 신경 쓰지 말고."

까만 도마의 한가운데에 하얗고 작은 초밥이 얹혔다. 그 색의 대비를 비롯해 모든 게 비현실적이어서 나는 기묘하게 기분이 붕 떴다. 상상해 본 것 중에 이런 건 없었다. 하루 종일 머리를 짓누른 돌덩이를 누군가 들어 가져가 버린 기분이었다.

"맛있습니까."

그는 별말 없이 나를 먹는 일에 열중하게 두었다. 가끔 무심하게 물어볼 때마다 나는 망설임 없이 고개를 끄덕였다. 맛이 없었어도 맛있다고 말했겠지만, 실제로 이런 음식을 언제 마지막으로 먹어 봤는지 기억이 없었다.

"꼭꼭 씹어 먹어요. 체하지 않게."

"팀장님은……."

"먹고 있으니까 걱정 말고."

조용하게 흐르는 음악은 건반 소리였다. 나는 그의 말대로 밥알을 꼭꼭 눌러 씹었다. 창가 너머로는 야경이 있었고, 그 앞에는 초록색 잎이 풍성한 관엽식물이 놓여 있었다. 높은 천장까지 의식이 붕 떠오를 것 같았다. 노곤노곤해진 몸에서 힘이 빠져나갔다.

20분 정도 지난 것 같았다. 열중해서 먹다가 슬슬 배가 불러오니, 그제야 앉아서 내가 먹는 것을 지켜보며 손목시계 한번 들여다보지 않은 한 팀장이 궁금해졌다.

"절 데려다주고 회사로 가시면…… 잠은 언제 주무세요?"

"이서단 씨가 언제부터 내 걱정을 했습니까."

아침의 메아리지만, 독이 빠져 있었다. 그는 입가에 소스 묻었습니다, 하면서 냅킨을 내밀었다. 내가 닦아 내는 동안 그는 잠시 야경이 보이는 창에 시선을 두었다.

"회사에서 밤새고, 비행기에서 자면 됩니다."

"그럼 지금 일하셔야 하는데, 제가……."

눈 붙일 시간도 없는 사람을 한 점씩 나오는 느긋한 식사에 붙잡아 두는 것이 송구스러웠다. 그는 먹기나 해요, 라고 말하면서 젓가락으로 도마를 툭툭 두드렸다.

"원래 다 밥 먹어 가면서 하는 겁니다. 밥 먹자고 하는 일이고."

"……네."

"나는 이서단 씨와는 다르게 내 한계를 정확하게 아는 사람이니, 걱정할 필요 없습니다. 다 먹었어요? 배부르면 일어나고, 더 먹을 수 있으면 더 먹고."

접시 위의 것을 포함해 두 점을 더 먹고 나는 그를 쳐다봤다. 몸을 일으키며 이번에도 그가 내 의자를 뒤로 당겨 주었다.

"나가 있어요. 계산하고 갈 테니까."

"팀장님, 저……."

"그런 표정 할 것 없습니다. 삼각 김밥 따위를 사 준 걸 생각하면 내가 자다가도 화병이 날 지경이니까, 제발 아무 말 없이 얻어먹으세요."

냉정한 목소리로 그가 나를 떠밀었다. 나는 아무리 생각해도 그가 나에게 밥을 사 줄 이유를 찾을 수 없었지만, 말로 그에게 대항할 수 있는 능력이 없었다. 밖에 나와 유리를 통해 그의 뒷모습을 지켜보며 마음이 점점 복잡해졌다.

아마 이건 한 팀장 식의 당근과 채찍이었을 것이다. 이렇게 마음을 놓고 나면 또 확 곤두박질치게 할 것을 알고 있었다. 어쩌면 기대하게 한 후에 매정하게 높은 곳에서 떨어뜨리는 일 자체를 그는 즐기는 것일 수도 있다. 그러니까 오늘의 호의가 그의 본심이 아님을 기억해 둬야 한다고, 방심해서는 안 된다고 다짐했다.

그리고 불과 1분도 되지 않아 내가 얼마나 방심했는지 깨달았다. 엘리베이터가 내려가다 말고 멈춰 섰기 때문이다. 조금 이르다는 생각에 고개를 들었는데, 16에 빨갛게 불이 들어와 있었다.

문이 스륵 열렸다. 익숙한 복도가 보이자 나는 뜨거워지는 눈가를 통제할 수 없었다.

"울리기 참 쉽네."

벽에 등을 기댄 한 팀장이 나를 보고 심드렁하게 중얼거렸다. 나는 심호흡을 하며 어떻게든 손등으로 얼굴을 닦아 냈다. 억울해서라도 울고 싶지 않았다. 처음부터 이렇게 할 것이었으면서, 왜 그렇게 말했을까. 이제 와서 불평할 생각은 없었다. 다만 안심하고 들떴던 마음이 사정없이 흔들렸다. 그를 쳐다보면 배신감에, 서러움에 정말로 울 것 같았다.

"나랑 자는 게 그렇게 싫습니까."

그가 손을 뻗어 닫힘 버튼을 눌렀다. 문이 닫히고 엘리베이터가 다시 하강하기 시작했다. 나는 숨을 가쁘게 쉬며 우연히 벽에 반사된 내 얼굴을 마주했다. 울기 직전인 어린아이의 발갛고 한심한 얼굴이었다.

"놀려 본 겁니다. 애초에 방은 예약 안 했어요."

"……으……."

"여긴 공공장소입니다. 기분 상한 건 알겠는데 차에 탈 때까지 기다릴 순 없겠습니까?"

새파란 날 같은 목소리였다. 엘리베이터가 로비 층에 멈췄다. 나는 흐려진 시야로 더듬더듬 그를 따라 나갔다. 환한 로비를 가로지르는 내내 고개를 숙이고 소리 없이 울음을 삼켰다. 지하로 내려가 그가 열어 준 차 옆좌석에 다시 탔을 때는 불안정한 호흡만이 남아 있었다.

한 팀장은 시동을 켜지 않고 차 문을 걸어 잠갔다. 히터의 김이 뿌옇게 창을 흐렸다.

"안전벨트 매세요."

한참의 침묵이 지나고 그가 고저 없이 말했다. 나는 떨리는 손가락으로 벨트를 잡아 더듬더듬 채웠다. 그가 시동을 켜고 액셀을 밟았다. 찰칵, 라이터 소리가 들리고, 독한 담배 향이 났다. 나는 눈을 감고 호흡을 가다듬었다.

주소를 말해 줘야 집에 찾아갈 수 있을 텐데. 아까 먹을 때는 당연히 그를 회사로 들여보내고, 여기서 지하철을 타야겠다고 생각해 두었는데. 내리겠다는 말은커녕 뭐라고 한마디도 할 수 없었다. 숨이 막힐 것 같았다. 잘 먹었던 밥이 뒤늦게 배 속을 굴러다니며 뒤틀리게 했다.

차라리 이대로 16층에서 내리는 편이 나았다고, 지금쯤 침대에서 그와 있는 편이 나았다고, 짧게나마 생각할 정도의 냉랭한 침묵이었다.

회사로 돌아갈 수 있는 길은 이미 지나 있었다. 한 팀장은 정확하게 차를 몰아 고속도로를 빠져나갔고, 내가 사는 동네에 들어섰다. 그리고 익숙한 직선 도로가 눈앞에 펼쳐질 때쯤, 나를 돌아본 그가 아무렇지 않게 물었다.

"편의점에 들러도 되겠습니까."

"……네?"

"담배가 떨어져서."

"……네, 저는…… 상관없어요."

그가 차를 틀었다. 주차가 매끄러웠다. 면허만 따고 제대로 차를 몰아본 적이 없는 나는 핸들을 꺾는 그의 가지런한 손에 잠시 시선을 빼앗겼다.

탁, 그가 차 문을 열었다. 벨트를 맨 채 얌전히 앉아 있는 나를 돌아보더니 턱짓했다.

"내리세요."

"저도요?"

"토 달지 말고 내립시다."

이미 편의점으로 들어가 버린 그를 따라 걸음을 서둘렀다. 환한 편의점 조명 아래 발갛게 운 티가 날 얼굴이 신경 쓰였지만, 그는 나를 쳐다보지도 않고 벌써 카운터 옆에 서 있었다. 드륵, 유리로 된 진열장의 문을 밀어 열더니 손을 등 뒤로 뻗어 내 손목을 끌어왔다.

"골라요."

내려다보니 아이스크림이었다. 나는 당황해서 눈을 들었다가 카운터 뒤의 알바생과 눈이 마주쳤다.

"단것 안 좋아합니까?"

"……좋아합니다."

"먹어요, 그럼."

그가 아무거나 집어 냈다. 분홍색, 노란색. 떠안기려는 손짓에 나는 일단 받아 들고 다시 안으로 와르르 쏟았다.

236

"왜."

"……이건 제가…… 제가 사겠습니다. 팀장님 담배도…….''

"레드 한 갑 부탁합니다."

이번에는 내가 아닌 알바생에게였다. 그는 꺼냈던 지갑을 다시 주머니 속에 밀어 넣고, 미련 없이 등을 돌리며 말했다.

"사서 나와요."

딸랑, 문이 닫히면서 종이 울렸다. 뒷모습을 잠시 쳐다보던 내가 분홍색 아이스크림을 도로 끄집어내 카운터 위에 얹었다.

"담배는 두 갑 주시고요. 아…….''

아이스크림도 드시려나. 도저히 상상할 수 없었지만 혹시나 싶었다. 결국 손을 넣어 노란색도 끄집어냈다.

"그리고…….''

뜨거운 음료가 들어있는 진열장이 눈에 띄었다. 캔커피가 종류별로 있었지만 그가 마실 리 없었다. 훑어 내리다가 그 밑의 피로회복제 병이 눈에 띄었다. 망설임 없이 하나 꺼내 카운터 위에 놓았다.

"이렇게 주세요. 봉지는 필요 없고요."

아이스크림 두 개, 담배 두 갑, 피로회복제 한 병까지 품 안에 끌어안고 차에 타자 한 팀장은 잠시 눈살을 찌푸렸다.

"피곤합니까."

"아니요, 이건…….''

"겨울에 왜 아이스크림을 두 개나 삽니까. 얼어 죽을 작정입니까."

아까는 사라고 해 놓고. 어이가 없어서 입을 벌린 동안 그가 차를 출발시켰다. 허벅지 사이에 끼운 작은 유리병이 뜨거웠다.

담배를 두 손으로 내밀었지만 그가 고개를 저어서, 기어박스를 열고 가지런히 안에 넣었다. 히터 때문인지 아이스크림이 녹고 있었다. 기어박스 안도 먼지 한 톨 없이 깨끗한 차에 감히 아이스크림을 흘려서는 안 된다는 생각에 몸이 바짝 긴장했다. 길게 생긴 기둥을 포장지에서 꺼내 하는 수 없이 최대한 입에 깊숙이 밀어 넣었다. 달았다.

"집에 가서 또 먹어요."

나머지 한 개의 아이스크림을 보여 주자 그가 짧게 말했다. 시선은 도로에 둔 채였다.

"아, 저."

"왜."

"주소……."

"알고 있습니다. 빨리도 말하네."

거의 집 앞이긴 했다. 까칠한 타박이 맞는 말이어서 나는 입을 다물고 조용히 아이스크림을 빨아 먹었다. 다리 사이에서 피로회복제가 미지근하게 식고 있었다. 건네야 하는데 왜인지 말문이 막혔다. 호텔에서 나온 이후부터 그는 냉랭했다. 밥을 먹는 동안은 눈에 띄게 누그러졌던 얼굴이 다시 표정을 읽을 수 없이 차갑게 닫혀 있었다. 내 잘못인 게 분명한 침묵이 막막했다.

그는 아파트 출입구 바로 앞에 차를 멈췄다. 나는 앞유리에 긴 성에를 보면서 가만히 숨을 내쉬었다.

"안 내립니까."

벨트만 풀고 망설이고 있자 높낮이 없는 목소리로 그가 말했다.

"……감사합니다."

나는 작게 말했다. 그는 대답도 하지 않았다. 시선도 주지 않고 기어 스틱을 잡은 채로 내가 내리기를 기다리고 있었다.

물건을 챙겨 문을 열고, 나는 밖으로 내디뎠다. 차가운 공기가 뺨에 서늘하게 와 닿았다. 망설이는 사이 내 손이 나도 모르게 문을 닫아 버렸다. 가로등 빛이 유리 너머 그의 옆얼굴을 어둑어둑 물들였다. 그가 기어를 바꾸는 것이 보였다. 뺨 위의 파리한 음영이 흔들렸다.

그 순간, 나는 창문을 손바닥으로 탁탁 다급하게 두드리고 있었다.

"팀장님, 잠깐만요!"

"……왜."

내 쪽의 창문이 천천히 반쯤 내려갔다. 한 팀장이 귀찮아하는 표정으로 시선을 비스듬히 주었다. 나는 창문의 틈으로 피로회복제 병을 든 손을 급하게 밀어 넣었다.

"이거……."

"……나 먹으라고 산 겁니까."

"안 드실 거면, 버리셔도 됩니다. ……저녁 맛있게 잘 먹었습니다. 출장 무사히 다녀오세요."

그가 손을 내밀어 병을 받아 갔다. 팔을 빼려고 했는데 그의 손이 내 손목을 틀어쥐고 있었다.

"팀장님?"

"다시 타 봐요."

"……."

그가 팔을 놓아주자 나는 다시 차 문을 열고 따뜻한 시트 위로 엉덩이를 어색하게 붙였다. 문을 닫자 차 안이 조용해졌다. 다시 심장이 쿵쾅거리고 있었다. 이번에는 또 뭘 잘못했지. 생각하는 동안 그가 불쑥 말했다.

"내가 오늘 많이 봐준 건 알고 있습니까."

"……네."

"그럼 이번에는 울지 말아요."

이번에는? 이라고 생각하는데, 그가 손을 뻗어 내 뺨 양쪽을 감싸 안고 끌어당겼다. 얼굴이 가까워지나 싶더니, 입술에 따뜻하고 폭신한 것이 닿았다.

"……으."

머리가 등받이에 부딪혔다. 그가 혀를 내밀어 내 마른 입술 위를 길게 핥았다. 잘게 깜박거리는 눈꺼풀을 손으로 감겨 내렸다. 입술이 벌어지고, 그 사이로 뜨거운 혀가 난폭하게 침범했다.

사정없이 거친 키스였다. 한 팀장은 나를 잡아 누르고 난잡하게 범하듯이 혀로 꿰뚫어, 여러 번 그의 성기로 붉게 헐었던 목 안쪽까지 들쑤셨다. 입을 다물지 못하게 벌린 채로 나를 집어 삼킬 듯이 탐했다. 뜨거웠다. 강하게 비벼지는 혀에서도 파르르 떨리는 뺨 안쪽

의 연한 살에서도 걷잡을 수 없는 열기가 치솟았다. 그는 몇 번이
나 각도를 바꿔 가며 내 입술을 짓씹고 집어삼켰다. 날카로운 송곳
니가 아랫입술을 잘근거리고, 뾰족하게 세운 혀로 내 혀 아래쪽의
연한 부분을 파고들어 간지럽혔다. 타액이 섞여 턱에 흥건하게 묻
었다.

"으, 읏…… 읏……."

숨을 쉴 수 없어 어깨를 두드리자, 그가 잠시 몸을 놔주었다. 붉게
부푼 입술로 숨을 들이쉬는 사이에 입술 양끝, 겨우 아문 상처를 핥
아 댔다.

"입 벌려."

코끝에, 인중에, 깃털처럼 입맞춤을 내린 그가 귓불에 입을 맞추
며 낮게 속삭였다.

"혀로 쑤셔 줄 테니까. 크게 벌려요. 나 잡고…… 그래."

"으응, 응, 아아읏…… 응……."

그의 손가락이 머리카락을 헤집고 부드럽게 파고들었다. 달콤한
감각에 저릿하게 소름이 끼쳤다. 나는 그의 목에 더듬더듬 팔을 두
르며 신음했다. 다시 시작된 키스는 농밀했고 부드러웠다. 혀끝이
입천장에서 목구멍으로 이어지는 부분을 할짝거릴 때마다 나는 허
리가 튀어 올랐다. 목에서 새는 달뜬 소리를 그가 먹어 치웠다. 입술
이 떨어졌다가 쪽, 달라붙었다. 그리고 다시 떨어졌다가 젖은 소리
를 내며 맞물렸다. 나는 나도 모르게 그의 혀를 문 입술을 동그랗게
오므렸다.

슥, 젖은 구멍에 성기가 드나들 듯이 그가 혀를 붉은 통로에서 느릿하게 빼냈다. 끝만을 남겨 두고 할짝이더니 다시 안으로 거세게 찔러 넣었다. 내 목에서 절로 흐느끼는 소리가 났다. 마찰로 입안이 후끈거렸다. 머리가 몽롱했다.

"이서단 씨는 어떻게…… 키스도 못합니까."

잠긴 목소리로 그가 말했다. 입술이 맞닿아 있어 발음이 뭉개졌다. 간지럽게 닿아오는 숨결에 나는 몸을 파르르 경련시켰다.

"아이스크림 맛이 나는데."

"……"

"이서단 씨 혀에서."

그가 다정한 손끝으로 내 뺨을 쓸고 어루만졌다. 저릿한 감각이 배 속에 차올랐다. 질끈 눈을 감자 예민한 눈꺼풀 위로 입술이 옮겨 왔다. 속눈썹 사이를 혀를 내어 집요하게 핥았다.

손가락이 장난치듯 느릿하게 귓불을 잡고 어루만졌다. 만져질 때마다 구두 속의 발가락이 꼭 오므라들었다. 그에게 매달린 몸이 벌벌 떨렸다.

"혀 내밀어 봐요."

그가 귓바퀴에 키스하며 말했다. 말꼬리가 길고 다정하게 늘어졌다.

"빨아 줄 테니까. 내밀어 봐요. ……그렇지, 좀 더."

"으, 홋, 으응, 응……"

"말 잘 들으니 예쁘네."

입술 사이로 살짝 내민 혀를 그가 이로 가볍게 물어 당겼다. 저릿하고 아릿한 게 가슴을 긁어 댔다. 혀끝이 마주 닿고 부드럽게 비벼졌다. 나는 몰아치는 감각의 홍수를 참을 수가 없어서 도망쳤다. 순식간에 굵은 손가락이 부푼 입술 사이로 쑤셔 넣어졌다. 잇새를 강하게 잡아 벌린 한 팀장이 삽입하듯이 혀를 깊숙이 넣어 뒤쪽에 웅크린 내 혀를 짓누르고 괴롭혔다. 맞비벼지는 감각은 몸에 힘이 풀릴 정도로 뜨거웠다. 턱으로 타액이 질질 샜지만 신경 쓸 겨를이 없었다.

질척이는 소리를 내며 입술이 마침내 떨어졌다. 길게 이어진 타액을 문질러 닦아 낸 그가 후우, 짧게 숨을 쉬었다. 나는 흐릿해진 시야를 깜박이며 눈을 떴다. 눈앞에 바로 그의 얼굴이 있었다.

팔도 여전히 그의 목에 둘러져 있었다. 어색하게 한쪽을 빼자 그가 몸을 뒤로 물렸다. 나를 시트에 짓누르던 무게가 떨어져 나갔다. 밀착되어 있던 온기가 사라지자 텅 빈 공간이 허전했다.

"……갑자기."

핸들을 꽉 쥔 그가 낮게 뱉었다.

"출장을 가기가 싫어지는데."

"……피곤하시면 잠깐 눈 붙이시고 나서……."

발음이 뭉개져 나왔다. 잔뜩 빨린 입술이 뜨겁게 부풀어 있었다. 숨은 점차 안정되어도 심장은 계속 속도를 높여 뛰었고, 입안은 얼얼하게 욱신거렸다.

그는 대꾸 않고 차 문에 걸린 락을 풀어 주었다.

"내리세요. 잘 자고."

"……팀장님도…… 아니, 일 잘……."

문을 잡고 어색하게 인사했다. 심장이 너무 뛰어서 말이 제멋대로 나왔다. 그는 별말 없이 고개를 끄덕였다.

내리려는데 다리에 자꾸만 힘이 풀렸다. 겨우 문을 닫고 두어 걸음 물러서자 차가 바로 출발했다. 나는 빨간 백라이트가 주차장을 벗어나 사라질 때까지 우두커니 서서 쳐다보고 있었다.

천천히 아파트로 들어가며 멍하니 생각했다. 대학교 때 술 먹고 게임하다가 뺨에 입술을 부딪쳐 본 적은 있고, 어렸을 때 부모님이랑, 특히 엄마랑, 그리고 여동생 어렸을 때 이마나 뺨에 가끔…….

그러니까, 그 외에는 처음이었을 것이다.

그게 무슨 의미가 있다고, 집에 들어갈 때까지도 내내 떨림이 멎지를 않았다.

(())

한 팀장을 만나지 않아도 되는 오랜만의 토요일에 나는 대청소를 했다. 대청소라고 해 봤자 작은 빗자루와 쓰레받기로 바닥을 쓸고 창틀에서 먼지를 닦아 내는 정도였지만, 그 정도를 할 수 있는 시간과 마음의 여유도 충분히 오랜만이었다.

냉장고에서는 정체를 알 수 없는 것이 나와서 고개를 옆으로 돌린 채로 갖다 버렸다. 점심으로는 집 앞에서 사 온 우유에다가 동그랗고 알록달록한 도넛 모양의 시리얼을 말아 먹었다. 바나나도 가위로 잘게 썰어 넣었다. 지난번에 바나나를 너무 많이 산 탓에 슬슬 노란 표면에 까만 점이 올라오고 있었다. 기회가 될 때마다 먹어 치워야 했다.

오후에는 출근할까 했지만, 한 팀장의 출장 때문에 꼬인 업무표는 아직 해결되기 전이었고, 박 대리는 회사에 없을 것이었다. 집에서 일하지 말라고 말한 한 팀장은 밍밍한 소금물로 가득한 바다 건너편에 있었다. 지구의 표면을 작게 축소시켜 본다면 한 팀장의 위치를 알려 주는 동그란 점이 내 것과는 확연하게 구분되어 있을 것이다. 맞닿은 곳 없는 두 개의 섬처럼.

그 물리적 거리가 그렇게 안심이 될 수가 없었다.

"아니, 그 이유가 아니라……. 전화로 팀장님 설명 들었을 때는 쉬웠는데 이게 막상 직접 설명하려니까 어렵네요."

박 대리가 말하다 말고 답답한지 머리를 헝클어뜨렸다. 재구성된 업무배분표를 인쇄해 와 한참 꼬치꼬치 따져 묻던 김 주임은 불만스러운 얼굴로 물었다.

"팀장님한테 전화해 보면 안 돼요?"

"그럼 들어 놓고 제대로 설명 못한 내가 팀장한테 어떤 취급을 받을 것 같아요?"

핸드폰을 든 김 주임의 팔을 박 대리가 잡았다. 붙잡은 상태로 말을 늘어놓았다.

"안 그래도 오늘 새벽에 통화했을 때 이것저것 여쭤봤더니, 팀장님이 한 오 초 가만 계시다가 그러시더라고. 박 대리님, 나 하나 없다고 팀이 안 돌아가서야 되겠습니까?"

"아, 그 목소리 알아요."

"그러니까 좀, 일단 기다려 봐요. 회의 때 더 제대로 설명해 줄게요. 시간 다 됐으니까 권 대리님만 돌아오면 회의 시작하죠."

옆에서 네! 라고 기운차게 대답한 윤 대리가 자료를 회의 테이블로 옮기기 시작했다. 김 주임은 아직 불퉁한 표정이었지만 의자를 질질 끌고 자리로 돌아갔다. 박 대리는 컴퓨터 화면을 암전시키면서 털썩 의자 등받이에 기대어 앉더니, 반쯤 감긴 눈으로 말했다.

"회의 끝나고 우리 둘만도 미팅해야죠, 이서단 씨. 한 팀장이랑 매일 미팅한다며."

"아…… 네."

"금요일에 준 보고서 잘 봤어요. 내 피드백이 한 팀장 피드백만큼 도움이 될진 모르겠지만, 일단 적어 왔으니까 그건 이따 얘기하도록 하고. 이서단 씨도 이메일로 받은 배분표를……."

철컥, 소리가 났다. 문 쪽에서 들리는 인기척이었다. 나는 부서에 다녀온 권 대리일 것이라고 생각하고 반사적으로 고개를 들었다. 나보다 조금 늦게 고개를 튼 박 대리는 말하다가 뚝 멈췄다.

막 회의실 안으로 들어온 중년의 남자는 등 뒤로 문을 한 번에 밀어 닫았다. 회의 테이블과 책상이 놓여 있는 공간을 느리게 둘러보더니 허리를 숙이고 과장된 손짓으로 똑똑, 닫힌 문의 안쪽을 두드렸다. 문과 제일 가까운 윤 대리는 벌써 허리를 반으로 접어 인사하고 있었다. 박 대리가 그제야 허둥지둥 일어섰다.

"김 상무님! 어쩐 일로……."

"격려차 와 봤어요, 격려차."

윤 대리를 도닥이듯이 허공을 관대하게 툭툭 두드리는 남자는 이제 보니 아는 얼굴이었다. 마지막으로 가까이에서 봤던 것은 신입사원 때였다. 지금은 그때보다 머리가 더 벗겨지고 둥근 얼굴에 살이 더 붙은 것 같았다.

파티션 저편의 김 주임도 일어서 있었다. 나는 그제야 정신을 차리고 자리에서 일어났다. 김 상무는 느릿느릿 별로 넓지도 않은 회의실 안을 찬찬히 둘러보듯이 걸었다. 가만히 서 있는 사람들을 한 명씩 훑어보며 지나갔다. 박 대리는 악수를 두 손으로 받았다.

"오늘은 한 팀장님이 안 계시는데……."

"맞아, 출장 갔죠. 지난주에는 우리 쪽 비서 실수로 그렇게 된 거라, 사과도 할 겸 들렀어요. 이제 회의 시간 아닌가? 그동안 너무 안 들여다본 게 미안해서, 온 김에 회의도 한번 볼까 했는데."

박 대리 옆은 나였다. 김 상무는 내게 손을 내밀지 않고 바로 앞에 서서 허공에 대고 얘기하듯 떠들었다. 숙인 정수리로 떨어지는 시선이 느껴졌다. 과장된 말투와는 상반되는 냉정한 시선이었다.

그때 막 문을 열고 들어오던 권 대리가 손잡이를 쥔 채로 우뚝 멎었다. 몸을 돌린 김 상무가 손님을 맞이하듯이 웃으며 손뼉을 두어 번 쳤다.

"이분은 회의 시간이 코앞인데 이제 출근하시나 보네요."

"부서에 들렀다가 오느라……."

권 대리가 답지 않게 말꼬리를 허공에 흩었다. 내 옆에서는 박 대리가 눈짓으로 신호를 보내고 있었다. 김 상무는 권 대리의 대답을 철저하게 무시하고 회의 테이블을 향해 대충 손짓했다.

"나는 없다고 생각하고 평소대로 회의하세요. TF 스케줄 빡빡한 건 잘 아는데, 방해하면 내가 한 팀장 볼 면목이 없지."

"……네, 그럼……."

권 대리가 빠른 걸음으로 책상까지 와 자료를 챙겨 들었다. 박 대리와 어깨가 스치는 동안 몇 마디 낮은 목소리로 주고받는 것이 들렸다. 김 주임은 아무도 못 본다고 생각하고 노골적으로 얼굴을 구기고 있었고, 윤 대리는 회의 테이블 옆으로 차렷 자세를 하고 서 있었다.

회의 테이블의 상석, 평소 한 팀장의 자리라 비워 둔 곳을 초대장이라도 받은 것처럼 김 상무가 차지했다. 테이블 위에 두 손을 짚고 양옆의 얼굴을 둘러보거나 자료를 확인하려는 듯이 유심히 고개를 기울였다. 박 대리는 칠판을 당겨 놓고 목소리를 가다듬었다. 빨간 마커의 뚜껑이 뽁 하고 뽑혔다.

"먼저 배분표부터 정리하고 가겠습니다. 지난주로 미리 당겨서 했던 업무는 일단 팀장님 돌아오시면 자세히 보도록 하고, 지난주에 미뤘던—"

"잠깐."

일제히 고개가 돌아갔다. 김 상무는 웃는 얼굴로 테이블 위를 툭
툭 두드리더니 물었다.

"방해하지 않기로 해 놓고 미안한데, 왜 다들 서 계신가?"

"……아, 저희 오전 회의는 스크럼으로 진행합니다."

한 박자 느리게 입을 벌린 박 대리 대신에 권 대리가 대답했다. 김
상무가 그럴 줄 알았다는 듯이 혀를 찼다.

"요즘 그런 방식도 물론 있지. 있는데, 글쎄…… 느긋하게 이야기
나누기도 어렵고, 특히 젊은 사람들은 하루 종일 서 있어도 안 힘들
고 하겠지만, 좀만 나이를 먹어도 다리가 금방 아픈데, 서서 회의가
되겠어요? 이렇게 말하면 내가 좀 시대에 뒤떨어지나?"

"아…… 아닙니다."

정신 차린 박 대리가 마커 펜을 내려놓았다.

"의자 갖고 오겠습니다."

내 옆에 서 있던 김 주임이 내 등을 손등으로 툭 떠밀었다. 아무도
아무 말도 하지 않았다. 개인 책상이 있는 쪽에서 각자 의자를 끌어
왔다. 박 대리가 자신의 의자를 가져오기 전에 한 팀장의 의자를 끌
어다가 김 상무 앞으로 놓았다. 김 상무는 몸을 쭉 펴고 한 팀장의
등받이에 편하게 등을 기대어 앉았다.

의자 높이를 조절하는 조용한 소란이 지나가고, 박 대리는 다시
칠판 앞으로 섰다. 그새 눈을 감은 김 상무는 가슴만 오르락내리락

했다. 다시 시작된 회의는 몇 번 버벅거린 후에야 빠르게 진행되었다. 다들 말을 최소화해야 한다고 암묵적으로 합의를 본 듯, 그렇게 불만이 많았던 김 주임도 지금은 별말 없었다.

문제는 막바지에 일어났다. 박 대리가 한시름 놓은 표정으로 그럼 리바이에 올려놓은 대로, 라고 말했는데, 김 상무가 눈을 감은 채로 불쑥 입을 열었다.

"그거 올해도 쓰나 보죠? 한 팀장이 만든 프로그램?"

"……예."

입을 열었던 박 대리가 뒤늦게 입을 다물며 대답했다. 김 상무는 기지개를 켜듯이 목을 양옆으로 기울였다.

"내가 한 팀장 능력을 참 높이 사는데, 그 부분은 나랑 유독 안 맞아요. 회사에서 아무도 그 프로그램을 안 쓰는데, TF에서 개인이 개발한 프로그램을 쓰는 건 좋은 생각이 아니라고 여러 번 말했는데도, 삼 년째 들은 체도 안 하네."

"……"

"팀원들은 어떻게 생각해요?"

허공으로 둥둥 던져 올려진 질문은 대답할 만한 종류의 것이 아니었다. 눈을 가늘게 뜨고 둘러보던 김 상무가 갑자기 검지로 나를 찍어 누르듯 지목했다.

"올해 들어온 팀원이 대표로 말해 봐요. 이름을 들었는데 내가 그만 잊어버렸네."

"……이서단입니다."

눈을 내리깐 채로 조용히 대답했다. 김 상무는 내 대답을 못 들은 듯이 곧바로 말을 이어갔다.

"한 팀장이 안목이 있어서, 이렇게 인재들을 뽑아 놓고 자기 사람으로 만드는 걸 보면 감탄스러워요. 충성심 높은 팀원들이 많아서 한 팀장도 좋고, 회사도 좋고."

"……."

"그래도 팀원이 새로 들어오면 기존에 쓰던 프로그램도 아닌데, 그 리바이어던인지 그것까지 쓰는 걸 배우려면 어렵겠다, 그런 생각이 들죠. 요즘은 다들 빠릿빠릿하니 늙은이의 기우인지 모르겠지만. 새 팀원분은 어떻게 생각해요? 그 프로그램 써 보니 어땠습니까?"

내 뺨 어딘가쯤에 박 대리의 시선이 느껴졌다. 옆의 김 주임이 테이블 위로 말아 쥔 손의 하얀 손마디가 시야 끝에 걸렸다. 잡아 늘인 듯한 침묵이 흘렀다. 나는 눈을 들고 대답했다.

"기존의 것보다 편리하다고 생각했습니다."

김 주임이 조용히 내 의자 다리를 걷어찼다. 누군가 짧게 내쉰 호흡 소리가 들렸다. 김 상무는 눈을 가늘게 뜨고 감탄사를 길게 끌었다.

"그거는 그러니까, 어떤 면에서?"

"제 일이 전체적인 프로젝트의 틀에 어떻게 들어맞는지 알 수 있어서 좋았습니다. 의견 교환에 특화되어 있고, 소규모 프로젝트에는 적합한 소프트웨어라고 생각합니다."

김 상무는 고개를 몇 번 느리게 끄덕이더니 웃었다.

"요즘 젊은 사람들은 역시 당차네. 회사를 이끌어 갈 인재가 많은 것 같아서 기분이 좋습니다."

"……감사합니다."

"회의도 끝난 것 같고, 그럼 나는 일이 있어서 이만 올라가 보겠습니다. 수고들 하세요, 발표회 기대 많이 하겠습니다."

의자가 듣기 싫은 삐걱거리는 소리를 냈다. 몸을 느릿느릿 일으킨 김 상무가 따라서 일어서는 사람들을 다시 앉히려는 듯이 팔을 휘저으며 지나갔다. 그는 고개 숙인 윤 대리의 인사를 받고, 문을 열어서 잡고 있던 박 대리와 악수를 한 번 더 나눈 후에야 회의실을 나섰다.

발소리가 멀어지고, 박 대리가 문을 닫았다. 찰칵, 하는 문고리 소리가 들리자마자 김 주임이 의자 위로 털썩 널브러지듯이 앉았다.

"죽겠네."

여기저기 사람들이 헝겊 인형처럼 축 늘어졌다. 권 대리도 머리를 뒤로 젖히며 앓는 소리를 냈다.

"평소엔 코빼기도 안 비치다가 한 팀장님 없을 때를 딱 노려서 오는 게 얄미워서 진짜……."

박 대리가 문 쪽을 보며 쉿, 하고 말을 더 얹지 말라는 듯 굴었지만 권 대리는 아랑곳하지 않았다. 단단히 짜증이 난 모양이었다.

"이래서야 팀장님이 자기 없을 때 아무것도 안 돌아간다고 말하는 게 당연하지. 박 대리님은 누가 앉아 있든 말든 회의 제대로 진행

해야지, 왜 안건을 막 뛰어넘어요?"

기운이 쭉 빠졌는지 책상에 코를 파묻기 직전이던 박 대리가 고개를 들며 눈살을 찌푸렸다.

"아니…… 우리끼리 나중에 다시 회의하더라도 일단 내보내는 게 순서죠. 상식적으로 김 상무가 저 자리에 앉아 있는데 누가 하고 싶은 말 다 할 수 있어요?"

그 말에, 내 이름이 나온 것도 아닌데 시선이 하나둘씩 내게로 자석에 이끌린 듯이 달라붙었다. 권 대리의 시선이 작살처럼 내 옆머리에 꽂혀 있었다. 나는 자세를 바로 하고 고개를 숙였다.

"죄송합니다."

"……죄송할 건 없죠."

오묘하게 찡그린 표정으로 박 대리가 말했다.

"틀린 말 한 것도 아닌데. 그런데 이서단 씨도 참……."

"……네?"

"아니, 왠지 한 팀장님이 예전에 했던 말을 이해할 수 있을 것 같아서. 됐고, 아까 회의에서 할 말 다 못 한 사람? 배분표 얘기 다시 할까요?"

그때 책상에 엎어져 있던 김 주임이 잠수함의 잠망경처럼 팔을 곧게 들었다.

"박 대리님."

"예."

"오 분만 쉬면 안 될까요? 커피 한 잔 마시고 오고 싶은데."

시계를 힐끗 본 박 대리가 대답 없이 미간을 찡그렸다. 평소에는 앞장서서 쉬자고 말하는 사람인데, 한 팀장이 없으니 넘겨받은 망토가 무거운 모양이었다. 휑하게 비어 있는 화이트보드를 한 번 보고, 기운 빠져 늘어져 있는 사람들을 본 그가 마지못해 고개를 끄덕였다.

"십 분. 가서 커피 마시고 바람 쐬고 와요, 다들. 대신 다녀와서는 집중하기."

"네!"

반색한 김 주임이 지갑만 챙기고 쏜살같이 회의실 문을 나섰다. 자료를 챙기면서 나는 권 대리가 박 대리에게 몸을 붙여 낮은 목소리로 묻는 것을 들었다. 팀장님한테 보고할 거예요? 라는 물음에 박 대리는 망설이다가 고개를 흔들었다.

"오후에 전화 한번 해야 되니까 그때 말씀드리죠, 뭐."

"출장 스케줄 엉키게 한 것도 보나마나 김 상무인데―"

"그건 팀장님도 알죠. 권 대리님도 좀 쉬고 와요, 다녀와서 업무 효율 제대로 뽑게. 윤 대리님도 고생했으니까 좀 쉬고. ……아, 이서 단 씨."

나는 자리로 막 돌아가려던 참이었다. 손을 뻗어 내 어깨를 붙잡은 박 대리가 벽시계를 다시 한번 힐끗 보더니 물었다.

"혹시 지금 자투리 시간에 미팅할래요? 쉬는 시간 빼앗아서 미안한데, 오후에는 내가 언제 시간이 날지 잘 모르겠어서."

"네, 괜찮습니다."

"그럼 자료실에서 얘기…… 아니, 어차피 권 대리님도 나갈 거죠? 그럼 그냥 여기서 하죠. 잠깐, 보고서 좀 갖고 오고."

박 대리는 회의실 테이블을 대충 정리해 자리를 만들고 가장자리가 다 찢겨 있는 서류 가방을 들고 왔다. 거기서 귀퉁이가 접혀 있는 내 보고서가 나왔다. 겉장부터 한 팀장과는 딴판인 둥글둥글한 글씨체로 곳곳에 꼼꼼하게 빨간 글씨가 적혀 있었다. 내가 맨 윗부분을 들여다보는 동안 박 대리가 입을 열었다.

"이서단 씨."

"네."

"금요일 보고서라는 게 언제부터 언제까지의 내용이에요?"

내가 질문을 이해하지 못하자, 박 대리는 보고서의 뒷장을 획획 넘겨 서적 목록을 짚어 주었다.

"이 목록 언제 읽기 시작했어요?"

"아…… 목요일에는 보고서를 못 내서, 수요일 밤부터 읽은 내용입니다."

"그럼 오늘 내야 하는 보고서는, 어젯밤부터 읽은 내용?"

그 말에 나는 아직 제출하지 못한 자료를 기억해 냈다. 양해를 구하고 달려가 책상에서 배낭을 가져왔다. 턱을 괴고 지켜보고 있던 박 대리는 내가 클립으로 정리된 서류 두 묶음을 꺼내자 의아한 표정을 했다.

"이건 뭐예요?"

"어제와 그저께 제출했어야 하는 보고서인데, 주말에 못 뵈어서……."

서류를 받아 든 박 대리가 앞장을 넘겨 보더니 뭉치 전체를 뒤집어 봤다. 페이지를 획획 넘기면서 표정이 점점 찌푸려졌다. 맨 뒷장까지 도달했을 때는 눈썹이 헝클어진 앞머리에 가려져 보이지도 않았다.

"이서단 씨."

"네."

"한 팀장이 공부할 분량을 따로 정해 줬어요? 기한이나?"

"아니요……. 안 정해 주셨습니다."

보고서 뭉치를 내려놓은 그가 으으음, 하고 길게 침음했다. 나는 박 대리가 서류를 손끝으로 툭툭 튕기는 동안 뭐가 문제인지 몰라 얌전히 입을 다물고 있었다.

박 대리는 결국 하려던 말을 삼키고 고개를 내젓더니 내 쪽으로 금요일의 보고서를 다시 밀어 주었다.

"피드백 일단 읽어 보세요. 모르는 게 있을지도 모르니까."

"네."

다시 들여다본 보고서의 빨간 글씨는 눈을 의심할 정도로 상냥했다. 지금껏 한 팀장에게 받았던 피드백과는 계절이 정반대였다. [좋은 요약!]이라고 쓰여 있는가 하면, [맞아요, 이 부분이 중요하죠!]처럼 친절한 추임새가 곁들여져 있었다. 마지막 페이지 밑부분에는 동그라미 안에 들어 있는 커다란 웃는 얼굴도 있었다. 호선을 그린 빨간 입꼬리를 한참 쳐다보다가 나는 고개를 들었다. 서류에 눈을 두고 박 대리가 말했다.

"딱히 흠잡을 데는 없었어요. 참고 자료 적어 놓은 건 나중에 필요하면 보고, 그 외에는……."

"……."

"지금 보는 것도, 이게…… 토요일? 이것도 잘 썼네요. 이걸 하루 만에……. 왜 그런 얼굴이에요?"

나는 반사적으로 손을 올려 뺨을 만졌다. 손에 잡히는 표정은 없었다. 박 대리가 보고서 귀퉁이로 나를 가리키며 일갈했다.

"못 믿겠다는 눈이잖아. 내가 거짓말하는 것 같아요? 이서단 씨 기분이라도 맞춰 주려고?"

"아닙니다."

고개를 저었다. 박 대리는 고개를 절레절레 저으며 보고 있던 서류를 한 묶음으로 포갰다.

"물어볼 건 없었죠?"

"아…… 네."

"그럼 이건 내가 가져가서 읽어 보고 나중에 돌려줄게요."

"오늘 보고서는 퇴근 시간 전까지 제출하겠습니다."

"……알았어요. 매일 이걸 한 한 팀장도 대단하네요, 진짜. 시간 남았으니까 이서단 씨도 커피나 마시고 와요. 탕비실에 팀원들 있으면 간 길에 좀 잡아 오고."

"네."

시계를 보니 거의 10분이 다 된 시각이었다. 지갑을 들고 나간 김 주임은 어디로 갔을까. 자료를 챙겨 넣은 배낭을 들고 몸을 돌리는데, 의자에 깊숙이 기대어 앉아 나를 지켜보고 있던 박 대리가 불쑥 말했다.

"맞다, 이서단 씨 공부 잘했다면서요?"

"……네?"

박 대리는 아예 의자를 나를 향해 돌렸다. 재미있는 이야기가 생각났다는 듯이 생기 있는 표정이었다.

"주말에 만난 동아리 후배가 이서단 씨 바로 위 학번이라 혹시나 해서 물어봤는데, 이서단 씨 알고 있더라고요. 이름 들으니 바로 알던데."

"……그런가요?"

나는 선 채로 의미 없이 구두코를 바닥에 툭툭 굴렸다.

"수업도 같이 들었는데 이서단 씨는 본인 모를 거라고 하더라고. 이서단 씨 장학금 한 학기도 놓친 적 없다면서요? 거기다가 무슨…… 과외? 알바? 맨날 그런 거 때문에 과 활동 하나도 못 한다고 했다고 선배들한테 미움 많이 받았다면서."

"……네."

"하여튼 어제 그 얘기 나왔다가 오랜만에 대학 때 얘기 한참 했네. 나는 이서단 씨 같은 성실파랑은 완전 정반대라, 동아리 활동한다고 시험 제끼고, 휴학하고 애들이랑 여행 다니고……. 졸업한 게 신기하지. 통학해야 되는데 집이 한 사십 분 정도 거리라, 주에 두 번 정도밖에 집에 안 들어갔어요. 자취하는 애들이랑 술 퍼먹느라."

박 대리가 소주잔을 맥주잔에다가 뒤집어엎는 듯한 손짓을 했다. 나는 뭐라고 대답해야 할지 몰라 고개만 끄덕거렸다. 한참 추억을 회상하던 박 대리가 불현듯 미간을 찡그렸다.

"그때가 좋았죠. 사람 많이 만나고. 그땐 몰랐지만 진짜 대학생 때 나 그렇게 놀 수 있잖아요. 이렇게 회사에서 썩을 줄 알았으면 좀 더 노는 건데."

"뭘 놀아요?"

쟁반을 받쳐 들고 문을 막 연 권 대리가 물었다. 박 대리는 커피잔을 한 손으로 받아 들며 대답했다.

"지금 생각해 보니 대학 때가 제일 좋았던 것 같아서요."

"그걸 말이라고."

내 앞에도 머그잔이 툭 내밀어졌다. 놀란 나는 권 대리를 올려다봤다. 내가 바로 받아들지 않자 권 대리는 내 앞 테이블에 잔을 놓고 쟁반을 팔 밑에 낀 채로 가 버렸다.

곧이어 열린 문으로 얼굴이 한층 밝아진 김 주임과 윤 대리가 쏟아져 들어왔다. 마커펜을 꺼내 들며 박 대리는 결국 쉬지 못한 내게 미안하다는 듯이 웃었다. 회의가 재개되었다. 이번에는 김 상무는 없었지만 다들 오전의 기운이 빠졌는지, 아무도 일어날 생각은 없는 듯했다.

화요일 오후에 돌아온 한 팀장은 일주일 내내 얼굴 볼 새 없이 바빴다. 그는 도착하자마자 짐만 회의실에 내려놓고 위층으로 올라갔고, 리바이 공동 채팅에다가 박 대리는 [팀장님 도착하셨는데 지금 김 상무님 뵈러 가셨어요]라고 올렸다. 그 밑으로 부서에 가 있던 권 대리가 [아……]라고 적었다. 건조한 활자에서 생생하게 한숨 소리가 들려오는 듯했다.

목요일까지도 박 대리가 대신 내 보고서와 미팅을 담당했고, 금요일이 되어서야 나는 한 팀장을 단둘이 자료실에서 볼 수 있었다. 가까이에서 보는 그는 그새 옆머리가 조금 짧아져 있었다. 나는 그의 건너편에 엉덩이를 붙여 앉으며 자연히 마지막으로 그와 단둘이 앉아 있던 차 안의 어둠을 떠올렸다. 사무실의 환한 조명은 온기 없이 서늘했다.

자세를 고쳐 앉았다. 태블릿에 시선을 둔 한 팀장을 향해 충동적으로 입을 열었다.

"출장은 잘 다녀오셨어요?"

같은 질문을 박 대리가 했을 때 그의 무난한 대답을 들었음에도, 물었고, 기다렸다. 무릎 위의 손가락이 손바닥 쪽으로 둥글게 말려들었다. 잠시 말이 없던 한 팀장은 태블릿과 펜을 옆으로 옮겨 놓고, 미세하게 찌푸린 얼굴을 들었다.

"피드백 읽었으면 바로 질문하세요. 내가 지금 시간이 없어서."

높낮이 없는 목소리였다. 상사의 무감정한 얼굴이 나를 마주하고 있었다.

유리벽이 눈앞에 내려온 듯한 느낌에 나는 숨을 한 번 들이쉬었다. 테이블로 시선을 내리고 입을 열었다.

"여쭤볼 건 없었던 것 같습니다."

"없었으면 오늘은 여기까지 합시다. 오늘까지도 컨설팅 쪽 일로 내가 좀 바쁠 것 같고, 다음 주부터는 스케줄이 좀 풀리니까 질문 있으면 그때 하도록 해요."

"네."

나는 다시 태블릿에 집중한 그를 두고 자료실을 빠져나왔다. 책상으로 돌아와 내려다본 보고서의 빨간 글씨는 아까와 달라진 게 없었다. 한 팀장다운 간결한 글투였고, 일말의 온기가 느껴지지 않는 네모난 필체였다. 무서운 속도로 키보드를 두드리는 박 대리의 옆에 앉아서 나는 한참 하얀 종이를 내려다봤다. 문장을 여러 번 읽어도 눈에 들어오지 않았다.

기대한 것은 무엇이었을까. 공사의 완전한 구분이 어렵다고는 하지만, 그는 회사에서는 나를 혼내는 상사였고, 토요일에는 내 가죽을 후려쳐 벗기고 싶어하는 남자였다. 둘 중에서 내가 그나마 익숙하고 편했던 것은 전자였다. 그런데 오늘따라 차갑고 사무적인 얼굴이 왜 낯설게 느껴졌는지, 왜 모르는 사람을 마주한 것 같은 단절감을 느꼈는지 알 수 없었다.

바쁘다는 말은 정말이었는지, 한 팀장은 내가 옷을 벗을 때까지도 태블릿과 서류를 창가의 테이블에 늘어놓고 들여다보고 있었다. 그가 지시한 대로 나는 옷을 접어 가방 위로 놓고 침대에 걸터앉았다. 정돈된 호텔 침구의 끝자락을 끌어와 허벅지 위로 덮고 그를 기다렸다.

저녁을 조금이라도 먹었어야 했는데, 속이 비어 위벽에 가시가 박힌 듯이 쓰라리고 아팠다. 몇 주간 커피를 하루에 네다섯 잔 꼴로 마셔 댔으니 당연한 일이었다.

커피와 수면제를 함께 복용하면 안 된다는 말이 있었는지 기억나지 않았다. 효과가 정반대이니 지속 기간이 겹치면 소용이 없는 걸까. 실없이 생각하다가 무거운 눈꺼풀이 점점 아래로 내려갔다. 불편한 자세로도 눈꺼풀 안쪽에 꿈의 형상이 어릴 만큼 깊은 잠이었다.

"내가 몇 주를 이서단 씨 어리광을 받아 줬더니."

불현듯 눈이 떠졌다. 초점이 맞지 않는 흐릿한 시야 한가운데에 한 팀장의 얼굴이 잡혔다.

"이제 여기가 이서단 씨 안방인 줄 아나 봅니다."

느리고 단단한 발음이었다. 나는 불편하게 꺾여 있던 자세를 곧바로 세웠다. 사과하려고 입을 열었는데, 한 팀장이 말을 끊었다.

"누우세요."

간결한 지시에 잠기운이 순식간에 달아났다. 마른 입술을 축이며 나는 이불 위로 몸을 눕혔다.

한 팀장은 꽉 다물린 내 다리는 그냥 두고 판판한 배 위의 살을 쓸어 올렸다. 화답하듯이 위가 저리듯 아파왔다. 따뜻한 손바닥이 옆구리와 가슴 위까지 느리게 어루만지고 동그란 어깨를 쓰다듬었다.

한참 몸을 탐색하듯 쓰다듬던 긴 손가락이 팔 안쪽을 타고 내려와 손목을 그러쥐었다. 아프기 직전의 힘으로 꽉 쥐었다가 힘을 풀기를 반복했다. 손목 안쪽의 얇은 핏줄이 도드라진 피부에는 하얗게 손자국이 남고, 떼어내면 피가 몰리며 붉게 물들었다. 그 흔적을 그가 물끄러미 들여다보는 것이 보였다.

"……아……."

장난감처럼 손목을 만지작거리던 그는 양쪽 손을 위로 들게 해 지난번과 같은 타이를 손목에 한 바퀴 둘렀다. 열 오른 피부에 천이 감기고 팽팽하게 당겨졌다. 천과 손목 사이로 손가락을 넣어 조이는 정도를 확인한 한 팀장이 모아 쥔 손목 사이로 무심히 나를 내려다봤다.

눈이 마주쳤다. 그 순간 나는 무엇이라도 말하고 싶은 기분에 사로잡혀 혀가 움찔거렸다. 말을 삼키기 위해 입술 안쪽을 아드득 소리가 날 때까지 깨물었다. 고개를 돌리고 눈을 감았다. 고작 밥을 한 번 얻어먹었다고, 그의 차를 타고 집까지 갔다고, 입술이 한 번 맞닿았다고. 그게 뭐라고 나는 그가 내 말을 들어 줄 거라는 우스운 미련이 생겨났을까.

"잠이 올 정도로 지루하면 말을 하지 그랬어요."

한 팀장이 내 손목을 침대 위로 내리눌렀다.

"그동안 내가 이서단 씨 속마음을 몰라줬나 본데. 입으로만 좆을 먹는 게 애들 장난 같아서 영 성에 안 찼어요?"

"그게, 아니라. 으……"

그의 손바닥이 가슴에 맞닿았다. 빠르게 뛰고 있는 심장 위를 가만히 누르더니, 손을 떼며 그 위쪽의 도드라진 살점을 손바닥으로 쓸고 지나갔다.

"……"

가만히 있었더니, 내 얼굴을 들여다보며 그가 같은 동작을 반복했다. 손바닥의 단단한 부분으로 가슴을 꾹 누르고 문질렀다. 감촉이 생소하긴 해도 크게 아프지는 않았다.

내가 멍하니 천장만 올려다보고 있자 한 팀장이 내 위로 다리를 넘겨 타고 앉았다. 허리 양쪽에 무릎을 댄 채라 무게가 느껴지지는 않았다. 모든 저항을 미리 봉쇄하는 듯한 자세였다.

그 상태로 한 팀장은 무심한 얼굴을 하고 느리게 손을 뻗었다. 내 양쪽 유두를 잡아 올려, 안쪽의 심지를 둥글게 굴리듯이 문질렀다. 따뜻한 손이었지만 살갗 아래의 모양을 더듬는 듯한 감촉이 선연했다.

"……으."

"물어볼 필요도 없겠네."

"네?"

"이서단 씨는 왜 이렇게 처음부터 가르칠 게 많습니까?"

영문을 몰라 올려다보니 한 팀장의 얼굴이 미묘했다. 언짢은 것 같기도 하고 귀찮은 것 같기도 했다.

떨어졌던 손이 다시 느릿하게 몸을 쓰다듬었다. 핥듯이 느릿하고 따뜻한 손길이었다. 배꼽 위를 간질이던 손끝이 천천히 허리의 연한 피부를 손톱으로 긁으며 올라갔다. 다른 쪽 손은 숨을 참을 때마다 드러나는 갈비뼈의 윤곽을 덧그리고 있었다.

"그새 살이 좀 빠졌네요."

"……읏."

"나한테 세 끼 메뉴 보고하고 확인받고 싶지 않으면 알아서 잘 챙겨 먹는 게 좋을 것 같은데."

"……아아!"

손끝에 덜컥 유두가 걸렸다. 그는 귀찮다는 듯이 단단한 손마디로 살점을 짓뭉갰다. 급기야 양쪽 유두를 잡아 올려 세게 문지르고 확, 확 힘을 주어 잡아당겼다. 갑작스런 통증에 나는 입을 벌리며 상체를 반쯤 일으켰다.

"팀장님, 거기."

"좀 만져 주니 이제야 모양이 잡히네."

한 팀장의 손이 떨어져 나갔는데도 가슴이 얼얼했다. 숨을 삼키며 내려다보자 그의 말대로 평소에 눈에 들어오지도 않던 부위가 붉게 변해 도드라져 있었다. 숨을 쉴 때마다 함께 오르락내리락하는 것이 내 몸의 일부가 아닌 것처럼 기묘했다. 한 팀장은 손톱 끝으로 부어오른 유두를 툭툭 대충 튕겨 보더니 나를 침대에 남겨 놓고 몸을 일으켰다.

이번에는 손이 침대에 묶여 있는 것이 아니었다. 나는 그가 방 저편에서 무언가 하는 동안 눈을 감고 방문까지의 탈출로를 머릿속으로 여러 번 상상했다. 이성적인 생각은 아니었다. 무서움이 낳은 시나리오가 벌써 겪어 본 듯이 선명했다.

찰캉, 희미한 금속음이 났다. 매트리스가 출렁였다. 차가운 것이 얼굴에 닿았다.

"으—"

반사적으로 눈이 떠졌다. 뺨을 스친 차갑고 얇은 쇠사슬이 찰캉찰캉 금속음을 냈다. 그 양 끝에는 검은 고무가 끼워진 넓적한 쇠 집게가 하나씩 매달려 있었다. 나는 달랑거리는 집게를 아연하게 올려다봤다. 남자 목걸이 같기는 한데 이음새가 없었다. 어디다 쓰는 물건인지 감이 잡히지 않았다.

내 반응을 지켜보던 한 팀장이 아까처럼 내 위를 타고 앉았다. 움직일 수 없도록 단단히 무게로 결박했다. 내가 상황을 파악한 것은 붉게 부은 가슴의 돌기 위로 차가운 쇠의 감촉이 닿았을 때였다.

그가 미리 손바닥으로 가슴을 내리누르고 있어 몸을 일으킬 수가 없었다. 입을 다물고 고개를 양옆으로 세차게 저었다. 곧 입을 열었지만 말이 나오진 않았다.

벌린 집게로 유두를 장난처럼 툭 건드린 그가 나를 내려다봤다.

"한 번에 되지는 않겠지만, 크기도 좀 키우고 감도도 좀 높입시다. 이대로는 영 만질 맛이 안 나네요."

몸을 뒤틀다가 결국 그냥 눈을 감아 버렸다. 내가 머리를 돌리자 그가 툭, 아무렇지 않게 집게의 손잡이를 놓았다. 입을 벌린 악어처럼 집게가 유두 위로 꽉 다물렸다. 낯선 아픔이 머리꼭지까지 날카롭게 치달았다. 몸이 와르르 경련했다. 그는 이런, 이라고 장난처럼 말하면서 다시 집게를 잡아 뺐다. 따뜻한 손바닥이 얼얼한 유두 위를 달래주듯 꾹꾹 문질렀다.

"눈 뜨지 그래요. 좋은 볼거리 아닙니까."

"……흐……."

"벌써 아까보다는 커진 것 같은데. 어떻게 됐는지 안 궁금합니까?"

말을 안 듣자 그는 한쪽 손으로 돌기를 꼬집어 올리고, 다른 쪽 손톱으로 꿀밤을 때리듯이 끝을 탁탁 튕겼다. 신경줄을 직통으로 얻어맞는 것 같은 느낌이었다. 나는 말을 듣는 것이 상책이라는 사실을 깨닫고 눈을 떴다. 그의 말대로였다. 그가 잡아 문지르고 있는 쪽의 젖꼭지는 붉고 기이하게 부풀어 있었다.

어느새 젖어든 내 눈가를 닦아 낸 그가 무심한 얼굴로 다시 집게를 들었다. 이번에는 경고 한번 없었다. 그가 입 벌린 집게로 깊숙이 돌기를 물리고, 손을 한 번에 놓았다.

저릿한 통증이 신경줄을 타고 끊임없이 이어졌다. 기다려 봐도 끝나지 않았다. 온몸에 뻣뻣하게 힘이 들어갔다.

"흐, 으으, 아……."

"효과를 비교해 보려면 한쪽은 놔둬야겠죠?"

다른 쪽 집게를 매만지던 한 팀장이 냉정하게 말했다. 개를 끌듯이 사슬을 한쪽 손에 감아서 잡고 나를 내려다보았다. 툭, 가볍게 당길 때마다 왼쪽 유두를 물고 늘어진 집게가 찰랑 흔들렸다. 어지럽기까지 한 아픔에 나는 얼빠진 정신을 되찾고 가까스로 입을 열었다.

"이거, 피가, 안 통해서⋯⋯."

"하나 정도 떨어져 나가도 큰 상관은 없지 않습니까."

"⋯⋯팀장님."

"시끄럽습니다."

그가 손바닥으로 내 입을 막았다. 나는 필사적으로 시선을 내려 집게가 달린 쪽의 유두를 뚫어져라 쳐다봤다. 저러다가 정말 떨어져 나가는 게 아닌가 싶을 정도로 돌기가 아랫부분부터 흉하게 짓이겨져 있었다. 붉게 충혈돼 욱신거리는 것이 괴기스러웠다. 덜컥 겁이 나서 팀장님, 하고 한 번 더 부르려 했지만 단단한 손바닥에 웅얼거리는 발음이 가로막혔다. 가슴에서는 얼얼한 통증이 파도의 물마루처럼 솟았다. 견딜 만해지면 잦아들고, 다시 높은 곳에서 새빨갛게 밀려왔다.

한 팀장은 무표정하게 내 입을 막은 채로 사슬을 잡아 꽉 당겼다. 까만 고무로 틀어 막힌 부분이 하얗게 물들었다가 그가 손을 놓자 다시 빨갛게 피가 몰렸다. 그 변화를 그가 툭툭 손가락을 느리게 움직이며 물끄러미 관찰하고 있었다.

나는 입을 벌리고 호흡했다. 순전한 무서움으로 눈꼬리가 뜨거워졌다.

"몸에 힘을 빼요. 그렇게 버티고 있으니까 더 아픈 겁니다."

"흐으으, 아, 으읏!"

묶인 손에 식은땀이 찼다. 어지러웠다.

"대신 이쪽은 예뻐해 주겠습니다."

그가 반대편 유두로 손을 뻗었다. 아까처럼 집어 올리더니 뭉근하게 문질렀다. 따뜻한 손바닥이 아랫배를 쓸어내리고 허리께를 간질였다. 다정하기까지 한 손길이었다. 그가 손끝으로 비비듯 문지르던 돌기를 힘주어 누르고, 달래듯이 다시 어루만졌다. 머리가 내 가슴 쪽으로 숙여진다 싶더니, 가슴 위로 그의 입술이 닿았다.

뜨겁고 젖은 곳으로 충혈된 유두가 빨려 들어갔다. 나는 집게도 순간 잊고 발가락을 꽉 오므렸다. 참았던 숨이 훅 터졌다. 부드러운 입술이 유륜을 조여 물고 혀가 선단을 느릿하게 핥아 올렸다.

왼쪽 가슴에서 느껴지는 것은 분명히 고통이니 확실히 알 수 있었다. 오른쪽은 고통과는 다른 종류의 감각이었다. 한 팀장이 빨아들일 때마다 습한 열기가 새빨갛게 작은 돌기에 고여 들었다. 신경 다발이 가득 뭉쳐 있는 곳이 단단한 이로 꽉 짓눌렸다. 헐떡이는 소리가 혀 밑에 들어찼다. 꽉 감은 눈꺼풀 안쪽이 붉게 일그러졌다.

"아아으, 읏…… 홋."

입안에서 겨우 빠져나온 젖은 유두를 그가 손가락으로 잡아 미끄럽게 비벼 댔다. 문지르고 이로 질근질근 물었다. 예민하게 곤두선 곳이 빠르게 문질러지자 숨이 턱 막혔다. 생선처럼 비틀리는 몸을 그가 잡아 누르고, 톡 튀어나온 유두를 벌주듯이 손톱으로 재차 짓이겼다.

혀가 풀린 게 아니었다면 헛소리를 내뱉었을 것이다. 한쪽에서는 고통이, 반대편에서는 도를 넘은 쾌감이 번갈아가며 파도처럼 밀려 들었다. 빠르게 깜박거려 시야를 트이자 가슴이 내려다보였다. 그 가 가끔 사슬을 당길 때마다 날카로운 통증이 솟던 왼쪽 유두는 이 제 죽은 것 같은 검붉은색으로 변해 있었다. 두 배 이상 퉁퉁 부어 흔들리는 것을 보니 왈칵 두려워졌다. 마비된 것처럼 얼얼함만 느 껴지는 게 정상일 리가 없었다.

"팀장님⋯⋯."

"왜."

묶인 두 손으로 어떻게든 그를 잡았다. 땀에 젖은 손가락으로 그 의 목께의 셔츠를 잡고 매달렸다. 한번 무서움이 치밀자 눌러 참았 던 울음이 터져 나갔다. 빤히 얼굴을 내려다보는 그를 어떻게든 잡 고 더듬더듬 빌었다.

"이거⋯⋯ 제발⋯⋯. 팀장님, 저⋯⋯."

"이거?"

그가 툭 집게를 건드렸다. 그것만으로도 몸이 와르르 경련했다. 날카롭게 치솟는 아픔이 섬뜩했다. 그에게 몸을 붙이듯이 매달려서 숨을 가쁘게 토해 냈다.

"빼 주세요, 제발⋯⋯. 이거 이상해서, 저 더 이상⋯⋯."

"어리광 안 부린다고 하지 않았습니까."

그가 냉정하게 끊어 내고, 집게 위로 손가락을 더해서 무자비한 힘으로 꽉 짓이겼다. 눈앞이 새까맣게 아득해졌다. 목구멍에서 흐느낌이 뜨겁게 치밀었다.

"잘못했다고 해 봐요."

"흐으, 으…… 잘못, 잘못했어요. 다시는, 안……."

"다시는 뭐."

"다시는…… 아, 아으! 흣……."

"뭘 잘못했는지는 알고 있는 겁니까."

말이 자꾸만 끊겼다. 대답이 늦자 그는 혀를 내밀어 집게 위로 충혈된 돌기를 살살 핥았다. 분명히 닿는 게 보이는데 아무것도 느껴지지 않았다. 덜컥 겁이 나서 목소리가 덜덜 떨렸다.

"뭐든지…… 팀장, 님이……."

"앞으로는 말 잘 들을 겁니까? 내가 하는 말은 뭐든지?"

"흑, 그, 흐으……!"

"대답해야지."

"말, 잘 들을…… 그러니까…… 팀장님, 제발……. 정말, 저 고장 나 버릴 것 같아요, 제발……. 흐으, 저 이제……."

정신을 놓고 아이처럼 울먹거렸다. 구명줄처럼 매달린 손을 그는 뿌리치지 않았다. 뜨겁게 젖은 눈가에 부드러운 것이 닿았다. 경련하듯 떨리는 눈꺼풀 위를 어루만지듯이 훔쳐 준 그가 무심한 목소리로 말했다.

"방금 한 말 앞으로도 잊지 말아요."

"흐으읏!"

콱, 그가 사슬을 잡아당겼다. 집게가 덜컥 끝부분에 걸렸다가 무지막지하게 뽑혔다. 비명이 목에서 끌려 나가듯이 터졌다. 충격에 몸이 침대에 파고들 듯이 뒤로 젖혀졌다. 그와 동시에 정말로 어마어마한 통증이 닥쳐들었다. 새빨갛게 부푼 유두 위로 불개미들이 달려들어 깨무는 것처럼 따끔거렸다. 몸부림치며 새우처럼 웅크리는데 그가 나를 잡아 결박하고, 부풀어 오른 돌기를 그대로 뜨거운 입안으로 빨아 당겼다.

"으, 으! 훗, 아아아! ……으, 흐윽, 흑……."

끔찍한 감각이 홍수처럼 솟아올라 나를 덮었다. 이제는 쾌감인지 고통인지도 알 수 없었다. 그가 뜨거운 입술로 세게 빨아들일 때마다 몸이 튀어 올랐다. 뜨거웠다. 눈앞이 흐려져서 아무것도 보이지 않았다. 그는 반대편 가슴도 손가락으로 집어 올려 비비다가 입술을 그쪽으로 옮겨갔다. 막 입 안에서 빠져나온 왼쪽이 다시 손가락에 잡혔다. 그는 퉁퉁 부은 것을 젖은 손가락 사이에 끼고 잔인하게 문질렀다.

끝이 없을 것처럼 시간이 늘어졌다. 그가 마침내 멈춰 주었을 때 나는 덜덜 떨리는 몸을 웅크렸다. 묶여 있는 두 손으로 얼굴을 가렸다. 밀어내자 그는 의외로 쉽게 비켜 주었다. 더듬더듬 물러나다가 침대 머리맡에 덜컥 등이 닿았다.

입술을 깨물어 덩어리진 울음을 삼키며 손가락 사이로 한 번만 짧게 시선을 내렸다. 양쪽 유두가 붉은색을 띠고 툭 튀어나와 있었고, 크기 차이가 눈에 보일 정도로 확연했다. 가슴과 그 주변까지 다

울긋불긋 엉망이었다. 욱신거리는 통증이 끊임없이 이어졌다. 시선을 얼른 피해도 다시 울음이 치밀었다. 끅끅 흐느낌이 터졌다.

"쉿."

다가오는 걸 다시 밀어냈지만, 한 팀장은 내 묶인 손을 잡아 눌렀다. 저항하는 몸이 통째로 그의 품 안으로 끌려 들어갔다. 힘의 차이를 이길 수 없었다.

단단한 가슴에 뺨이 묻혔다. 셔츠가 내 눈물로 젖어 들었다. 그는 나를 허벅지 위로 앉히고 양팔로 허리를 당겨 안았다. 등을 쓸어내린 손이 들썩이는 어깨를 달래고 머리를 쓰다듬었다.

"쉿, 괜찮아요. 다 끝났습니다."

"윽, 흐윽, 으…… 흡, 윽…… 흐윽……."

"내가 이서단 씨를, 그렇게 쉽게 망가뜨릴 것 같았어요?"

눈물로 엉망인 얼굴 위로 입술이 내려왔다. 간지럽게 눈가에 닿았다. 웃음기 배인 목소리가 더 서러웠다. 무엇에 화가 나고, 무엇에 화가 풀린 걸까. 아무것도 이해할 수가 없었다. 왜 나는 날씨처럼 변덕스러운 그의 기분에 일희일비해야 하는 걸까.

"뚝, 그칩시다. ……그렇게 무서웠어요? 내가 진짜 잘못될 때까지 둘 것 같아서?"

"흑, 으으, 으……."

"이서단 씨는 나를 좀 더 믿을 필요가 있을 것 같은데."

오늘 들은 말 중에 가장 우스운 말이었다. 눈을 뜨지도 않고 묶인 손으로 그의 어깨를 밀어냈다. 그는 쉽게 내 손목을 잡아 올렸다.

"가만히 있어요. 풀어 줄 테니까."

뺨에 입술이 닿았다. 코끝에, 인중에. 앙 다문 입술을 혀끝이 간질였다. 그는 가까이 살펴보더니 묶어 둔 매듭을 쉽게도 끌렀다. 팽팽하게 조여들었던 넥타이가 한 겹씩 풀려 나갔다. 피가 돌자 손끝이 따끔거렸다.

"이번엔 정말로 다시 못 쓸지도 모르겠는데."

구겨진 넥타이를 들여다보던 그가 탐탁지 않다는 듯이 말했다. 붉게 자국이 남은 내 손목은 안중에도 없었다. 안겨 있던 나는 쉽게 울음이 그치지 않았다. 그가 눈가를 닦아 내 주어도 금세 다시 눈물이 차올랐다.

"이서단 씨 수도꼭지를 누가 틀어 줬습니까."

"흐윽……."

눈이 마주쳤는데, 표정에 아까의 차가움은 온데간데없었다. 만족스러워 보이는 얼굴이었다.

힘이 풀린 몸이 한 팀장의 품 안으로 축 잠겼다. 뺨을 그의 어깨에 묻고 울음을 눌러 삼켰다. 천천히 흐느낌이 잦아들었다. 그의 넥타이뿐 아니라 셔츠도 구겨져 엉망이었다.

"뭐가 그렇게 서럽습니까."

마침내 눈을 들자 등을 토닥여 주던 그가 물었다. 정말로 이해가 안 된다는 듯이. 가슴이 덜컹덜컹 시렸다. 나는 대꾸하고 싶지 않아 고개를 돌렸다.

"질문을 들었으면 대답을 해야지."

"……."

"눈에 뵈는 게 없는 겁니까. 클립 다시 꽂고 싶습니까."

말에 진한 웃음기가 배어 있었다. 말만으로도 움츠러든 나를 그가 물끄러미 내려다봤다. 입술이 내려오더니 내 다문 입 위로 가볍게 맞물리고 떨어졌다. 나는 방향제의 귤 같은 향을, 분홍색 아이스크림의 희미한 단맛을 떠올렸다. 가슴이 시리고 먹먹했다.

"매주……."

"응?"

"매주, 이러실 겁니까?"

목소리가 잠겨 나왔다. 가다듬어도 원래대로 돌아가지 않았다.

"무슨 말입니까."

"팀장님은…… 상한선이 없으신 것 같습니다."

연습도 각오도 소용이 없다. 매주 내가 예상할 수 있는 범위를 넘어 기어코 이런 상황을 만들어 버린다. 경험의 차이가 까마득한 균열처럼 아득했다. 무엇을 하든 늘 그의 손바닥 안이었다.

"제가, 팀장님을 어디까지……. 처음에, 심하게 다치게는 안 하겠다고 말씀하셨지만, 저는 매번……."

아니, 그렇게 말한 것은 단지 나를 안심시키기 위해서였을까. 매주 이 호텔방을 드나들면서 나는 어느 정도의 위험을 감수해야 했을까. 말이 없던 한 팀장의 얼굴에서는 어느새 웃음이 사라져 있었다. 화를 낼 것이라고 생각했는데, 돌아온 대답에는 별다른 감정이 묻어 있지 않았다.

"이서단 씨 입장에서 내가 그렇게까지 보이는 줄은 몰랐네요."

"……."

"안전어라도 있으면 마음이 편해지겠습니까?"

"……안전—"

"내 입장에서는 억울합니다. 안전어가 필요할 정도의 짓은 아예 하지도 않았다고 생각하는데."

쯧, 혀를 찬 그가 나를 놓아주었다. 여전히 허벅지 위에 앉혀진 채로 나는 그를 올려다봤다. 물끄러미 보던 그가 눈이 마주치자 뜻밖에 희미하게 웃었다.

"키스해 봐요. 그걸 안전어로 치겠습니다."

"안전어가……."

"세이프 워드."

"세이프 워드?"

그가 미간을 좁혔다.

"이서단 씨에게는 이 정도도 전문용어입니까."

"……안전어를 말하면, ……안전해지나요?"

"그 맥락은 아니지만…… 그럴 수도 있고, 아닐 수도 있고."

미묘한 답이었다. 나는 공부하는 것처럼 눈을 크게 뜨고 집중하고 있었다.

"세이프 워드는 여기까지가 한계다, 라고 내게 알려 줄 때 쓰는 겁니다."

"……."

"물론 본인 한계를 제대로 파악했을 때의 문제지만. 참을 수 있을 때까지 끝까지 참고, 도저히 안 되겠다 싶을 때 쓰세요. 어설프게 악용하면 다시 빼앗을 겁니다."

"그러면…… 그걸 하면, 멈춰 주시는 겁니까?"

그가 허벅지를 들썩거렸다. 시소를 탄 것처럼 내 몸이 따라서 흔들렸다. 잠시 생각하는 표정이던 그가 손을 뻗어 이마에 달라붙은 내 머리를 부드러운 손길로 정리해 주었다.

"봐서. 내 기분에 따라서."

"……그러면 어차피."

"필요 없으면 말고."

"아니요, 저…… 주세요."

감지덕지였다. 시선을 드니 한 팀장의 입꼬리가 또 올라가 있었다.

"지금 연습해 보세요."

그가 몸을 뒤로 기대며 친절하게 말했다.

"지금, 이요?"

"해 봐야지 나중에 할 거 아닙니까."

"……네. 그럼 어떻게……."

"그것까지 나한테 물어보면 어떻게 합니까."

나는 입을 다물었다. 이게 나에게 도움이 되라고 주는 것일 리 없다. 기껏해야 또 놀림감이 될 것이다. 홧김에 턱을 치켜들고 머리를 들이댔다. 살짝 엇나간 입술이 한 팀장의 턱에 아프게 부딪혔다. 그가 입을 다문 채로 눈을 접어 웃었다.

입술을 어떻게든 꼼지락꼼지락 올려 일단 제대로 포갰다. 그의 윗입술과 아랫입술 사이에 내 윗입술이 들어가자 요철이 쏙 맞아 들어갔다. 이렇게 하는 건가? 일단 맞댄 채로 눈동자를 굴렸다. 적당히 건조한 입술이 따뜻했다.

"아니지."

입술을 붙인 채로 그가 말했다. 내 뒷머리를 잡아 누르며 다리를 세워 그 사이로 가두었다.

"그게 어딜 봐서 멈춰 달라는 간절함이 느껴집니까."

"읍!"

그가 엄지로 입가를 헤집으며 나를 잡아 눕혔다. 벌어진 입술 사이로 부드럽게 혀가 들어와 뺨 안쪽의 연한 살을 핥았다. 나는 눈을 감고 지난주에 배운 대로 혀를 내밀었다. 혀가 얽히고 비벼지자 딱 기분 좋을 정도의 부드러운 마찰이었다. 입안에 뜨겁고 습한 열기가 차올랐다.

"잘 기억해 둬요."

입술이 젖은 소리를 내면서 천천히 떨어졌다. 눈이 마주쳤다. 멍해진 표정에서 뭘 봤는지 그의 눈가에 천천히 웃음기가 스며들었다.

"안전어는 그렇다치고, 이건 상으로 킵해 놓는 편이 나을 것 같은데."

"……."

"그럼 이건 오늘 잘 참은 상."

쪽, 입술이 다시 부딪쳤다. 저항 없이 벌린 입술을 그가 아프지 않게 깨물었다. 혀가 천천히, 농밀하게 얽혔다. 가슴 언저리가 녹아드는 것 같았다. 아쉬울 때쯤 입술이 떨어져 나가고, 다시 느리게 눈이 마주쳤다.

"이건 요즘 공부 열심히 한 상."

혀를 그가 빨아들여 부드럽게 핥았다. 다정한 말이나 다정한 시선과도 닮아 있는 긴 키스였다. 이번에 입술이 떨어졌을 때는 이유 없이 가슴이 저릿저릿 시렸다. 나를 물끄러미 내려다보던 그가 코끝을 장난스럽게 부딪쳤다. 두 손이 둥글게 뺨을 감싸 안았다.

"그리고 이건, 예쁘게 태어난 상."

입술이 한 번에 깊숙이 맞물렸다. 나는 눈을 감고 아까까지도 묶여 있던 손을 그의 목에 더듬더듬 둘렀다. 무거운 몸이 완전히 나를 덮어 누르고 있었다. 부어오른 유두가 그의 셔츠에 비벼질 때마다 몸이 움찔 튀어 올랐다. 아픔이었던 것이 찰나에 뭉근한 열기로 변질되었다. 입술이 얽혀 있는 탓이었다. 상냥한 혀가 입안의 예민한 피부를 핥아 올릴 때마다 기분이 몽롱해졌다. 다그치지도 몰아붙이지도 않고 한참 혀로 나를 쓰다듬어 주던 그가 느릿하게 입술을 떼었다. 타액이 길게 실처럼 늘어졌다가 끊어졌다. 혀가 허전한 것처럼 아렸다.

"……아무거나 갖다 붙이시면, 안 됩니다."

빤히 내려다보는 시선이 민망해 작게 말했더니, 한 팀장이 웃었다.

"상을 받았으면 됐지."

"……감사합니다."

"뭐가?"

"안전어……."

힐끗 눈썹이 올라가나 했더니 웃음이 짙어졌다.

"써먹어 봐요. 어떻게 될까 나도 궁금하네. 그리고, 여기."

"읏."

한 팀장이 손등으로 내 부어오른 가슴을 대충 쓸었다. 머리끝까지 쭈뼛 서는 느낌에 잠시 숨을 멈췄다.

"며칠간은 셔츠에 닿으면 쓰라릴 겁니다. 지난번에 준 연고 바르고, 정 심하면 밴드 붙이고 다녀요."

"……네."

"그리고 셔츠 밑에 뭐 입으세요. 회사에서 셔츠 위로 눈에 띄는 날에는 즉시 회의실에 끌고 들어가서 양쪽 다 피가 날 때까지 짓이겨 주겠습니다. 내 말 알아들었습니까? 처신 똑바로 하세요."

"……."

"대답."

"알아들었습니다."

입술이 다시 얽혔다. 이번에는 이유도 붙어 있지 않은 키스였다.

입을 벌려 뜨거운 혀를 받아들이며 나는 멍하니 내일은 약국에서 밴드를 한 통은 사와야겠다고 생각했다. 세 겹은 붙이고 위에 뭘 입어야 안심이 될 것 같았다. 눈에 띄는 상처도 없고, 입술도 찢어져 있지 않아도, 티가 날 것 같았기 때문이다.

토요일이 하나하나 지나갈수록 내 몸은 내 것이 아닌 것처럼 낯설어지고 있었다. 그 변화는 누구나 읽을 수 있을 정도로 얼굴에 고스란히 쓰여 있을 것 같았다.

3개월이 지나고 나면 아무 일 없었다는 듯이 일상으로 복귀할 수 있을 줄 알았을까. 헛되고 순진한 희망이었다. 몸에든 마음에든, 한 팀장과 보낸 열세 번의 토요일을 나는 평생 지워지지 않는 낙인처럼 안고 가게 될 것이라는 예감이 들었다.

※

저녁 9시에 박 대리가 퇴근하자 회의실에는 나와 윤 대리 둘이 남았다. 타자 치는 소리와 마우스 소리만 드문드문 들릴 정도로 조용했다. 창밖으로는 벌써 한참 전에 어둠이 내려앉아 있었다. 풀릴 기미가 없는 쌀쌀한 겨울 날씨였다.

핑! 하고 작게 신호음이 울렸다. 리바이였다. 프로그램을 열어보니 메신저 창이 깜박이고 있었다.

처음에는 전체 채팅창이라고 생각했다. 녹색으로 깜박이는 이름이 권 대리의 것이었기 때문이다. 두 번 확인해도 개인 메신저로 보내온 메시지였다. [아직 회사예요?]라고 쓰여 있었다.

잘못 보낸 게 아닐까 반신반의하면서도 나는 [네, 회의실이에요]

라고 답장을 쳐 보냈다. 답신이 빨랐다. 창을 막 닫으려는데 핑! 하고 다음 메시지가 떴다.

[그럼 잠깐 볼까요? 2층 회의실 쪽 탕비실로 올 수 있겠어요?]

2층이면 권 대리의 부서가 있는 곳이었다. 나는 답장을 보내기 전에 파티션 너머로 보이는 윤 대리의 자리를 기웃거렸다. 메시지를 받은 것은 나 하나인 듯했다.

[자료 들고 갈까요?]라고 쳐서 보내니 이번에는 텀이 좀 길었다. 마침내 [몸만 오세요.]라고 답장이 돌아왔다.

한숨을 삼키면서 문서를 저장하고 화면을 암전시켰다. 의자를 밀어내는 소리에 윤 대리가 고개를 들었다.

"퇴근하세요?"

"아니요, 잠깐 나갔다가……."

"아…… 시간 좀 봐. 벌써 아홉 시예요? 저야말로 퇴근해야겠네요."

졸고 있었는지 머리가 부스스했다. 고개를 숙여 인사하고, 혹시 몰라 가방을 챙겨 들었다. 안에 메모지와 펜 정도는 있으니 급한 용건에는 대처할 수 있을 것이다. 엘리베이터를 타고 내려가면서 머리를 굴려 봐도 권 대리가 나를 부를 만한 용건이 상상이 되지 않는 것이 문제였다.

층의 구조가 같아서 탕비실은 쉽게 찾아냈다. 문이 열려 있었고, 커피머신이 윙윙거리는 기척이 느껴졌다. 불을 더 켤 생각은 없었는지 방이 음산한 어둠에 잠겨 있었다. 커피머신 앞에서 팔짱을 낀 권 대리는 내가 문턱에 가만히 서 있자 시선도 돌리지 않고 말했다. 들어와서 앉아요.

나는 창가의 테이블에서 의자를 하나 끌어내 앉으면서 각오를 미리 다졌다. 최근 팀원들과의 관계는 큰 문제없이 순조로웠다. 문제가 터질 타이밍이기도 했다.

그런데 내 앞에 커피잔을 내려놓은 권 대리가 찌푸린 얼굴로 한 질문은 그거였다.

"그때 왜 울었어요?"

"……네?"

나는 한참 기억을 더듬어야 했다. 회의실에서 울었다는 사실도 까먹고 있었다. 그 이전이나 그 이후나 요즘 워낙에 많이 울었기 때문이다. 평생 울 것을 지금 다 우는 것 같았다. 잔을 감싸 쥐며 뜸을 들이다가 무난하게 말했다. 스트레스를 받아서요. 그러자 캐물을 줄 알았던 권 대리는 의외로 고개를 끄덕였다.

"팀장님 때문에?"

"……네, 그리고 프로젝트 자체도……."

"그럴 만도 하죠."

권 대리가 시끄럽게 진동하는 커피머신을 껐다. 본인의 머그잔을 내려놓고 맞은편에 앉았다. 이어진 침묵에 나는 까만 물의 표면만 내려다봤다. 도대체 무슨 얘기를 하려고 이러는 것인지 알 수 없었다.

권 대리는 각설탕이 든 통을 끌어왔다. 퐁, 퐁, 네모난 걸 두 개 넣고 스푼을 들어 대충 휘저었다. 하얀 귀퉁이가 커피 위로 떴다가 침몰하는 걸 지켜보고 있는데, 권 대리가 입을 열었다.

"지금은 할 만해요?"

"……네, 많이 적응됐습니다."

"다행이네요."

테이블 위에 놓아둔 손이 어색했다. 짧게 침묵이 자리 잡았다. 권 대리는 한 번 숨을 들이쉬고 맥락 없이 화제를 또 옮겨갔다.

"작년 프로젝트 자료 읽어 봤다면서요."

"아…… 네, 최근에 읽었습니다."

"작년에 김 주임이랑 나랑 TF 했던 해예요. 팀장님이랑 박 대리님은 당연히 있었고."

"네, 알고 있습니다."

"나도 최근에 TF 대비하려고 작년 자료 찾아 읽었는데…… 새삼 생각나더라고요. 그때 얼마나 스트레스 받았는지."

잔의 둥그런 손잡이를 만지작거리다가 눈을 들었다. 권 대리는 덜 익은 과일을 먹은 것처럼 떫은 표정을 짓고 있었다.

"회의 중에 운 적은 없지만, 입사 이래 최악의 사 개월이었어요. 그렇게 TF를 하고 싶어서 들어갔는데, 막상 들어가 보니 한 팀장 방식이랑 내가 너무 안 맞았던 거죠. 일은 토 나올 정도로 많고 일정은 촉박한데, 한 팀장은…… 일을 시키는 방식도 그렇지만 사람 자체가 정말……."

모두가 퇴근한 회사의 어두운 탕비실에서 듣는 상사의 험담이었다. 커피를 한 모금 마시며 말을 고르던 권 대리가 간단하게 평했다.

"온갖 열려 있는 척은 다 하지만 사실 굉장히 완고한 사람이어서."

"……"

"아니, 단정 지어 그렇다고 말하기도 어렵겠지만…… 어쨌든 나랑 상성이 안 맞았어요. 그래서 몇 달간 살이 거의 십 킬로가 빠지고, 탈모 생겨서 머리 묶어 가리고 다니고, 누가 한 팀장 저주 인형이라도 회사 앞에서 팔면 살 의향이 있었는데……. 그래 놓고 올해 또 이러고 있네요."

왜요? 라고 묻고 싶었지만 입술 안쪽을 깨물고 가만히 있었다. 권 대리는 내 얼굴에서 당연한 의문을 읽어 냈는지 설핏 웃었다.

"하고 싶은 마음만으로 되는 일도 없지만, 하고 싶은 마음이 따지고 보면 크게 중요한 것도 아니더라고요. 사회생활 하다 보면. 물론 이서단 씨한테는 해당이 안 되는 말일 테지만."

"……네?"

권 대리는 내가 아닌 커피잔을 보고 있었다. 네모난 설탕 덩어리를 두어 개 더 넣고 대충 휘젓더니, 마시지도 않고 내버려 두었다. 한참 뜸을 들인 후 심상한 어투로 말했다.

"지금은 느긋하게 시간 내기가 어렵고, 프로젝트 끝나면 밥이라도 사 줄게요. 윤 대리도 같이. 회사 근처에 생각보다 먹을 만한 게 많아요."

"……"

"열심히 해서 프로젝트 잘 끝내고, 4월에 맛있는 거 먹으러 가요."

무덤덤한 표정에서 나는 어렵지 않게 화해의 손을 발견했다. 권 대리 나름의 인정과 사과였다. 내가 그토록 바랐던 것들, 그리고 가질 자격을 이미 상실한 것들.

입을 열었다가 다물었다. 천천히 물밀듯 치민 두통이 관자놀이를 뜨겁게 갉작였다.

내 침묵을 어떻게 해석했는지, 권 대리는 느리게 자리에서 일어나 마시지 않은 커피를 싱크대에 쏟아 부었다. 물을 틀어 잔 안쪽을 씻고 건조대에 세워 두었다. 나는 고개를 들어 어두운 창에 비치는 내 얼굴을 하릴없이 응시했다. 거머쥐려 하면 사라질 듯이 창백한 형상이었다. 그 너머에 늦은 밤까지 불이 켜져 있는 고층 건물들이 있었고, 금방이라도 나를 두고 걸어 나갈 듯한, 머리 묶은 권 대리의 뒷모습이 있었다.

그 순간 나는 나조차 모르는 어떤 충동에 이끌려 토해 내듯이 입을 열었다.

"대학교 2학년 때 래원 기업 설명회에 갔었어요."

유리에 비친 권 대리는 움직이지 않았다. 듣고 있는지도 알 수 없었다. 그 키 작은 등에 대고 나는 빠르게 말을 이었다.

"그때부터 이 회사가 너무 오고 싶었어요. 아니, 꼭 이 회사가 아니더라도, 저는 규모가 큰 대기업에 다니고 싶었어요. 굉장히 큰 것의 일부가 되어서 제 자리에서 제 몫을 해내면······."

목소리가 갈라져 나왔다.

"속해 있다는 느낌을 받을 것 같았어요."

"……."

"대학 때 힘들어서, 목표로 삼을 이상적인 환경이 필요했던 것 같아요. 제가 이해할 수 없고, 받아들일 수 없던 것들……. 제 힘으로는 어떻게 할 수 없는……. 회사에 들어가면 그런 게 없을 것 같았어요. 고등학교 때는 대학이 그런 곳일 줄 알았는데, 알고 보니 아니었으니까……."

돌이켜 보면 그건 끝없는 도피의 순환이었다. 세상의 모든 풍경을 헤맬 듯이, 느리고 미련한 소거법으로 손가락을 하나씩 접어 내릴 듯이. 여기도 아니야, 하고 등을 돌렸다. 차오른 숨으로 다음 가능성에 매달렸다. 여기가 아니라면, 그렇다면 어디였을까. 내가 있어야 하는 곳은, 나로서 있어도 되는 곳은.

"회사도 마찬가지라는 걸 알았을 때, 저는……."

"……."

"저는, 한 팀장님 같은 분도 회사 어딘가에 있다는 사실을 제멋대로 위안 삼았던 것 같아요. 같이 일해 본 적도 없으면서, 말 한번 나눠 본 적도 없으면서, 한 팀장님을 중요하게 생각했던 것 같아요. 제가 내내 힘들었던 이유들에 대해, 팀장님의 존재가 어떤 해답이나 예외의 증명이 되는 것처럼……."

단순하고 우스꽝스러운, 아이 같은 논리였다. 한 팀장이 들었다면 얼마나 가소롭다고 생각했을까. 엘리베이터에서 그를 마주치기라도 하는 날에는 하루 종일 가슴이 뛰던 나는 얼마나 우습고, 얼마나 아무것도 모르는 사람이었을까.

"그래서 저는 TF를 항상 하고 싶었어요. 작년 연말에, 그 상황에서…… 안 될 걸 알면서도 지원서를 넣은 것도……."

"……."

"한 팀장님이랑 일하면 전부 괜찮아질 것 같았어요."

사람을 상징 삼는 것에는 응당 대가가 따른다. 그 환멸의 무게는 까맣게 어둠이 내려앉아 있던 어느 밤의 옥상에서 나에게 부메랑처럼 돌아왔다. 예견된 절망이었다.

권 대리는 돌아보지 않았다. 이어진 오랜 침묵 속에서 나는 내가 무엇을 하고 싶었던 건지 깨달았다. 내 입에서 쏟아진 말은 전부 변명이었다. 자세한 사정을 알지도 못하는 권 대리에게, 그 사정을 알지 못하고 내게 손 내민 사람에게, 내가 한 선택을 단죄하지 말아 달라고 부탁하는 비겁함이었다.

손 안의 커피가 차게 식었다. 탕비실 안의 공기가 습하고 따뜻했다. 창에 비친 얼굴은 허상처럼 투명하고 흐릿했다.

※

그러고 보니 생각이 났다. 대학 때 나는 스터디를 같이 하던 소수의 사람들과 그나마 어울렸었는데, 따로 술 마시는 자리에 가거나 주말에 만날 시간은 없었다. 노골적으로 질타를 받으면서 과 모임이나 행사도 대부분 불참했다. 그러다가 3학년 마지막 시험을 앞둔 어느 날, 스터디실에서 새벽까지 몇 명이랑 남아 공부를 하고 있다가 불현듯 가슴이 답답해졌다. 알바나 장학금이나 취업 준비로 밤을 새우며 머리가 터질 것 같던 시기였다. 창밖의 새까만 어둠을 내다보면서 혼잣말로 말했다. 놀러 가고 싶어. 아니, 쉬고 싶어, 였나, 놀고 싶어, 였나. 그랬을 것이다. 그런데 맞은편에 앉은 후배가 웃으면서 말했다. "선배님답지 않은 말이네요."라고.

악의가 없는 말이었다. 오히려 칭찬이었을 것이다. 알고 있는데, 오래 남았다. 새벽 알바를 마치고 옷만 갈아입고 버스에 앉아 학교로 향할 때, 혹은 종강하는 날 시끌시끌해진 과방에서 혼자만 먼저 빠져나올 때. 문득 그렇게 생각이 났다.

최선을 다해도 소용이 없는 것 같은 날마다, 어디서부터가 내 잘못이었는지, 더 나은 방법이 있었던 건지, 답해 줄 누군가에게 묻고 싶었다. 새벽에 잠이 깰 때마다 버릇처럼 같은 기억을 끄집어내 되새겼다.

어떤 날은 아무것도 내 잘못이 아니었고, 어떤 날은 그 모든 게 내 잘못이었다. 게이가 된 것도, 아웃팅과 성폭행을 당한 것도. 가족이 그런 나를 용납하지 못했던 것도.

잘못과 책임을 잘게 쪼개 나누는 일은 실제로 아무런 의미가 없었을 것이다. 그 사실을 나는 자주 깨달았고, 또 자주 잊었다.

[만두 좋아합니까?]

라는 문자가 왔다. 나는 어제 저녁 권 대리를 만난 이후로 내내 기분이 가라앉아 있었다. 저녁 7시였다. 일은 쌓여 있었고, 또 늦은 밤까지 이어질 야근을 앞두고 있었다. 일을 끝내고 집에 가서 쓰러져 자고, 이른 새벽에 출근하고. 그러다 보면 또 어김없이 토요일이 돌아올 것이다. 그렇게 남은 2개월, 그리고 그 이후의 나는.

글자가 떠 있는 핸드폰 화면을 물끄러미 들여다보고 있는데 배 아래쪽으로부터 뜨거운 것이 치밀었다. 마찰열이 일 정도로 꾹꾹 화면을 눌렀다.

[제가 왜 팀장님과 밥을 먹어야 합니까?]

전송 버튼을 누르자마자 후회했다. 상사에게 쓸 말투는 아니었다. 까맣게 꺼진 화면을 막막하게 내려다보다가 해명이라도 할까 싶어 다시 핸드폰을 집어 들었다. 그때 부르르, 손 안에서 기기가 진동했다. 전화였다.

한 팀장의 이름이 화면 위에 반짝거렸다. 침울하고 어두컴컴한 것으로 가득 찬 배 속이 긴장으로 뒤틀렸다. 최악이었다.

"······죄송합니다."

받자마자 가라앉은 목소리로 말했다. 수화기 저편이 조용했다.

"제가····· 잠깐 정신이 나갔던 것 같습니다."

온종일 화면을 들여다보다 보니 시야가 흐릿했다. 건조한 눈꺼풀을 꾹 감으며 의자에 깊숙이 기대앉았다. 심장이 목께로 올라와 빠르게 뛰었다.

─······올라와요.

그가 마침내 말했다. 높낮이 없는 어조였다.

"어디로······."

-옥상.

"……지금이요?"

-그래요. 지금.

바람 소리가 들렸다. 담배를 태우고 있는 무표정한 얼굴이 선했다. 한숨이 절로 나왔다. 정말로 지금은 그를 보고 싶지 않았다.

"팀장님, 저……."

-시끄럽고, 올라와서 얘기해요.

한 팀장이 말을 끊었다. 나는 입을 다물었다. 뚝, 인사도 없이 전화가 끊겼다.

핸드폰을 일단 내려놓고 나는 숨을 길게 내쉬었다. 흩어진 정신을 천천히 챙기고 일어섰다. 사람들이 전부 부서에 있거나 퇴근해서 회의실이 텅 비어 있었다. 도움이라도 청할 것처럼 멍하니 둘러봤지만 아무도 없었다.

엘리베이터에서 내려서야 겉옷을 가져왔어야 한다는 생각이 들었다. 오래 붙들려 있지 않기만을 바라고 옥상의 무거운 철문을 밀었다.

그날처럼, 넓은 옥상의 저쪽 난간에 한 팀장이 기대어 서 있었다. 담배 연기가 안개처럼 희뿌옇게 그의 뒷모습을 두르고 있었다. 목을 틀어막는 기시감에 발걸음을 멈췄다.

나는 두어 걸음 떨어진 곳에서 멈춰 서서 그가 나를 돌아볼 때까지 기다렸다. 건너편 건물에서 새는 노란 불빛이 그의 뺨 위로 날카로운 음영을 그렸다. 돌아본 눈이 무심했다.

"죄송합니다."

작게 말하자 그가 아무 대답도 없이 다시 고개를 돌려 버렸다. 긴 손가락이 난간에 대고 툭 담뱃재를 털었다.

"신경이 곤두서 있어서…… 제가 실수했습니다."

"압니다."

그가 돌아보지 않고 심드렁하게 말했다.

"그래도 진심이겠지. 거짓말은 아니지 않습니까."

"……"

"'제가 왜 팀장님과 밥을 먹어야 합니까?'"

그가 나직한 목소리로 따라 읊었다. 빈정거림이 여백마다 들어차 있었다. 나는 입을 다물었다. 옷깃을 파고드는 바람이 싸늘해서 몸이 떨렸다.

"이리 와요."

그가 꽁초를 비벼 끄며 말했다. 나는 방망이질 치는 심장을 억누르면서 다가섰다.

툭, 그가 난간에 얹혀 있던 커다란 봉지를 밀어 주었다. 나는 얼떨결에 받아 들었다. 하얀 비닐봉지 안에 묵직한 하얀 상자였다. 받쳐 든 손바닥이 전해진 열기로 뜨끈해졌다.

"……이거……."

"먹으면서 일하라고 사 왔습니다. 저녁 안 먹은 것 같길래."

"……"

"먹으러 나가자는 말이 아니라."

피곤한 얼굴로 그가 말했다. 나는 정말 뭐라고 말해야 할지 알 수가 없어서 애꿎은 봉지 끈만 만지작거렸다.

"……죄송합니다."

"몇 번 사과할 겁니까."

"……아까는, 그 뜻이 아니라……."

"아니라?"

"……."

오늘 내내 불안했다거나, 복잡했다거나. 내가 내린 선택들에 대해서, 당신이 내민 거래를 받아들인 나 자신에 대해서, 후회하고 있다거나. 어느 쪽이든 상사에게 올릴 수 있는 변명은 아니었다. 내가 잠자코 다시 입을 다물자 그가 손을 뻗었다. 슥, 손끝이 앞머리를 흩어놓았다.

"어디 아픕니까."

내리깐 시선을 용납하지 않고 그가 턱을 들어 올렸다.

"울고 싶은 얼굴인데."

"……아닙니다."

"아니긴 뭐가 아닙니까. 버릇없이 구는 게 딱 봐도 엉덩이가 근질 거리는 게 아닙니까."

훅, 몸이 딸려갔다. 그는 내 등을 난간에 기대게 하고 코트 자락을 여미듯이 나를 품 안에 쏙 넣었다. 들고 있던 만두 봉지가 그의 허벅지에 부딪혔다. 두 손이 내려와 빵 주무르듯이 내 양쪽 엉덩이를 가볍게 주물렀다. 순식간에 벌어진 일이라 제대로 저항할 수가 없었다.

"팀장님, 여기 회사─"

"그걸 알면서 나한테 삐딱하게 시비 걸었습니까? 공사 구분은 왜 나만 해야 합니까."

"……."

"만두를 먹고 왔더니 여기도 만두 같네."

둥그런 구를 완전히 감싸 안듯이 잡고 그가 주물렀다. 나는 저지른 잘못이 있으니 입을 다물 수밖에 없었다. 불안한 시선으로 옥상 문을 살폈지만 조용했다. 어차피 이 시간에 회사에 남아 있는 사람은 별로 많지 않았다.

"아무도 안 봐."

내 시선을 눈치 챘는지 그가 재미있다는 듯이 말했다.

"이서단 씨 몸이 작아서 안 보입니다."

가려 주겠다는 듯이 그가 나를 품 안에 넣은 채로 코트 자락을 한 번 더 여몄다. 잠시 떨어졌던 손이 다시 엉덩이로 돌아갔다. 살살 주무르는 손을 떨치기 위해 몸을 앞으로 붙였더니, 바짝 맞닿은 가슴이 따뜻했다.

"몇 대 맞을래요."

그가 코를 맞댈 것처럼 친밀한 거리에서 물었다. 나는 봉지 손잡이를 쥔 손에 식은땀이 찰 정도로 서서히 당황했다.

"설마 여기서……."

"토요일까지 남겨 두면 이자가 매일 두 배씩 붙습니다. 다음 주도 내내 앉아서 일해야 하는데 곤란하지 않습니까?"

"그래도⋯⋯."

"여기는, 관리 잘 하고 있습니까?"

한 팀장이 나를 살짝 밀어내며 손바닥으로 가슴을 꾹 눌러 쓸어내렸다. 셔츠와 그 밑의 속셔츠와 밴드 두 겹을 뚫고 열기가 직통으로 닿는 기분이었다. 아직도 붉게 부어 있는 곳이 찌르르 울렸다. 나는 소리를 삼키며 입술을 깨물었다. 그는 정확히 돌기를 찾아내 손바닥 아랫부분으로 느릿하게 누르듯이 비볐다. 몸이 떨릴 정도의 전율이 일었다.

"아니면 여기로 벌 받겠습니까? 아직 부었을 텐데. 옷 벗겠습니까, 아니면 손 넣어서 짓이겨 줄까?"

낮은 목소리가 귓가에 닿았다. 나는 순간 울고 싶어져서 떨리는 몸을 그에게로 가까이 붙였다. 어깨 즈음에 얼굴을 묻자 익숙한 향수 냄새가 났다.

"이건 또 뭐야."

막무가내로 몸을 붙여 그의 손이 움직일 틈새를 봉쇄하자, 그가 웃었다. 빠져나온 손이 다시 엉덩이 쪽을 쓰다듬었다.

"이쪽이 낫겠습니까? 선택지를 줄 때 대답하는 게 나을 텐데."

"⋯⋯그냥 토요일에 맞겠습니다."

"그 선택지는 없습니다."

"아까―"

"여기서 괴롭혀지는 게 엉덩이냐, 가슴이냐. 그 두 가지 사이에서 선택해요. 울지 말고."

목 안쪽이 뜨거웠다. 나는 말없이 고개를 내젓고 다시 그의 어깨에 뺨을 묻었다.

"그래? 그럼 내가 고르지, 뭐."

그가 말했고 곧 찰싹, 하고 엉덩이 위로 가벼운 타격이 떨어졌다. 옷 위인 데다가 별로 힘이 들어가지도 않아 아프진 않았지만 그보다 충격이 컸다. 숨을 토해 내며 입술을 꽉 물자, 바지의 옷감 너머로 그의 손이 다시 만두를 주무르듯이 느리게 주물러 왔다.

"몇 대를 때려야 내 화가 풀리려나."

그가 귓가에 대고 낮게 중얼거렸다. 귓불을 가볍게 물고 내 몸을 더 가까이 당겼다. 나는 저항 없이 그의 품 안으로 몸을 내맡겼다. 여기서 매를 맞든, 누군가에게 들키든, 회사에서 잘리든, 지금은 별로 상관이 없는 것 같았다.

내가 대답하지 않고 가만히 있자 한 팀장이 얼굴을 억지로 들게 해서 마른 눈가를 쓸었다. 나는 울고 있지 않은 얼굴로 그를 올려다보았다.

"왜 그런 표정입니까."

허리를 두른 팔이 등을 천천히 쓸어내렸다. 내려다보는 눈에 웃음기가 없었다.

"참 성격답게 구네. 이서단 씨는 매사가 그렇게 무거워서 어떻게 삽니까."

"……그게 제 잘못은 아니잖습니까."

생각할 틈도 없이 말이 튀어 나갔다. 한 팀장이 느릿하게 눈썹을 들어 올렸다.

"누가 이서단 씨 잘못이라고 했습니까."

"저도, 노력하고 있습니다. 가볍게 생각하려고, 노력하고 있었는데……."

그런데 아무리 해도 가벼운 일이 아니었다. 아침에 눈을 뜰 때마다 그 무게에 짓눌려 숨이 쉬어지지 않았다. 아무것도 모르는 팀원들을 속이면서 일하는 것도, 그들이 실력으로 얻어 낸 자리를 편법으로 꿰찬 것도, 토요일마다 온통 낯설고 무서운 것을 마주하는 것도. 그 모든 것의 이유를 사실은 잘 모르겠는 것도. 나에게는 무거웠다. 힘들고 괴로웠다. 가벼운 척이라도 하려 했지만 나로서는 역부족이었다. 이게 나다운 일이라면, 나다운 성격이라면, 나는 평생 이런 사람일 수밖에 없을 것이다.

팡, 그가 엉덩이를 때렸다. 이번에야말로 아픔은 하나도 없는 타격이었다. 움찔거리는 몸을 그가 난간에 밀어붙이며, 반대편 엉덩이도 가볍게 내리쳤다. 그 위를 달래듯이 커다란 손바닥이 매만졌다. 옷감 너머로도 열기가 스몄다.

"누구한테 무슨 말이라도 들었습니까."

고개를 저었다. 그가 바닥으로 떨어지려는 시선을 집요하게 붙들었다.

"제대로 말해 봐요."

"아닙니다."

"그럼 뭔데. 누구랑 뭔 얘기를 한 겁니까."

"……권 대리님이랑 어제."

"권 대리가 뭐라고 했어요?"

목소리가 확연하게 낮아져 있었다. 당황해서 서둘러 고개를 저었다.

"아니요, 그냥…… 프로젝트 끝나면 밥 사 주시겠다고……."

"……그래서, 그 말을 듣고 지금―"

그가 말을 하다 말았다. 무언가를 참아 내듯이 이 악문 목소리로 말했다.

"엉덩이 들어요. 더 위로."

"……읏."

뒤로 간신히 치켜올린 엉덩이에 연달아 열 대 정도 엄격한 매가 떨어졌다. 이번에는 제법 얼얼하고 묵직한 타격이었다. 소리를 내지 않으려고 이를 악물었다. 맞을 때마다 가슴이 저릿저릿 시리고 그의 셔츠에 기댄 눈가가 시큰거렸다. 맨 엉덩이가 아니라 다행이었다. 아마 바지를 벗겨 보면 양쪽 다 붉게 손자국이 남아 있을 것이다.

"확 엉덩이를 까 놓고 때리고 싶네."

한 팀장이 낮은 목소리로 내뱉었다. 귓가에 닿은 숨이 뜨거웠다.

"누가 괴롭혔다면 내가 해결해 주겠는데, 좋은 얘기를 듣고 와서…… 어쩌라는 겁니까. 기운 없어 보여서 밥을 사다 줬더니 문자로 시비나 걸고."

"⋯⋯죄송합니다."

"뭐가 또 죄송합니까. 가만히 입 좀 다물어요."

쯧, 못마땅하다는 듯이 입술이 가볍게 맞닿았다. 나는 분부대로 입을 다물었다. 바람이 차가운데, 춥지는 않았다. 품 안이 아니었어도, 그가 문지르는 엉덩이에서 피어오르는 열만으로도 몸이 더웠다.

"⋯⋯다⋯⋯ 끝난 거예요?"

바짝 긴장한 채로 있는데 아픈 엉덩이를 어루만지기만 하고 손이 올라가는 기색이 없어, 결국 고개를 들고 조심스럽게 물었다. 한 팀장은 그 말을 듣고 코를 내 뺨에 대고 웃었다.

"더 맞고 싶습니까?"

"아닙니다."

"울지 않아서 아쉽긴 한데."

"⋯⋯저라고 매번 울지는⋯⋯."

마른 눈가가 아쉽다는 듯이 그가 혀를 내어 핥았다. 않습니다, 하려던 나는 말을 뚝 멈췄다. 가슴이 가파르게 뛰었다. 뜨거워진 뺨에 닿는 바람이 찼다. 그러고 보니 여긴 옥상이었다. 등 뒤로는 빌딩숲의 야경이 펼쳐져 있을 것이다.

"여기서 보니까 좋네."

몸을 가까이 당겨 안으며, 귓가의 목소리가 난데없이 말했다.

"그동안 회사에서는 손 안 대려고 노력하고 있었습니다. 공사는 구분하는 게 맞고, 나라고 이서단 씨 일주일을 전부 저당 잡을 권리가 있는 것도 아니니까. 그래도……."

그가 말을 끊었다. 입술이 다시 가볍게 맞물렸다가 떨어져 나갔다. 말랑하고 따뜻했다.

"며칠째 내가 이 옥상에 올라올 때마다 불러내고 싶었는데 참은 건, 알아줬으면 좋겠는데."

"……"

"업무 중에 이서단 씨가 실수를 저지를 때마다 생각했습니다. 여기가 회의실이 아니고 회사가 아니라면 말보다 훨씬 효율적인 방법으로 혼낼 수 있을 텐데."

"팀장님."

얼굴이 붉게 몰린 열기로 화끈거렸다. 그는 내 표정을 보고 입꼬리를 틀어 희미하게 웃었다.

"요즘 내가 다른 생각이 안 납니다. 그런데 이서단 씨는 뭐 그리 어려운 고민들로 머리통이 복잡한지. 나만 단세포 생물이 된 것 같습니다."

눈을 깜박이고 있자 그가 어깨를 가볍게 들썩이면서 나를 놓아주었다.

"뭐, 나쁘진 않지. 들어가서 만두나 먹고, 피곤하면 그만 퇴근해요. 매일 야근하다 보면 몸이 안 남아납니다. 아직 기간 꽤 남았어요."

"……네."

그러고 보니 아직도 손에 묵직한 만두 봉지가 쥐어져 있었다. 그가 코트를 열어 주자 뒤로 물러나려다가 비틀거렸다. 매 맞은 엉덩이가 따끔따끔 뜨거웠다. 입술도 마찬가지였다. 심장이 아직도 빠르게 뛰고 있었다.

난간을 잡고 두어 걸음 더 물러섰다. 추워서 몸이 떨리자 이제야 불빛이 눈에 들어왔다. 차들이 빛무리처럼 신호등에 가지런히 멈춰서 있었다. 그때 그가 말했다.

"이서단 씨 성격, 나는 좋아합니다."

올려다봤다. 그는 찌푸린 것 같은 미묘한 표정이었다.

"매사가 무거운 건 대하는 자세가 진지하기 때문인데, 그건 이서단 씨의 장점이라고 생각합니다. 살기 편하진 않겠지만. 다 좋은데, 가끔 좀 놔 버릴 필요도 있어요. 적당히 괴로워야지, 본인을 아예 갉아먹어서야 쓰겠습니까."

"……."

꿰뚫어본 것처럼 정확한 말이었다. 말문이 턱 막혀 난간을 잡은 손에 힘을 주었다.

"물론 이렇게 말한다고 해결되는 문제가 아니란 것도 알고 있습니다. 그건 냉정하게 말해서 이서단 씨가 알아서 해야 할 부분이고, 힘들어한다 해서 내 쪽에서 거래를 물리거나 봐줄 생각은 없으니, 본인 감정의 수습은 이서단 씨가 알아서 하도록 하세요."

한 팀장은 난간에 몸을 기대면서 담뱃갑을 열었다. 라이터에서 불이 파랗게 피어올랐다.

"그리고 싫어하는 건 잘 알았는데, 식사는 같이 하도록 합시다. 토요일에 호텔가기 전에. 또 왜 그래야 하냐고 물을 겁니까?"

말없이 고개를 가로저었다. 고분고분해진 나를 보고 그가 표정을 조금 풀었다.

"좋아하는 걸 생각해서 내일까지 문자로 보고하세요. 예약해 둘 테니까."

"……저……."

"왜."

"……그러면, 제가 사 드리면 안 되겠습니까?"

초밥을 얻어먹은 이후로 마음에 걸렸던 게 나도 모르게 튀어나왔다. 한 팀장은 돌아서서 불을 붙이다 말고 나를 쳐다봤다.

"호텔비도 늘 팀장님이 내시고, 지난번에 밥도……."

"나 참."

그가 웃었다. 입에 물었던 담배를 빼면서까지 실소했다.

"엉덩이 때리는 남자에게 밥을 사고 싶습니까?"

"……안 때리시면 되잖아요."

들릴락 말락 웅얼거리자, 한 팀장이 눈을 둥글게 휘어 웃었다. 다정해진 표정으로 나를 물끄러미 쳐다봤다. 입 맞출 때 눈을 뜨면 보였던 웃음기가 눈가에 서려 있었다. 그걸 보니 갑자기 가슴이 뜨끈해졌다. 따뜻한 것이 다가와 말랑말랑 맞닿은 것처럼. 당황해서 가슴을 꾹 눌러 봤지만, 셔츠 위에는 아무것도 없었다.

담뱃재를 툭 턴 그가 웃음을 갈무리하고 말했다.

"그럼 그렇게 하든지. 메뉴는 내일까지 내가 문자로 알려 주겠습니다. 맛있는 데로 찾아서 예약해 놔요."

"네."

볼일이 끝난 듯이 그가 몸을 돌렸다. 내가 서 있는 반대편으로 담배연기가 희뿌옇게 허공에 맺혔다.

코트 입은 뒷모습을 잠시 가만히 서서 지켜보고 있었다. 불어오는 찬바람에 가슴이 먹먹하게 차올랐다. 이상했다. 혼날 각오로 올라온 곳에서, 뜻하게 않게 위로를 받은 기분이었다.

고민 끝에 정한 곳은 회사 근처에서 내가 거의 유일하게 가 본 식당이었다. 그가 보낸 문자는 메뉴가 아닌 수수께끼였기 때문이다. 딱 보기에도 장문이어서 누를 때도 멈칫했는데, 열어 보니 더 심했다.

[식당 조명은 너무 밝지도 않고 어둡지도 않은 곳. 무엇보다 시끄럽지 않을 것. 메뉴는 영양소가 골고루 들어가고, 너무 달지도 않고 짜지도 않고 기름지지도 않은 것으로. 그리고 마주 앉을 수 있는 자리로 예약해 둬요.]

감이 잡히지 않아, 고민 끝에 회사 근처 맛있는 곳을 많이 안다고 말했던 권 대리에게 메신저로 도움을 요청해야만 했다. 한 팀장이 보낸 문자를 차곡차곡 다시 받아 적어서 엔터를 치고 1번부터 5번까지 번호를 달아 정리해 보냈다. 1. 조명 (너무 밝지도 어둡지도 않을 것), 2. 소음 (없을 것), 3. 영양……

[⋯⋯데이트?]라고 답장한 권 대리는 곧 회사 근처 레스토랑의 링크를 빼곡하게 보내 주었다. 문제는 전부 남자 둘이서 마주 앉아 먹기에는 적합하지 않은 분위기였다는 것이다. 클래식 음악이 나올 것 같은 우아한 내부 사진을 막막하게 보다가 결국 열려 있던 인터넷 탭을 전부 닫았다. 그렇다고 권 대리에게 한 팀장과 함께 밥을 먹을 거라고 말할 수도 없는 노릇이었다.

결국 정한 곳은 회사 근처의 채식 뷔페였다. 가 본 것은 입사 초였으니 1년 전의 일이다. 회사 앞까지 일부러 찾아온 여동생에게 고기를 사 주려고 했는데, 막상 말을 꺼내니 다이어트를 한다며 채식 중이라고 했다. 그 말을 듣고 급하게 주변을 검색해 나오는 대로 들어갔었는데, 나쁘지 않았던 기억이 있었다. 대충 떠올려 보기로는 한 팀장이 적어 놓은 조건을 전부 만족시키는 것 같았다.

그래서 지웠다 쓰는 걸 반복하며 고심해서 한 팀장에게 문자를 보냈다. [과일이나 채소 같은 건 좋아하시나요?]라는 문자에 그는 10초도 안 돼서 답장을 보냈다.

[대충 골라요. 아무거나 상관없습니다.]라고 쓰여 있었다. 이제 와서.

"⋯⋯아."

그의 차에 타서 나도 모르게 중얼거렸다. 담배를 비벼 끈 한 팀장이 시선을 힐끗 주었다.

"왜."

"네?"

"무슨 생각했습니까."

부드럽게 시동이 걸렸다. 나는 오른손으로 안전벨트를 잡아 끌어왔다. 히터 바람에 섞인 방향제의 향이 익숙했다.

"이상해서요."

"뭐가."

"밖에서 먹는 게요."

"먹었잖아, 호텔에서 나랑. 그건 안 칩니까?"

"그러니까…… 그러고 나서 처음이에요."

왜 회사 밥이나 편의점 샌드위치가 아닌 것을 먹을 때마다 한 팀장이 옆에 있는지 모르겠다고 생각했다. 그 말을 그에게 하고 싶지는 않았다. 주차장을 빠져나가자 벌써 어둑어둑하게 해가 지고 있었다. 한 팀장은 한 손으로 핸들을 잡고 주차장 입구에서 대충 차를 멈췄다. 기어를 바꾸고 나를 돌아봤다.

"주소 찍으세요."

"아."

차량 내비게이션을 받아들었다. 꾹꾹 식당 이름을 눌렀는데 아무것도 뜨지 않았다. 다시 백스페이스를 꾹꾹 눌러서 외워 둔 주소를 한 자씩 치기 시작했다. 기어를 바꾼 한 팀장이 어깨 너머로 머리를 기울였다. 턱이 어깨에 닿을 것처럼 가까운 거리였다.

"가까운 데 있습니까?"

"네, 차로는 오 분도 안 걸릴 거예요. 걸어갈 수 있는 거리라……"

"더 먼 데로 가도 되는데."

길 안내를 시작한 기계를 다시 제자리에 돌려놓는데, 그가 차를 출발시키지 않고 다시 물었다.

"달리 먹고 싶은 건 없어요?"

"……네?"

"더 멀리 가고 싶으면 그래도 상관없습니다."

"아니요, 굳이…… 어차피 밥 먹고 호텔로 가야 하는데, 호텔이 회사에서 멀지 않으니까……."

내게서 시선을 거두고 기어를 바꾸며 한 팀장이 건조하게 대답했다.

"그래요, 그럼. 이서단 씨 마음대로 해요."

그 말의 울림이 우스웠다. 창밖을 내다보며 나는 생각했다. 이제껏 그를 토요일에 만나면서 내 마음대로 할 수 있던 것이 한 가지라도 있긴 했을까.

"약국은 안 들러도 되겠습니까?"

"네?"

백미러를 보니 그의 눈이 나를 향해 있었다.

"아…… 괜찮습니다. 가방에……. 호텔 도착해서, 잠시만 시간을 주시면……."

"색다른 구경거리가 되겠네요."

차가 매끄럽게 신호등에서 섰다. 나는 말을 이해하자마자 몸이 벌벌 떨려 그의 쪽을 쳐다볼 수도 없었다. 불이 초록색으로 변할 때까지 얇은 실을 양 끝에서 잡아당기는 듯한 팽팽한 침묵이 자리 잡았다. 내비게이션의 여자 목소리가 낭랑하고 크게 울렸다. 삼백 미터 앞 우회전…… 다시 액셀을 밟으며 한 팀장이 무심하게 말했다.

"농담입니다."

"……팀장님……."

"오늘은 넘어가죠."

다시 말해 오늘이 아니면 넘어가지 않을 수도 있다는 뜻이었다. 급하게 들이쉰 숨이 자꾸 목에서 걸렸다. 토요일에 출근한 것이 문제였다. 차라리 호텔방에서라면 그의 말을 무디게 받아들일 수 있었을 텐데, 하루 종일 상사인 그에게 익숙해지니 전환이 어려웠다.

창문을 하염없이 내다보는 나를 내버려 두고 한 팀장은 차량 내비게이션이 지도하는 대로 오차 없이 차를 몰았다. 언제나처럼 깔끔한 운전이었다. 어느새 차가 기억하는 골목으로 들어서고 있었다. 길 안내를 종료합니다, 라고 내비게이션이 밝게 말했다. 한 팀장은 비어 있는 자리에 매끄럽게 주차하고 시동을 껐다.

"저……."

내리려는데 차 문이 아직 잠겨 있었다. 달칵, 손잡이가 걸리자 다시 옆을 쳐다봤다. 한 팀장은 핸들에 상체를 기대고 있었다.

"문이 안 열리는데요."

"압니다."

"……하지 마세요."

덜컥 겁이 나서 나도 모르게 말했다. 어느새 다양한 무표정을 구분할 수 있게 되었는지, 예감 같은 게 강하게 들어서였다.

한 팀장은 눈썹을 느릿하게 들어 올렸다. 차 안을 휘감던 공기가 조금 느슨해졌다.

"왜 겁은 먹었어요."

"……지금, 화나셨어요?"

그의 눈가에 웃음기가 서렸다.

"내가? 이서단 씨한테?"

"제가 벌써 뭔가 잘못한 게 아니면……."

나는 기억을 더듬었지만 아무것도 생각나지 않았다. 아무리 그가 꼬투리 잡는 일에 능하다고 해도 무에서 유를 창조할 수는 없는 일이었다.

"제가 잘못한 게 없으면, 밥 먹은 다음에…… 하시면 안 될까요?"

차 문을 걸어 잠근 이유가 무엇이든, 지금은 알고 싶지 않았다. 아침에 관장약을 가방 맨 밑으로 꾹꾹 눌러 넣으면서도 생각했다. 밥까지 만은 편하게 먹을 수 있으면 좋을 텐데. 천장이 높던 호텔 꼭대기 층의 일식집처럼, 마주 앉게 되는 것이 그때의 한 팀장이면 좋을 텐데.

운전석의 남자는 얼굴에서 느리게 미소를 지웠다. 무표정해진 얼굴로 물끄러미 시선을 맞대 왔다. 나는 고개를 숙이지 않았다.

"이서단 씨 표정이 지금 어떤지 압니까?"

미묘한 목소리였다. 언젠가의 메아리보다 훨씬 나직했고 느릿했다.

"사냥을 여러 번 당한 초식동물 같네요. 귀 쫑긋 세우고 목 길게 빼고."

"……."

"발 구르면 당장이라도 내뺄 준비가 되어 있는."

뺨에 가볍게 손바닥이 닿았다. 쓰다듬는 것처럼 닿을 듯 말 듯 쓸어내렸다. 나는 뻣뻣하게 굳어 있는 상태에서 눈만 굴려 그의 가지런한 손가락을 포착했다.

"심술 한번 부려 보려는데 이런 식으로 선수 치면 재미가 없지."

"……."

"별거 아니에요. 이걸 보여 주려고 한 겁니다."

툭, 그의 주머니에서 뭔가 나왔다. 얇은 고무로 된 끈 같은 것이었다. 색깔이 분홍색이라 아이들 장난감 같았다. 이어서 뿅, 하고 끈 끝에 딸려 나온 것은 작은 달걀 모양의 구였다. 한 팀장은 그것을 손바닥에 올려 내게로 내밀었다. 시선이 주의 깊게 내 얼굴에 달라붙었다.

"모릅니까, 뭔지?"

"……네."

"로터."

그가 짧게 발음하면서 내게로 물건을 넘겨주었다. 매끄러운 분홍색 장난감이 손바닥 위로 데굴데굴 굴러다녔다. 자세히 보니 크기는 엄지손가락 정도에, 양 끝이 조금 뾰족해 럭비공 같았다. 집게 이래로 감이 조금 좋아진 나는 이것 또한 비슷한 용도의 물건이겠거니 하고 짐작했다. 용도를 떠올려 보려고 이리저리 머릿속에서 여기 저기 갖다 대어 보는데, 그가 여상하게 덧붙였다.

"뒤에 넣을 겁니다."

"뒤……요?"

"이걸 누르면 진동합니다."

부르르, 손 안의 구가 날뛰기 시작했다. 나는 다문 입으로 비명을 터뜨리며 로터를 떨어뜨렸다. 하필이면 허벅지 위로 떨어졌다. 빠르게 진동하는 것이 닿자 나는 숨을 완전히 멈추면서 몸을 차 문 쪽으로 웅크렸다. 반동으로 휙 날아간 로터가 차 바닥에서 혼자 꿈틀거렸다.

한 팀장은 전부 지켜보고 있다가 재미있는 구경거리를 발견한 것처럼 조금 웃었다. 입꼬리가 미묘한 호선을 그렸다.

"오늘도 고생 좀 하겠는데."

"팀장님—"

"뒤로 내 손가락도 받았잖아. 그것보다 조금 두꺼운 정도인데 뭐가 걱정입니까."

웅웅거리는 진동소리가 바닥에서 들려왔다. 나는 숨을 들이쉬고 그대로 멈췄다. 눈앞이 깜깜하고 가슴이 답답했다. 순간 차 안이 어두워진 게 아닌가 생각했을 정도였다. 떨리는 손을 어떻게든 허벅지 밑으로 깔고 심호흡했다.

"무서워요?"

한 팀장이 끈을 잡아당겨 로터를 다시 끌어왔다. 얌전해진 게 그의 손바닥 위에 앉았다. 나는 쳐다보고 싶지 않아 시선을 무조건 아래로 내렸다.

그걸 허락할 리 없는 한 팀장은 손을 뻗어 내 손목을 끌어왔다.

"……아."

"만지세요."

손이 미지근한 플라스틱에 닿았다. 장난감이라고 생각했을 때는 무리 없이 만졌는데, 이제 닿는 것만으로도 소름이 끼쳤다. 움츠린 손을 억지로 펴게 해서 그가 내 손바닥에 로터를 쥐여 주었다. 매끈하고 단단한 감촉에 속이 뒤집힐 듯 울렁거렸다.

한 팀장은 내 얼굴을 가만히 들여다보고 있었다. 손으로 내 손을 쥐어 로터를 놓지 못하게 하고, 끈과 그 끝에 매달린 스위치까지 들어 내 손에 친절히 얹어 주었다.

"밥 먹는 동안 가지고 있어요."

"왜……."

"친해지면 좀 편해지지 않겠습니까."

농담이 분명한 건조한 말에도 웃지 못하고 입술을 꽉 악물었다. 한 팀장이 한숨을 쉬었다.

"그렇게 무서워할 만한 물건은 아닙니다. 십 인치짜리 가시 달린 덜두도 존재하는 판에. 저걸 넣는다고 죽진 않아요."

"……그래도."

한 팀장은 내 턱 밑에 손끝을 넣어 시선을 들게 했다. 손에 들린 스위치를 얼굴 앞으로 들게 하고 설명했다.

"여기를 밀어 올리면 진동 기능이 작동하게 되어 있습니다. 강도는 삼 단계까지 있는데, 스위치를 올려서 조절합니다. 헤어드라이어처럼. 헤어드라이어도 모릅니까, 설마?"

"……머리 말리는 기계요."

"이서단 씨 상식 수준을 믿을 수가 있어야지."

그가 스위치를 만지지는 않고 손가락을 그 위로 띄웠다. 아이에게 하듯이 차근차근 단계를 밟는 설명이었다.

"해 보세요. 켜 보고, 단계 하나씩 올려 봐요."

"그걸 지금—"

"아까부터 토를 너무 다는 게 아닌가 싶은데."

표정은 변함없는데 목소리가 한 톤 낮아져 있었다. 나는 입을 다물고 땀이 찬 손바닥으로 스위치를 고쳐 잡았다. 버튼 부분을 밀어 올리자 부르르, 손 안의 로터가 약하게 떨리기 시작했다. 나는 쥐꼬리를 잡듯이 끈을 쥐고 허공에 대롱대롱 매달리게 한 채로 진동하는 것을 응시했다. 한 팀장은 별말 없이 내가 하는 대로 내버려 두었다.

지잉지잉 떨리는 모양새에 익숙해질 때쯤 검지를 조심스레 뻗어 스치듯이 만져 보았다. 손끝에 닿은 것이 핸드폰처럼 진동했다. 진동 강도는 핸드폰보다 조금 약했다. 나는 스위치를 잡아 단계를 하나 더 올렸다. 웅웅거리는 소리가 커졌다. 슬쩍 눈을 들어 한 팀장을 한 번 보고, 어쩔 수 없이 손바닥으로 조금씩 구체를 만져 보았다. 피부 위로 진동이 부들부들 전달되었다. 살아 있는 것을 쥔 기분이었다.

"남았잖아."

편안하게 앉아 지켜보던 한 팀장이 나른하게 풀어진 얼굴로 지적했다. 나는 참았던 숨을 한 번에 내쉬었다. 로터에서 손을 떼고 마지막 단계까지 스위치를 올렸다.

스위치가 이동하는 동안 잠시 잠잠하던 로터가 거세게 진동하기 시작했다. 허공에서 춤추듯이 날뛰었다. 나는 뚝, 전원을 다급하게 내려 버렸다. 가슴이 너무 빠르게 뛰어서 옆을 쳐다볼 수 없었다.

"주머니에 넣으세요."

이윽고 한 팀장이 말했다. 찰칵, 잠겨 있던 차 문이 풀렸다.

"잃어버리면 곤란하니 잘 간수하도록 하고."

"……."

"내립시다. 밥 먹어야지."

그새 힘이 쭉 빠진 몸은 차에서 내리다가 발을 헛디뎌 넘어질 뻔했다. 한 팀장은 앞서 걸어가며, 내가 먼저 들어갈 수 있도록 친절하게 식당 문을 잡아 주었다.

식당 안에는 어제 퇴근하기 전에 와서 창문 너머로 봤던 것보다 사람이 훨씬 많았다. 뷔페 앞에는 줄이 길게 늘어서 있었고, 한적하고 조용해 보였던 분위기도 대화 소리로 시끌벅적했다. 그리고 보니 오늘은 토요일이었다. 예약이 안 된다는 말에 상관없을 거라 생각했는데, 주말에 이렇게 채식을 하고 싶어 하는 사람이 많을 줄 누가 알았을까.

카운터 뒤의 바빠 보이는 남자는 우리 쪽을 쳐다보지도 않고 "십분 정도 기다리셔야 해요!"라고 외쳤다. 대기석으로 보이는 문 옆 의자에는 벌써 사람들이 다닥다닥 앉아 있었다.

지나가는 사람에 밀려 내 어깨가 한 팀장의 팔에 부딪쳤다. 나는 차마 그를 제대로 쳐다보지 못하고 단정한 귀 즈음을 올려다보며 물었다.

"괜찮으세요?"

"안 괜찮을 것도 없죠."

한 팀장은 실에 매달린 모나미 펜을 들어 대기자 명단 위로 몸을 굽혔다. 그가 펜을 놓았을 때는 하얀 종이 위 네모난 글씨가 새겨져 있었다. [이 서 단] 그의 이름이 아닌 내 이름이었다.

간결한 획으로 그려진 글자에서 왜인지 시선이 잘 떨어지지 않았다. 어렸을 때부터 수많은 사람에게 불렸고, 늘 달고 다니는 사원증에도 쓰여 있는 내 이름이었는데, 그의 글씨로 보니 다른 사람의 것처럼 낯설었다.

"앉으세요."

늘어선 대기석 중 마침 하나가 비었다. 한 팀장의 손짓에 나는 문쪽으로 물러나며 고개를 흔들었다.

"팀장님 앉으세요. 저는……."

"이서단 씨."

나를 돌아보는 얼굴에서 미미한 짜증이 묻어났다.

"나는 세 번 묻고 두 번 사양해야 비로소 일이 진행되는 소모적인 대화법을 정말 싫어합니다."

"……팀장님이 저보다 피곤하실 것 같아서요."

앉으면서 작게 말했다. 양옆에는 손을 잡거나 몸을 붙여 앉은 남녀가 있었고, 눈앞에는 한 팀장이 서 있었다. 식사를 마치고 나가던 여자 셋이 그의 얼굴을 힐끗 쳐다보고 지나갔다. 편안하고 요란한 사복 차림의 사람들 틈에 섞인 각 잡힌 정장 차림이 오려 낸 그림처럼 이질적이었다. 장신의 키 때문에 더 그랬을 것이다.

"코트 주세요."

지하철이라도 탄 것 같은 느낌이 들어 그를 올려다보며 말했다. 한 팀장은 별말 없이 팔에 걸쳤던 코트를 내게 건넸다. 나는 묵직한 것을 잘 접어 무릎 위에 올려두고 떨어지지 않도록 한 팔로 안았다. 겨울의 매캐하고 서늘한 냄새에 그의 향수나 체취가 섞여 있었다.

유리문 너머를 향해 있던 한 팀장의 시선이 내게로 돌아왔다. 물끄러미 내 얼굴을 내려다보더니 물었다.

"고기는 안 좋아합니까?"

"아니요, 그렇지는……."

"무슨 고기 좋아해요, 그럼?"

카운터에서 누군가의 이름을 소리쳐서 불렀다. 옆자리의 남녀가 화들짝 일어나고, 빈 의자에 한 팀장이 걸터앉았다. 허벅지가 닿을 것 같은 가까운 거리였다.

방패라도 된 것처럼 그의 코트를 쥐고 앞을 보며 대답했다.

"특이한 부위 빼고는 다 괜찮아요. 닭똥집이나 곱창 같은 건 잘……."

갑자기 김 주임이 그를 곱창에 비유했던 것이 생각났다.

"싫어하는 게 아니라 좋아하는 것을 물었는데."

"……닭고기 좋아하는 것 같아요. 소고기나 돼지고기도 괜찮고……."

옆에 앉은 사람이 이쪽을 노골적으로 쳐다보고 있었다. 채식 뷔페에 와서 고기 이야기를 늘어놓고 있는 사람에 대한 불쾌감이 한껏 서린 표정이었다.

애써 화제를 바꾸지 않아도 돼서 다행이었다. 마침 그때 카운터 뒤의 남자가 내 이름을 불렀다. 한 팀장은 손을 뻗어 내게서 코트를 받아 가며 먼저 일어섰다.

안내된 자리는 뷔페 테이블에서 먼 구석에 있었지만, 주변이 그나마 한적했다. 벽을 등진 자리에 나를 앉힌 한 팀장이 코트를 의자에 걸며 말했다.

"먼저 가서 음식 담아 오세요."

"아……."

팀장님이 먼저, 라고 말하려던 나는 아까의 대화를 기억하고 말을 삼키며 재깍 일어났다.

한 번 와 본 식당이었는데 막상 줄을 서서 음식 앞에 도착하자 하나도 기억나는 것이 없었다. 샐러드 종류가 이렇게 많다니 신기했다. 심지어 닭강정 모양으로 만들어 놓은 두부 요리도 있었다. 모르는 사람한테 보여 주면 누구든 닭강정이라고 말할 정도로 그럴싸했다.

음식을 담아 두 손으로 이것저것 받쳐 들고 테이블로 돌아가자 한 팀장이 대번에 미간을 찌푸렸다.

"그건 뭔데 두 그릇씩 갖고 왔어요?"

"네? 아…… 이거 다른 거예요. 하나는 단호박죽이고 하나는 짠 호박죽…….''

"접시는 또 그게 뭐야. 풀 쪼가리 몇 개에 강정에…….''

그가 말을 하다 말았다.

"먹고 있어요, 다녀올 테니까."

"네."

나는 멀어지는 그의 뒷모습을 멍하니 지켜보다가 허벅지 밑에 손을 깔고 얌전히 앉아 있었다. 앉아 있으니 배길 정도로 옆주머니가 불룩했다. 혹시라도 끈이 빠져나오지는 않았을까 싶어 슬쩍 아래를 보니 바지 위로 둥글게 솟은 로터의 형상이 선명했다.

배 속에 불안이 단단히 뙈리를 틀었다. 애써 시선을 떼고 주변을 둘러보니 보이는 사람마다 즐겁게 젓가락을 놀리거나 대화하고 있었다. 저들 중 그 누구도 나와 비슷한 걱정을 하고 있는 사람은 없을 것이다. 그렇게 생각하니 일상적인 풍경에서 나만 유리되어 있는 것 같은 느낌이 들었다.

오래 지나지 않아 한 팀장은 큰 접시를 두 개 들고 돌아왔다. 그래도 그의 입에 맞는 음식이 있는 것 같아 다행이라고 생각하는데, 자리에 앉으며 그가 내 앞으로 접시 하나를 내려놓았다.

"먹어요. 남겨도 되니까."

"제가 나중에 가져와도 되는데…….."

씨알도 안 먹힐 소리였다. 한 팀장은 아직 그대로인 내 접시를 보더니 미간을 좁혔다.

"먼저 먹고 있으랬더니."

"그래도 오시면 먹는 게 나을 것 같아서요."

"이서단 씨는 요즘 내가 많이 편해졌나 봐요. 말을 해도 안 듣고."

그 말에 주머니 속의 로터가 제멋대로 뜨거워지는 것 같았다. 나는 시선을 내리며 숟가락을 집어 들었다. 호박죽 두 개 중 어떤 게 어떤 것인지 기억이 나지 않았다. 아무거나 떠먹어 봤더니 짠맛이었다.

한 팀장이 담아 와 준 접시에는 다양한 음식이 좁쌀만큼 조금씩 정갈하게 담겨 있었다. 나물 세 가닥, 동그랑땡 하나, 파인애플 한 조각. 물을 마셔 가며 한 움큼씩 먹어 없애다가 시선을 드니 한 팀장은 소매를 걷어 올린 채로 접시 위의 콩을 찍어 먹고 있었다. 포크질이 정갈했다.

"먹을 만합니까?"

밥을 사는 건 내 쪽인데, 눈이 마주치자 그가 물었다. 나는 고개를 끄덕였다. 한 팀장은 물주전자를 들어 거의 비어 있던 내 물잔을 채워 주었다.

"······감사합니다."

"그러고 보니 이서단 씨가 내 과 후배라고 박 대리가 그러던데."

"아······ 네."

"학교는 언제 마지막으로 가 봤습니까?"

나는 마시려던 물을 내려놓았다. 그는 오늘은 침묵 속에 밥을 먹을 생각은 없는 모양이었다. 일 얘기를 할 게 아니라면 학교 외에는 달리 접점이 없는 것도 사실이었다.

"졸업한 이후로는 안 갔으니까······ 꽤 됐습니다. 팀장님은 언제······."

"작년 동아리 종강회 때 마지막으로 갔던 것 같네요."

박 대리면 몰라도, 한 팀장과는 어울리지 않는 자리 같았다. 그렇다고 그 말을 할 생각은 아니었는데, 마음을 읽기라도 했는지 그가 덧붙였다.

"매년 가는 건 아니고, 작년에는 부탁을 받아서. 가 보니까 건물도 새로 짓고 많이 바뀌었던데. 그래 봤자 이서단 씨는 졸업한 지 얼마 안 됐으니 나보다는 잘 알겠네요."

"······네."

"기숙사 건물도 신축한다던데, 가 보지는 않았네요. 이서단 씨는 기숙사 생활해 봤습니까?"

"해 보고 싶긴 했는데······ 결국 기회가 안 됐어요. 팀장님은요?"

"나도 못 했습니다. 해 보고 싶은 적도 없었지만."

의미 없는 대화가 오가고 있으니 정말로 신입 팀원이자 학교 후배에게 밥을 사 주는 상사를 앞에 둔 느낌이었다. 한 팀장은 접시 밖으로 굴러간 콩을 냅킨에 싸서 옆으로 두며 계속 물어 왔다.

"지금 사는 집에서 학교 다닌 건 아닐 테고. 통학하다 나온 겁니까?"

"네? 아니요, 학교 근처 고시원에서 살다가, 거기서 회사까지 너무 멀어서…… 반년 전쯤에 옮겼습니다."

날아오는 질문이 다 쉬워서 다행이었다. 한 팀장이 가져다준 내 접시에도 콩이 몇 개 있었다. 찍어 먹어 보니 아무 맛도 나지 않았다.

"지금 집도 회사에서 가까운 편은 아니던데."

"네…… 회사 근처는 다 비싸서요. 지하철 타면 얼마 안 걸리니까."

"집에서 역까지는 버스 타고 나옵니까?"

"아니요, 걸어갈 수 있는 거리예요. 버스도 있긴 한데 좀 돌아가서……. 빨리 걸으면 이십 분 정도 걸립니다."

그 말에 한 팀장은 대꾸할 필요성을 못 느끼는지 고개만 끄덕였다. 막상 조용해지니 침묵이 커다랗게 입을 벌렸다. 나는 먹던 것을 삼키고 급하게 입을 열었다.

"좁은 데서 너무 오래 살다 보니까 옮길 때는 넓은 데 살고 싶어서요. 지금 사는 집은 그래도 잠자는 공간은 따로 나뉘어 있고, 욕실도 딸려 있고……. 회사랑 가깝지는 않지만, 회사를 언제까지 다닐지도 모르는 일이니까……."

그렇게 줄줄이 말해 놓고 보니 맞은편에 있는 사람이 직속 상사였다. 심지어 TF를 떠나서 서류상으로 나는 그가 이끄는 팀의 팀원이었다.

한 팀장은 내 갑작스러운 침묵을 아랑곳하지 않고 접시를 깨끗하게 비워 내고 있었다. 식기를 움직이는 손은 정갈한데 음식이 사라지는 속도는 빨랐다. 나는 지켜보다가 대화를 답습하듯이 물었다.

"팀장님은 회사 근처에 사세요?"

"네."

눈을 힐끗 든 그가 또 내 물컵을 채워 주었다.

"회사에 뼈를 묻을 생각은 아니지만, 어쩌다 보니 그렇게 됐습니다."

"차가 있으시니까…… 역 근처가 아니어도 상관없으셨겠네요."

"역에서 멀진 않습니다. 이서단 씨는 내 집에 관심이 많나 보네요."

놀라서 눈을 들었다가 시선이 마주쳤다. 표정을 봐서는 알 수 없지만 농담이었을 것이다. 부정하는 것도 이상해서 접시로 눈을 내렸다.

접시를 비운 한 팀장은 일어났다. 그가 없는 사이 종업원이 빈 접시를 가져가며 아직 반이나 남아 있는 내 호박죽 그릇을 흘긋거렸다. 나는 맞은편의 의자가 비어 있자 식욕이 조금 돌아와 음식을 열심히 씹어 삼켰다. 볼 가득 강정을 넣고 우물거리고 있는데, 접시를 들고 돌아온 한 팀장이 자리에 앉으며 대뜸 물었다.

"왜 좁은 데서 오래 살았습니까?"

"……네?"

내가 입안에 든 것을 서둘러 삼키는 동안 그가 질문을 한 개 더 얹었다.

"독립은 언제 했길래?"

큰 덩어리가 목에 걸릴 뻔했다. 사레가 들려 얼굴이 붉게 물드는 것을 느낄 수 있었다. 콜록거리며 물을 연거푸 마시고 진정한 후 겨우 입을 열었다. 목소리가 잠겨 나왔다.

"고등학교 2학년 때, 독립했습니다. 전학 가면서……."

"대학 근처의 고시원으로?"

"아니요, 그때는 새 고등학교 근처의 하숙 시설 같은…… 그런 데가 있었는데, 좀 작고 1층에 내려가면 밥도 제공되는……. 맨 위층에는 도서실도 있었어요. 방에서 공부 안 되면 거기 올라가서 공부하고……."

이런 이야기를 왜 그에게 하고 있는지 모를 일이었다. 떠들기 시작한 입을 스스로 다물었다. 한 팀장은 정작 답이 궁금한 건 아니었는지 듣는 둥 마는 둥 밥을 먹고 있었다.

나는 접시로 시선을 내렸다. 체할 것처럼 이따금씩 가슴이 답답해졌지만 물을 마셔 가며 접시를 비워 나갔다. 몇 번 올려다볼 때마다 한 팀장은 먹는 일에 집중하고 있었고, 더 이상 내게 말을 걸지 않았다. 분위기를 완화시키기 위한 노력도 그만하면 충분했다고 느끼는 모양이었다.

한 팀장은 로비에서 기다리던 나에게 카드키를 건네주고 "삼십 분."이라고 끊어 말했다. 그 덕분에 나는 유난히 이동이 느린 것 같은 엘리베이터 안에서도 안절부절못했고, 복도를 반쯤 뛰다시피 걸어가 방문을 열었다. 그가 없는 호텔방에 혼자만 들어가는 것은 처음이었다.

사실 걱정할 필요는 없었을 것이다. 수건을 둘둘 두르고 젖은 머리로 급하게 욕실 문을 열었을 때도 여전히 호텔방은 비어 있었다. 나는 한숨 돌리며 침대 위로 주저앉았다. 앞머리에 매달린 물방울이 커버 위로 뚝뚝 떨어졌다.

탈력감에 힘이 빠진 팔을 길게 뻗어 침대 위로 버려 두었던 핸드폰을 집어 들었다. 반쯤 누운 상태로 화면 전원을 눌렀다. 아직 충분해 보이는 시간 아래 문자가 들어와 있었다. 한 팀장의 이름이었다.

[오 분 더 주겠습니다.]

[로터 비눗물로 세척해 놓으세요.]

나는 머리를 침대 위로 기대며 웅크렸다. 저절로 앓는 소리가 나왔다. 심장이 가슴을 벗어날 듯이 제멋대로 팔딱거렸다.

노크를 하는 입장이 아닌 듣는 입장이 되는 것은 이상한 일이었다. 바짝 긴장한 상태로 침대에 앉아 있다가, 정작 문 앞까지 가서 걸음이 느려졌다. 주저하다가 소리 높여 물었다.

"누구세요?"

문밖에서는 아무 소리가 들리지 않았다. 그 대신 손에 들고 있던 핸드폰이 미약하게 진동했다. 전화였다.

―누굴 것 같아요.

들려오는 목소리가 낮고 나른했다. 나는 귀에서 잠시 핸드폰을 떼고 가슴께로 흘러내리는 수건을 바로잡았다.

"지금 문 열어 드릴게요."

―로터는. 닦았어요?

"……네."

―닦아서 어디다 뒀어요.

문손잡이를 잡고 있는데 문 너머에 서 있을 남자에게서 자꾸만 질문이 날아왔다. 나는 반사적으로 침대 쪽을 돌아보고 숨을 골 랐다.

"침대 옆 서랍장 위에……."

―리모컨 있는 부분은 물에 넣으면 안 되는데, 말해 주는 걸 잊었네요.

"아…… 그 부분은 안 닦았어요."

―머리 쓸 줄 모르네요, 이서단 씨.

내가 그 말에 반응하기도 전에 그가 이어 말했다. 귓가를 파고들어 쓰다듬는 듯한 목소리였다.

―문 열면 키스해 줄 거니까 입술 벌리고 있어요.

"……."

324

-대답해야지.

"……네."

전화가 끊겼다. 열이 더운 물처럼 목과 뺨까지 스몄다. 나는 뛰는 심장을 가누지도 못하고 미세하게 떨리는 손으로 손잡이를 돌렸다.

작은 틈새가 생기자마자 그 사이로 거침없이 단단한 손이 파고 들어 왔다. 손톱이 깔끔하게 정리된 긴 손가락이 눈이라도 달린 것 처럼 내 손목을 찾아내 거머쥐었다. 묻어온 찬바람으로 코끝이 시 렸다.

벌어진 문틈으로 한 팀장의 얼굴이 보이자 나는 시선을 떨어뜨렸 다. 손목을 잡은 채로 그는 문의 나머지를 열고, 안으로 들어오며 다 시 닫았다. 나는 눈을 그의 타이의 무늬에 처박은 채로, 정말 혼나지 않을 정도로만 작게 입술의 틈새를 벌렸다.

찬찬히 내 얼굴을 훑는 시선이 느껴졌다. 시간이 모래시계의 모 래가 엉겨 붙은 듯이 느리게 흘렀다.

뺨을 어루만진 손이 지그시 누르듯 입술 끝을 매만졌다. 틈새를 벌리듯 손끝이 파고들었다. 손톱의 날이 치아에 닿았다. 탁 부딪치 는 소리가 났다.

나는 긴장을 견딜 수 없어 숨을 쉬려고 반사적으로 입을 벌렸다.

그리고 손목을 잡아당긴 그가 나를 벽으로 밀었다. 등이 부딪치 고, 입술 사이로 뜨겁고 말캉한 것이 얽혔다.

집어 삼켜지는 것 같은 입맞춤이었다. 저항 없는 입안을 점령한 혀는 다그치듯이 여러 번 안을 아프게 휘젓고서야 부드러워졌다.

입천장이 혀끝으로 가볍게 핥아지자 배 속이 제멋대로 떨렸다. 뜨거운 손이 귀의 둥근 나선을 덧그리듯 쓰다듬었다. 허리를 감은 팔이 수건 사이의 틈을 찾아내 옆구리를 건드렸다. 몸이 튀어 올랐다.

입술이 떨어지고, 한 팀장은 턱 끝에 가볍게 입술을 붙였다가 떼어냈다. 촉, 하고 건조한 소리가 났다.

"씻고 나올 테니까, 졸지 말고 기다리세요."

"……네."

맞닿은 점막의 열기와는 상반되는 깔끔한 목소리였다.

욕실에서는 떨어지는 물소리가 희미하게 울렸다. 나는 소리가 끊길 때마다 바짝 몸을 긴장시켰다가, 다시 샤워기가 틀어지면 스르르 몸에 힘을 풀었다. 이불 밑에 들어가 있다가 영 안심이 되지 않아 다시 시트 위로 올라왔다. 몸에 감은 젖은 수건이 축축했다.

마침내 손잡이가 돌아가는 소리가 들렸다. 욕실 문을 열고 나온 한 팀장은 머리에서 떨어지는 물을 닦으며 침대 위를 힐끗 쳐다봤다.

"무릎은 왜 꿇었어요. 습관 됐습니까?"

"……아."

나도 모르게 가지런히 접혀 있던 다리를 다시 폈다. 허벅지까지밖에 수건이 덮어지지 않았다. 한 팀장은 욕실에 놓여 있던 남색 로브 차림이었다. 끈을 묶은 매듭이 정갈해서 전통복 같았지만, 가파른 V 사이로 맨 가슴팍이 드러나 있었다.

그가 침대 가장자리에 걸터앉으며 말했다.

"매주 같은 데서 같은 짓을 하는데, 매주 똑같이 무서워하는 것도 재능이라면 재능이네요."

"⋯⋯."

"이제 적응할 때도 됐지 않나 싶은데."

그가 머리를 말리던 수건을 접어 내려놓았다. 젖은 머리가 가닥가닥 눈썹 위까지 내려와 있었다. 나는 긴장으로 머리가 새하얀 와중에도 그 말이 억울해졌다.

"제가 적응할 만하면⋯⋯."

"그래서, 내 잘못이다?"

단단한 팔이 불쑥 내 쪽으로 뻗어 왔다.

"이리 와서 빨아요, 그럼. 그건 적응할 때도 됐잖아."

"아⋯⋯."

얌전히 붙잡혀 그의 다리 사이로 끌려 들어갔다. 그는 로브 밑에 속옷도 입고 있지 않았다. 몸을 지탱하기 위해 짚은 허벅지에서는 뜨거운 물 향이 났다. 피부가 평소보다 뜨거웠다.

한 팀장이 자연스럽게 몸을 뒤로 기대자 나는 그의 로브 자락을 걷어 올리고 그 사이로 몸을 당겨 앉았다. 또 나도 모르게 무릎을 꿇은 채였다.

깨닫고 편하게 앉으려는데 그가 저지했다.

"아니, 지금은 꿇어야지."

올려다본 눈에 익히 아는 빛이 스며 있었다.

몸이 떨리고 배 속이 울렁거렸다. 차마 대답도 하지 못하고, 시선을 내리깔고 그의 앞에 무릎을 꿇었다. 로브 자락 사이로 아직 발기하지 않은 커다란 성기가 보였다.

오이와 바나나를 들고 혼자 설치던 새벽에, 기어코 막막한 느낌에 인터넷을 뒤졌었다. 그리고 세상에는 어마어마한 양의 포르노그래피가 있다는 사실을 알게 되었다. 면역이 없는 컴퓨터는 앓는 것처럼 버벅거리며 이상한 팝업을 쏟아 냈다. 선명한 화질의 영상을 여러 개 찾아 놓고도 나는 오래 화면을 쳐다보지 못하고 결국 입을 틀어막고 화장실로 달려갔다. 그날 배운 것은 단지 한 팀장의 성기가 평균적인 크기는 아니라는 사실이었다. 모두가 나와 비슷한 고민을 해야 하는 것은 아니었던 것이다.

머리를 숙여 두 손으로 받쳐 든 두꺼운 귀두 부분을 핥기 시작했다. 혀에 닿는 피부가 뜨겁고 매끄러웠다. 발기하지 않았을 때는 입술 사이로 빠듯하게 담을 수 있는 굵기였다. 아직 말랑한 기둥을 입 안에 최대한 넣고 뺨을 홀쭉하게 해서 조였다. 혀로 할짝거리고 입술로 기둥을 문질렀다. 머리 위에서 그가 나지막한 소리를 냈다. 뒷머리를 쓰다듬던 손이 머리카락 사이로 느리게 파고들었다.

얼마 빨지도 않았는데 그가 성급하게 내 머리를 잡아 앞으로 끌어당겼다. 부푼 귀두가 목구멍을 찔렀다. 머리를 양손으로 잡아 고정한 채로 난폭하게 드나들었다. 나는 얌전히 입을 벌리고 목에 힘을 뺐다. 목젖이 찔리자 금세 샘솟는 눈물로 시야가 흐려졌다. 젖은 소리를 내며 목구멍을 틀어막는 뭉툭한 귀두는 눈앞에 검은 점이 점점이 맴돌 때까지 뒤로 물려지지 않았다. 그의 허벅지를 잡고 버티면서 그가 숨을 쉬게 해 줄 때까지 기다리는 수밖에 없었다.

굵어진 성기가 마찰열로 데일 듯이 뜨거웠다. 입안의 모든 표면이 연거푸 쓸리고 부어올랐다. 질척질척거리는 소리가 귀를 할퀴고, 떨어진 타액으로 시트가 젖었다. 프리컴의 비릿한 맛과 향이 기도를 틀어막았다.

나는 더뎌진 머리로도 깨달았다. 이제는 그에게는 숨 쉬는 것처럼 자연스러운 역할의 전환을, 선명하게 그어진 상황의 선을 조금은 알 것 같았다. 일단 침대에만 올라오면 나는 그에게 부하직원도 학교 후배도 아닌 단순한 도구였다. 그래서 그는 나에게 반감이 없어도 나를 무릎 꿇게 하고, 입술을 벌리게 하고, 그 사이로 무자비하게 성기를 쑤셔 넣었다. 내 의사와 기분을 제쳐두고 나는 그가 만족할 때까지 괴로워도 참아야 했고, 그가 허용해 주는 날숨을 가뭄 중의 단비처럼 받으며 감사해야 했다.

강압적인 것과는 달랐다. 나는 강간당하는 것은 아니었다. 손이 묶였을 때도 그건 상징적인 의미의 속박이었을 뿐이다. 어차피 나는 도망갈 수 없었다. 원치 않아도 복종이 강제된 상태였다. 사용되기 위한 도구와 별다르지 않았다.

그게 오늘따라 왜 서러웠는지는 알 수가 없다. 찢어진 입술을 애써 벌려 그를 받아 내며, 어딘가의 어두운 구렁텅이에 빠지는 기분이 들었다.

"……여기."

내 머리통을 양손으로 잡고 끌어당기며, 그가 성기를 목구멍 깊숙한 곳까지 처박았다. 연한 점막이 찢어질 것 같았다. 나는 입이 두꺼운 기둥에 틀어막힌 채로 헛구역질했다.

"여기다가 좆을 박고, 쌀 겁니다. 그럼 하나도 남김없이─"

"우욱! 으, 읍!"

"삼키세요. 알겠습니까?"

부푼 불기둥이 완전히 빠져나갔다가 다시 안으로 처박혔다. 입 안의 살이 붉게 부풀어 끌려 나갔다. 나는 고개를 저을 수도 없었다. 머리가 붙잡혀 있어 울면서도 꼼짝없이 다시 끌려갔다. 몇 번의 거센 추삽질 끝에 둥글고 딱딱한 귀두의 끝이 목구멍을 아예 뚫을 것처럼 안으로 쑤셔 박혔다. 그리고 눌린 점막 위로 울컥, 뜨거운 것이 들이부어졌다.

"삼켜."

익사하는 것 같았다. 팔다리를 괴롭게 움직여도 그가 머리를 잡고 있었다. 콜록거리는 기침도 다시 목 안으로 먹혀 들어갔다. 진득하고 비릿한 액체가 입천장에, 혀 위에 처발라졌다. 끈적한 게 기도를 틀어막아 숨을 쉴 수 없었다. 토악질을 거듭하며 몸부림쳐도, 그는 내가 기어코 비릿한 사정액을 전부 삼킬 때까지 입 안에서 성기를 빼 주지 않았다.

"연습은 아직 더 해야겠는데."

눈물 콧물과 체액으로 엉망이 돼서 기침하는 내가 이상한 사람인 것 같았다. 한 팀장은 로브자락을 다시 내리고, 아무 일 없었던 것처럼 냉정하게 나를 평가했다.

"하룻밤에 여러 번 해 보면 나아질 수도 있지. 밤새 좆을 물려 주면 좀 능숙해지지 않겠습니까? 어떻게 생각해요?"

"······으, 아아, 흐······."

"일어나 봐요."

그가 먼저 몸을 일으켰다. 침대 위로 웅크리고 있던 나는 손목이 잡혀 끌려갔다. 침대에서 엉거주춤 끌려 내려와 후들거리는 다리로 서야 했다. 그는 가장 가까운 벽으로 나를 밀었다.

"벽에 손 짚으세요."

나를 내버려 두고 그는 방 반대편의 가방에서 지난번에 봤던 둥근 젤리 통을 꺼내 왔다. 나는 벽에 등을 붙이고 눈만 굴렸다. 통의 뚜껑을 비틀어 연 그가 얼굴을 굳히며 말했다.

"한 번에 못 알아듣습니까. 벽 마주 보고 손 짚으세요. 두 손 다."

"이렇게······."

"그래, 그렇게. 손 붙이고 있어요."

나는 초등학교 때 구석에서 벌서던 아이들을 떠올렸다. 이렇게 가만히 서 있어서 어떻게 하겠다는 건가 싶었는데, 젤을 덜어 내서 손가락에 바른 한 팀장이 내 엉덩이 사이를 벌렸다.

"다리 더 벌리세요. 구멍이 안 보이네."

툭, 그가 발목 안쪽을 발끝으로 걷어찼다. 나는 그제야 그가 무슨 말을 하는지 깨달았다.

몸을 움츠려 도망치려는 동안 양손이 벽에서 떨어졌다. 찰싹, 즉시 엉덩이에 매서운 타격이 날아왔다.

"아웃!"

"꾸물대지 말라고 했지. 왜 말귀를 못 알아 처먹어!"

처음 들어보는 높은 언성에 귓가가 지잉 울렸다. 심장이 터질 것처럼 뛰었다. 나는 울음을 눌러 참으며 다시 벽을 마주 봤다. 땀 때문에 미끄러지는 손바닥을 차가운 표면에 더듬더듬 붙였다.

"손 뗐으니 열 대. 앞으로 다시 떼면 두 배씩. 알겠습니까?"

"흡······."

"대답 안 해? 뭘 믿고 이렇게 버릇없습니까?"

찰싹, 반대편 엉덩이에도 불이 옮겨 붙었다. 참기 힘든 따끔함이 가신 후에는 깊고 얼얼한 통증이 남았다. 나는 벽에 떨리는 몸을 붙여 섰다. 울음이 자꾸 목을 틀어막아 목소리가 잘 나오지 않았다.

"다리 벌리고, 몸 앞으로 숙이세요."

그가 어깨를 눌렀다. 다리가 벌어지자 엉덩이만 위로 솟았다. 그는 이번에는 아픈 곳을 어루만져 주지도 않았다. 경고도 없었다. 짜악, 짜악, 쉴 틈도 주지 않고 연달아 매서운 매가 떨어졌다. 통증이 가시기 전에 그 위로 겹겹이 쌓여, 나는 열 대째에 기어코 울음이 터졌다. 멍이 든 것처럼 안쪽까지 둔탁하게 욱신거렸다. 손을 뒤로 해서 만져 보고 싶었지만 벽에 댄 손을 뗄 수 없었다. 내려다본 양쪽 볼기가 다 붉은 손자국으로 울퉁불퉁 부풀어 있었다.

"흑······."

"시끄러워. 그쳐."

"······으."

"다시 말합니다. 벽 제대로 잡고 있어요. 오늘은 봐줄 기분 아니니까.”

소용없는 걸 알면서도 하염없이 올려다봤다. 마주한 한 팀장의 얼굴은 서늘한 무표정이었다. 내 무언의 애원에 그는 눈길도 주지 않고 내려놓았던 통을 집어 들었다. 나는 눈을 더듬더듬 감고 차가운 벽에 젖은 뺨을 기댔다. 달그락거리는 소리가 울렸다. 곧 딱딱한 손가락이 다시 엉덩이 틈새를 벌리고 들었다.

미끄덩하고 차가운 것이 쏟아붓듯이 발라졌다. 뜨거운 손바닥이 다물린 항문 위를 문질렀다. 점성이 있는 미끄러운 것이 치덕치덕 처발리고 녹아 허벅지 안쪽으로 느릿느릿 타고 내렸다.

온몸이 뜨거웠다. 열이 나고 있다고 해도 믿었을 것이다. 입안도 뜨거웠고 매 맞은 엉덩이도 뜨거웠다. 열기가 몸을 숙주처럼 빌려 몸집을 불려 갔다. 부푼 엉덩이를 쥐어서 아프게 주물럭거리던 그는 아예 둔덕 사이를 젖혀 벌리고, 다물린 주름 사이로 젤로 범벅이 된 단단한 손가락 두 개를 한 번에 밀어 넣었다.

“으읍!”

벽에 간신히 대고 있는 손끝이 오므라들었다. 그는 앞으로 움츠러드는 몸을 잡아챘다. 엉덩이만 높이 추어올리게 해서 굵은 손가락 두 개를 뿌리까지 꾸욱 밀어 넣었다. 손등이 벌어진 입구에 닿았다. 몸 안에 굵직한 나무뿌리 같은 게 들어온 기분이었다. 입을 아무리 벌려도 소리가 나오지 않았다.

“잘 먹네.”

“아, 아아…….”

"안이 좋다고 오물거리는데, 안 느껴집니까?"

그가 손가락을 깊숙이 넣고 터는 듯이 잘게 흔들었다. 딱딱하게 붉어진 마디에 내벽이 엉겨 붙는 것을 나도 느낄 수 있었다. 그의 말과는 달리 침입자를 몰아내려는 필사적인 시도였을 것이다. 힘을 빼야 하는지, 주어야 하는지도 완전히 잊어버리고, 나는 최선을 다해 벽에 손을 대고 있었다.

그가 본격적으로 굵고 긴 손가락을 쑤셔 넣기 시작하자 무릎에 힘이 풀렸다. 몸을 가눌 수 없었다. 허리를 잡아 끄떡없이 나를 지탱한 채로 그는 빠르게 손가락을 들락거렸다. 조여 드는 입구를 붉게 헤집고, 깊숙이 집어넣어 벌어지지 않은 곳까지 눌러 넓혔다.

입을 다물고 있는데도 훗, 훗, 하고 우는 소리가 나왔다. 부어 있는 목 안쪽이 울컥울컥 뜨겁게 치밀었다. 벌주듯이 한참 거칠게 쑤시던 손가락이 안쪽을 샅샅이 훑듯이 더듬었다.

"여기만 느낌이 다릅니다. 조금만 만져 줘도, 볼록 튀어나올 것처럼."

"……흐앗!"

나는 벽에 붙인 손등을 깨물었다. 그렇지 않으면 비명이 솟을 것 같았다. 그는 배의 내벽 어딘가 한 지점을 느릿하게 비비다가, 다시 빠른 속도로 손가락을 빼내며 질컥질컥 쑤셨다. 속도에 힘입어 매번 단단한 손끝이 같은 부분을 콱콱 무자비하게 짓이겼다.

눈앞이 검게 물들다 못해 나중에는 천장이 뒤집히는 것 같았다. 다른 쪽 손은 엉덩이를 단단하게 잡고 있어 나는 몸을 비틀 수도 없었다. 벌어진 입에서 뜨거운 날숨이 새어 나갔다. 뒤에서 젖은 소리가 났다. 믿을 수 없이 크게. 엉덩이와 그 사이가 너무 뜨거웠다. 벌어진 주름에 젤이 고여 하얗게 거품이 일었다.

"아, 아, 아아……! 아으훗, 훗, 흐으!"

주저앉고 싶었지만 불가능했다. 한 팀장은 입을 다물고 계속 말 없이 손가락을 거세게 박아 넣었다. 매 맞는 것처럼 손등이 규칙적으로 철썩철썩 벌어진 주름에 부딪혔다. 굵은 손가락을 가위처럼 벌려 젖은 안을 벌리는가 하면 깊숙이 박은 채로 진동하듯이 흔들어댔다. 뇌가 녹아 없어지는 기분이 들었다. 흐느끼면서 차가운 벽에 달아오른 몸을 비볐다.

콱콱 박아 올리는 힘이 거칠어서 밀려 올라간 발이 까치발로 들리고, 비틀거릴 때마다 딱딱한 몽둥이처럼 기다리는 그의 손가락 위로 떨어졌다. 내벽 깊숙한 곳을 주먹으로 얻어맞는 듯한 아픔이었다. 젖은 구멍으로 받아들인 것이 이제 손가락 세 개인지 네 개인지도 알 수 없었다.

"……쑤셔지면서 좆을 이렇게까지 세웠습니까."

다리 사이로 들어간 커다란 손이 내 성기를 거칠게 움켜쥐었다. 나는 까맣게 점멸하는 듯한 절정감을 느끼고 매달리듯이 다급하게 입을 열었다.

"갈 것 같, 으, 흐웃!"

"싸고 싶어요?"

"응, 으윽, 그—"

335

"싸고 싶으면 말을 해야지."

그가 성기를 세게 움켜잡았다. 앞뒤 모두 불이 난 것처럼 뜨거웠다. 수치심을 느낄 겨를도 없었다.

"싸고 싶어요, 으읏, 아! 아윽! 흐아아!"

"눈 떠. 쌀 수 있게 쑤셔 준 게 누군데, 고마워할 줄 알아야지."

그가 턱을 잡아 돌렸다. 눈물로 뜨거운 시야에 그의 얼굴이 잡혔다. 눈을 마주치자마자 격렬한 파도처럼 절정이 나를 뒤흔들었다. 엉망으로 흐트러지는 표정을 한 팀장은 무심하게 보고 있었다. 단단한 손이 젤로 질펀한 성기를 잡아 빠르게 문질러 주었다. 동시에 손끝을 둥글게 모아 전립선을 꾹꾹 짓눌렀다. 몸 안에 새빨간 용암 같은 것이 가득 흘러내렸다. 팔다리 중 아무것도 내 말을 듣지 않았다.

"으, 으! 그만, 이제!"

벽에 하얗게 내 정액이 튀었다. 마비된 머릿속으로도 그걸 보고 무너져 내리는 느낌을 받았는데, 아직 끝난 게 아니었다. 한 팀장은 여전히 뒤에 든 손가락을 빠르게 움직이고 있었다. 사정이 끝나면 몸이 아프도록 예민해진다는 것을 나는 처음 알았다. 피복이 벗겨진 전선처럼 신경줄이 날로 드러났다. 붉게 부은 내벽이 경련하고 엉겨 붙는데, 한 팀장의 손가락은 그 위를 아무렇지 않게 세게 문지르고 비볐다. 몸이 덜덜 튀었다. 눈앞이 번졌다. 혀가 풀어진 것처럼 발음이 뭉개져 나왔다.

"팀장님, 저, 아으, 으, 흐아아—"

그때 스륵, 젖은 소리를 내면서 손가락이 빠져나갔다. 두꺼운 게 주름을 긁고 나가는 느낌에 몸서리가 쳐졌다. 그가 몸을 굽혔다. 다시 일어섰을 때는 손에 아까의 로터가 들려 있었다.

까맣게 잊고 있었던 나는 벽에서 손을 떼는 대신 입술을 깨물고 울음을 삼켰다. 한 팀장은 아직도 벽을 착실하게 짚은 내 손을 힐끗 보더니, 잠시 입꼬리를 틀어 올렸다.

"착하네. 말도 잘 듣고."

"……으, 흑……."

"안이 흐물흐물 풀어져서, 이젠 아프지도 않을 겁니다."

그가 로터의 둥근 표면에 젤을 가득 묻혔다. 질척거리는 것이 내 시야에서 사라져 그가 잡아 벌린 엉덩이 사이로 들어갔다. 뒤와 다리를 오므리기 위해 최선을 다했지만 아무런 소용이 없었다. 단단한 것이 붉게 부어 뻐끔거리는 주름에 닿고, 용서 없이 몸 안을 비집어 열었다.

그는 덜덜 떨리는 내 몸을 잡아 고정하고 손가락을 두 개 넣어 로터를 밀어 올렸다. 얇은 끈을 달고 딱딱한 물체가 예민한 살을 시리게 헤집었다. 손가락이 뿌리까지 박히니 로터는 아까 그가 손을 넣었던 것보다 훨씬 깊이 들어갔다. 소리가 목에 턱 걸렸다.

다리에 힘이 하나도 들어가지 않아서 아예 벽을 잡은 채로 무너져 내렸다. 아무것도 생각나지 않았다.

한 팀장은 나를 잡아 올려서 몸을 달랑 들었다. 등이 다시 푹신한 침대 위로 닿았다. 양 발목이 잡히고 크게 젖혀졌다. 눈물로 범벅인 얼굴로 올려다보니, 그가 무표정한 얼굴로 뚫어져라 내 다리 사이를 보고 있었다.

"확 좆을 박아 버리고 싶네."

"흣, 보면, 보면 안, 아……."

"끈을 물고 부어올라서 조르는 것처럼 뻐끔거리는데, 이서단 씨한테 보여 주고 싶네요. 좆으로 뚫어 준 것도 아닌데, 벌써 헐거워져서 다물어지지도 않는 겁니까."

양 발목을 끌어당겨 엉덩이를 들리게 한 그가 드러난 입구에 허리를 대고 일부러 느릿하게 문질렀다. 아직도 목욕가운을 입은 채였다. 가운데의 딱딱하고 두꺼운 매듭이 붉게 헤진 입구 위로 슥슥 문대어졌다. 나는 울음을 내질렀다. 예민한 부분에 천의 거칠거칠한 표면이 비벼지고, 남색의 가운이 내가 흘린 액체로 지저분해졌다. 그는 하얗고 불투명한 게 묻은 가운 자락을 내게 보여 주며, 경련하는 입구를 엄지로 벌주듯이 다그쳤다.

"잘 넣고 있어야지, 그새 나오잖아."

농담처럼 말하면서 그가 분홍색 끈을 잡아 로터를 입구까지 단번에 끌어냈다. 부은 속살이 한 번에 끌려나가는 것처럼 소름 끼치는 감각이었다. 질척하게 젖은 게 주름을 비집고 모습을 드러내자, 그가 손끝을 두껍게 모아 로터를 난폭하게 퍽 밀어 넣었다. 양쪽으로 크게 벌어진 허벅지가 파르르 경련했다.

"흑, 으, 아…… 아파—"

"아픈 것만은 아닐 텐데."

쪽, 콧등에 부드러운 것이 가볍게 닿았다. 오므라드는 다리를 잡아 벌린 채로 그가 같은 장난을 반복했다. 딱딱한 손가락을 더 이상 잠길 수 없을 정도로 박아 넣자, 딸려 올라간 로터가 안쪽의 닿은 적 없던 깊숙한 곳에 닿았다. 나는 눈을 크게 뜨고 몸을 벌벌 떨었다. 한 팀장은 손가락을 빼내며 얇은 끈을 물고 있는 붉은 주름을 가볍게 손바닥으로 내리쳤다. 철썩, 젖은 소리가 났다. 그는 재미 붙인 듯이 몇 번 더 엉덩이를 세게 후려갈겼다. 화끈한 열기가 천천히 번졌다.

"스위치 켤 겁니다. 나 잡고 있어요."

"흐으, 싫, 제발, 팀장님."

그의 가슴을 밀어내려는 손이 간단하게 붙잡혔다.

"귀엽긴 한데, 소용없습니다."

몸이 끌어올려 일으켜졌다. 한 팀장은 나를 다리 사이로 앉혔다. 아까처럼 가지런히 무릎 꿇리고, 내 두 손으로 본인의 팔뚝 위쪽을 잡게 했다. 그의 반대쪽 손이 내 등 뒤로 돌아갔다. 그가 로터의 스위치를 집어 든 것을 알고 나는 말없이 눈물을 뚝뚝 쏟았다.

"참기 힘들면 잘 생각해 봐요."

입술이 짧게 맞닿았다. 그리고 그가 스위치를 무심하게 눌러 켰다. 몸 안에서 로터가 부르르 진동하기 시작했다.

그 느낌은 도저히 형언할 수 없었다. 상상했던 것보다도 몇 배는 더 생경하고 끔찍한 감각이었다.

나는 필사적으로 잊었던 것을 생각해 냈다. 안전어. 바로 눈앞에 한 팀장의 얼굴이 있었고, 입술이 있었다. 쉬운 일일 것이다. 그렇게 하면 몸 안에서 살아 있는 듯 진동하는 것을 빼낼 수 있었다. 무서운 순간을 끝낼 수 있었다. 그래서 얼굴을 필사적으로 들었는데, 떨리는 입술이 닿으려는 순간 생각이 났다. 언젠가 그가 했던 말이었다.

이게 내가 참을 수 있는 것의 한계선일까. 그건 아니었다. 무서워 견딜 수 없었지만, 참지 못할 것도 없었다. 참을 수 있는데 참고 싶지 않은 것이었다. 결국 이 역시 어리광이었다.

그래서 울면서, 아슬아슬하게 닿을 뻔한 입술을 물렸다. 그의 팔을 잡고 다시 눈물만 흘렸다. 몸속에서 로터의 진동이 거세어졌다. 한 팀장의 눈가가 길게 접혔다. 벌어져 다물리지도 않는 입구로 그가 손가락을 밀어 넣어, 헤집듯이 로터를 당겨 왔다. 아까 손가락으로 붓도록 문지른 지점에 진동하는 것을 꾹 짓이기듯이 눌렀다.

몸이 전부 갈라지고 조각조각 분해되는 것 같았다. 감전된 것처럼 몸이 경련했다. 나는 붙들고 있던 그의 팔에 뺨을 비비며 엉엉 울었다. 한 팀장이 느긋하게 끈을 잡아당길 때마다 떨리는 몸을 그에게로 붙였다. 그가 내려다보면서 눈을 가늘게 뜨고 웃었다.

"이 정도론 참을 만합니까."

"훗! 흐웃, 웃, 으…… 흐아아! 아아!"

그가 내 성기를 틀어쥐었다. 그리고 예고 없이 로터에 매달린 스위치를 최대로 밀어 올렸다. 잠시 진동이 약해지나 싶더니, 몸속에서 딱딱한 덩어리가 강하게 흔들리기 시작했다. 불로 달군 쇳덩어리가 안에 들어가 있는 것 같았다. 나는 몇 번이나 떨리는 입술을 들었고, 몇 번이나 다시 고개를 숙이며 이를 악물었다. 눈물이 쉴 새 없이 뚝뚝 떨어졌다. 너무 힘들었다. 무서웠다. 생명줄처럼 붙잡아 매달릴 것은 그의 단단한 팔뚝밖에 없었다.

그는 느긋한 시선으로 나를 감상했다. 흐르는 눈물을 닦아 주고 꼿꼿하게 선 유두를 잡아 대충 비틀었다. 손톱이 회음부를 날카롭게 긁어대고, 벌어진 입구를 엉망으로 문대며 얕게 들락였다. 몸 곳곳에서 쌓인 자극이 눈덩이처럼 불어났다. 끝나지 않는 진동으로 배 속이 부글부글 들끓었다. 죽을 것 같았다.

한 팀장의 단단한 팔에 매달려 빌었다. 가고 싶어요, 싸게 해 주세요, 같은 말을 뱉는 내 안에 수치심은 사라진 지 오래였다. 눈물범벅인 얼굴에 입을 맞춰 준 그가 내 입술 사이로 혀를 깊숙이 집어넣었다. 터질 것처럼 부푼 성기를 잡은 손이 끝부분을 눌러 비볐다. 허락의 의미였다.

평생 겪었던 모든 절정을 해일 앞의 잔물결로 만들어 버리는 어마어마한 어둠이 나를 덮쳤다. 눈앞에 불빛이 터지는 것처럼 깜박거리고 아무런 소리도 들리지 않았다.

나는 이러다 죽어 버리는 게 아닌가 생각했다. 10초, 20초. 그 정도로 오래 몸이 말을 듣지 않았다. 발끝이 까맣게 꺼져 훅 떨어져 내렸다가, 아득한 추락의 끝에서 다시 솟구쳐 올랐다. 한 팀장의 어깨에 매달려 울었다. 도와달라고, 그만해 달라고 불분명한 발음으로 계속 빌었다. 그는 발갛게 달아오른 눈가를 빨아들여 핥고 머리를 쓰다듬어 주었다. 괜찮아, 라고 다정하게 말하며, 무자비한 손가락으로 짓무른 내벽을 문질렀다. 단단한 팔로, 경련하는 몸을 내내 꽉 끌어안아 주었다.

"……쉿."

"흐으윽, 윽, 아, 아……."

입술이 맞물렸다. 혀가 깊숙이 들어와 입안을 온통 휘젓는 키스가 이어졌다. 발작하던 몸이 서서히 안정을 찾으며 사그라들었다. 말하는 법도 잊고 눈물이 뚝뚝 떨어지는 눈으로 절박하게 그를 붙들었더니, 그가 알아듣고 웃었다. 끈을 당기자 진동하는 로터가 몸 안에서 스륵 빠져나가 침대 위로 뱉어졌다. 그제야 몸이 그의 품 안으로 힘없이 무너져 내렸다.

"……괜찮습니까."

아이를 안듯이 안아 토닥이던 한 팀장이 귓가에 대고 물었다. 나는 고개를 끄덕일 수 없었다. 몸이 어떻게 되어 버린 건 아닌지 겁이 났다. 내 마음을 읽은 것처럼 그가 눈가에 입을 맞췄다.

"이제 다 끝났어요. 숨 크게 쉬고. ……뚝, 그칩시다."

"……으, 흑, 흑."

짓무른 눈가를 그가 닦아냈다. 시야가 트이자 웃는 얼굴로 나를 내려다보는 그가 보였다. 눈이 고장 난 것처럼 서러운 눈물이 계속해서 뺨을 뜨겁게 적셨다.

"계속 그렇게 울 겁니까."

웃음기로 달짝지근한 목소리였다.

"몸에 물이 남아나지 않겠는데."

쪽, 입가에 입술이 달콤하게 내려앉았다. 찢어진 입술이 쓰라렸다. 그 외에도 온몸이 욱신거렸다. 나는 머리를 느리게 쓰다듬어 주는 그에게서 고개를 돌렸다. 깜박여 없애도 눈물이 느릿하게, 뜨겁게 차올랐다.

"많이 힘들었습니까."

손이 내려와 등 아랫부분을 뭉근하게 문질러 주었다. 허리를 단단하게 안아주었다. 나는 고개를 돌려 그의 목덜미에 이마를 묻었다.

"……흐읍……."

"아직 아픕니까? 어디가 아파요. 여기?"

머리가 이상해진 게 틀림없었다. 그렇지 않고서야, 다정해진 눈을 보고 이렇게까지 안도감이 차오를 리 없었다. 엉덩이를 아프게 매질하던 손이 머리를 쓰다듬어 주는데, 그게 왜 눈물이 날 정도로 안심이 되는 걸까.

그가 무서운 걸 전부 끝내고 다정해지기를 계속 기다려야 했던 나의 기다림이 서러웠다. 시달린 신경줄이 너덜너덜해져, 이제는 아무것도 분간할 수가 없었다.

그가 땀에 흠뻑 젖은 앞머리를 쓸어 올려 주었다. 이마에 뜨겁고 달콤한 입술을 눌렀다. 가슴이 욱신욱신 시렸다. 잘 참았다고 조용히 말하는 목소리가 온기처럼 몸을 녹였다. 다정한 팔에 지친 몸을 온전히 맡겨 버리고 싶은 마음은 정상일 리 없었다. 어긋남에서 느껴지는 위기감이 단번에 몸을 불렸다.

"……왜. 움직이지 말아요, 아직."

"저, 갈……."

막무가내로 일어나려다가 비틀거렸다. 한 팀장이 나를 다시 잡아 안았다. 다리에 힘이 들어가지 않았다.

"왜, 뭐가 필요합니까."

"집에 가려고……. 놔 주세요."

"그 꼴로 어딜 갑니까."

그가 나를 간단하게 돌려 눕혔다. 어깨를 잡아 누르자 나는 더 이상 몸을 일으킬 수도 없었다.

"내가 지금 이 상태의 이서단 씨를 택시 태워 돌려보낼 것 같습니까."

"……."

코가 닿을 거리에서 한 팀장이 낮게 물었다. 화가 났는지 가라앉은 목소리에 나는 아예 눈을 감아 버렸다.

"여기서 자고 가요. 내일도 움직이기 힘들 겁니다."

"……."

"내가 여기서 같이 잠만 자자고 하면, 불편합니까?"

눈을 떴다. 차분하고 단정한 얼굴이 보이자 또 가슴이 뜨겁게 아렸다. 병이라도 걸린 것 같았다.

"……놓아주세요."

목소리가 지독하게 갈라져 나왔다.

"집에 가겠습니다."

"더 건드리지 않겠다고 약속합니다. 내가 옆에 있으면—"

"지금은 팀장님 얼굴 보고 싶지 않습니다."

그 이상은 아무 말도 하고 싶지 않아, 혀 밑에 묻고 입을 다물었다. 한 팀장은 한동안 말이 없었다. 어깨에 닿은 손이 떨어져 나갔다. 없어진 온기가 허전했다.

"……알겠습니다. 그럼 내가 가면 되지."

말끝이 깔끔하게 자른 듯이 떨어졌다. 그가 몸을 일으켜 침대 밖으로 빠져나갔다. 옷을 입는 소리가 들렸다. 나는 눈을 뜨지 않았다.

부스럭거리는 소리가 나고, 내 위로 두터운 이불이 덮였다. 그는 내 머리를 들어 그 밑으로 베개를 밀어 넣고, 이불을 턱까지 꼼꼼하게 끌어 올려 주었다.

"일어나면 씻기 전에 뭐라도 시켜 먹고, 내일 전화할 테니까 받으세요."

"……."

"……정말로 혼자 괜찮겠습니까?"

머리맡에서 인기척이 멎었다. 나는 뜨겁게 눈꺼풀 밑으로 차오르는 눈물을 모른 척했다. 가만히 누워 있자 잠들었다고 생각했는지, 그는 숨을 짧게 뱉었다. 얼굴 위로 그림자가 졌다. 입술 위로 다정한 온기가 잠시 맞물렸다.

"잘 자고. 내일 얘기합시다."

발소리가 멀어졌다. 불이 꺼졌는지 새빨갛던 눈꺼풀이 진한 어둠에 젖었다. 문이 닫히자, 눈꼬리를 타고 뜨거운 눈물이 천천히 흘러

내렸다.

지금이라도 일어나서 불안정한 손으로 다시 그의 소매를 잡아끌고 싶었다. 여기서 불안한 마음으로 혼자 남고 싶지 않았다. 다시 품 안에 안겨서 쓰다듬는 손길을 받고 싶었다.

하지만 나를 이렇게 만든 장본인에게 위로받는 것은 얼마나 우스운 일이었을까. 그가 내미는 온기는 어차피 진짜가 아닌 것이다. 나를 괴롭히고 벌주는 것도, 그와 상반된 다정함으로 나를 휘두르는 것도, 그 사이에서 내가 갈팡질팡하는 것을 보는 것도. 전부 그에게는 뻔히 보이는 유희였다.

혹사당한 몸이 아팠다. 가슴이 누가 한 움큼 떼어간 것처럼 허했다. 나는 뺨을 베개에 기대고 들썩이는 울음을 묻었다.

엘리베이터를 타고 내려가고 있을, 환한 로비를 가로지르고 있을 한 팀장을 생각했다. 피곤한 것은 그도 마찬가지일 텐데, 이 늦은 밤에 운전해서 돌아가야 할 그를 생각했다. 그의 이름으로 예약된 호텔방에 혼자 자리를 차지하고 누운 것은 양심 없는 짓이었을까. 이 와중에 그렇게 생각할 수 있는 나 자신에게 신물이 났다.

그때였다. 익숙한 벨소리가 울렸다. 나는 화들짝 놀라 습관적으로 머리맡을 더듬었다. 핸드폰은 침대 밑에 뒀을 텐데, 진동하는 것이 손끝에 달그락 걸렸다. 화면에 한 팀장의 이름이 떠 있었다.

보는 순간 시야가 흐려졌다. 핸드폰을 저만치 밀쳐 두어도 잠시 멎었던 벨소리는 다시 끈질기게 울렸다. 귀를 틀어막던 나는 결국 떨리는 숨을 내쉬었다.

-……자는데 내가 깨웠습니까?

그는 늦게 받은 것을 타박하지 않았다. 가라앉은 목소리가 귓바퀴에 따뜻한 숨처럼 고였다.

-내 얼굴 보기 싫다고, 이제 대답도 안 해 줄 겁니까.

"……."

귀에 핸드폰을 대고 가만히 있었다. 귓가에 입술이 닿아 있는 것처럼 가까이에서, 한 팀장이 나직하게, 담담하게 말했다.

-말하기 싫으면 가만히 들어요. 오늘 고생 많았습니다. 식사 때부터 불편하게 해서 미안하고, 생각했던 것보다 몰아붙이게 돼서 미안합니다. 잘 참았어요. 이서단 씨가 노력 많이 한 건 알고 있습니다.

"……."

울음소리가 샐까 심호흡했다. 그는 잠시 뜸을 들이더니, 한숨을 쉬었다.

-괜찮은가 싶어 전화했어요. 혼자 두고 나오니 마음에 걸려서. 내가 필요하면 말해요, 올라갈 테니까.

"……."

-아무 말 안 하면 괜찮은 걸로 알겠습니다.

목소리가 낮고 부드러웠다. 나는 입술을 다물었다. 입을 열면 건네어진 온기를 붙들 것 같아서였다.

-아무 생각 하지 말고 일단 자요. 일어나면 문자 주고. 알겠습니까?

"……."

-그리고. 말해 둬야 할 것 같은데…….

담백한 목소리가 말했다.

-다음 주에는, 이서단 씨를 안을 겁니다.

평소 그의 말버릇이 아니었다. 좆을 쑤셔 넣겠다든가, 구멍을 찢어 주겠다든가. 장난인 듯 진심인 듯 상스럽던 말은 없었다. 그 대신 아무 소리도 내지 못하고 굳어 버린 내 귀에 대고, 그가 담담하게 덧붙였다.

-각오가 필요한 일이면, 각오하고 와야 할 겁니다.

"……."

-잘 자고, 회사에서 봅시다.

전화를 끊고, 나는 차에 앉아서, 혹은 담배를 피워 물고 차 문에 기대어 서서 나에게 전화했을 그를 떠올렸다. 아무 생각도 하지 말고 자라는 사람이 그 직후에 덧붙일 말은 아니었다. 그것 또한 한 팀장다운 일이었다.

그래서 나는 오기로라도 정말 아무것도 생각하지 않았다. 뿌리치고 달아나듯이 노곤한 몸을 침대에 묻었다. 꿈도 꾸지 않는 깊고 어두운 잠이었다.

일주일 내내 나는 엉망이었다.

사람이 어디까지 나약하고 한심해질 수 있는지 몸소 증명하려는 것처럼 엉망이었다. 무엇에도 집중이 되지 않았다. 물을 마시다가도 컵을 깨뜨렸고, 퇴근길에 내릴 역을 지나쳐 밤길을 한참 헤맨 날도 있었다. 회사에서는 자잘한 실수가 잦다 못해 한 팀장에게 따로 소환되었다. 수요일의 일이었다. 단둘이 자료실에 남자 그는 나를 20분간 가만히 세워 두었다. 핸드폰으로 이메일을 확인하며 나를 올려다보지도 않았다. 그리고 일어서서 나를 스쳐 지나가며 내뱉었다. "정신 차리세요." 그게 일주일간 그가 내게 건넨 말의 전부였다.

잠이 오지 않아 밤거리를 걷다가 기억해 냈다.

문을 열었는데 교복 입은 고등학생 다섯이 고개를 숙이고 있었다. 그 뒤로는 어른들이 복도를 메우고 잔뜩 서 있었다. 그들을 좁은 집안에 들이고, 내 어머니는 음료를 대접했다. 다섯 명의 고등학생과 그 부모는 거실을 꽉 채우고 깊숙이 고개를 조아렸다. 많이 반성하고 있어요, 라고 한 명의 부모가 대표로 말했다. 그 옆에서 입꼬리를 실룩거리는 남자아이는 덩치가 커 봤자 고작 고등학생이었다. 지금 떠올려 보니 그게 보였다. 그땐 뭐가 그렇게 무서워서 거실 한쪽 구석에서 웅크렸는지. 아무 말도, 아무런 질타도 하지 못하고 떨리는 입술을 다물었는지. 그래 놓고.

툭, 발끝에 돌이 걸렸다. 잠시 비틀거리다가 서서히 눈가가 뜨거워졌다.

목요일에는 집에 와서 사표를 썼다. 쓰고 나서 봉투에 넣고 손톱으로 찢었다. 나도 내가 미친 것 같았다. 이걸 그에게 내밀어서 어떻게 하겠다는 것일까. 모든 이성적인 생각을 집어삼키는 깜깜한 어둠만이 발밑에 입을 벌렸다. 이제 와서는 도덕적인 껄끄러움이나 잘못된 결정에 대한 뒤늦은 죄책감도 아니었다. 단지 이번 주 토요일에 그를 보고 싶지 않은 것이었다. 그와 섹스하고 싶지 않은 것이었다.

무서웠다. 무서워 죽을 것 같았다.

인정해도 아무런 도움이 되지 않았다. 회사에서 그와 눈이 마주칠 때마다 나는 손이 벌벌 떨렸고, 침대에만 누우면 다리를 우악스럽게 잡아 벌리는 손길이 떠올라 소스라쳤다. 사형 집행일처럼 토요일은 하루하루 다가왔다. 잠을 안 자도 해는 떴고 숫자는 하루하루 넘어갔다. 그러다 보니 어느새 금요일이었다.

"……아."

시끄러운 소리가 뒤늦게 귀에 닿았다. 핸드폰이 울리고 있었다. 주머니에 손을 넣어 천천히 끄집어냈다. 눈부신 화면의 글씨를 분간 못하고 눈이 한참 그 위를 더듬거렸다. 낯익은 이름. 여동생의 이름이었다.

-왜 이렇게 늦게 받아?

낯익은 목소리가 나를 책망했다. 나는 내가 통화 버튼을 누른지도 모르고 있었다. 귓가에 대고 여동생이 말했다.

-설마 자는데 내가 깨운 거야? 벌써 자?

"……아니, 안 잤어."

-그럼 오빠 목소리는 왜 그래. 감기 걸렸어?

"······감기?"

-요즘 감기 독하게 돌잖아. 나도 걸렸다가 이제 나아가는데, 엄마는 아직도 목소리가 제대로 안 나온다고 아침부터 병원 가고······.

눈을 드니 낯선 골목이 보였다. 목적지 없이 걷다 보니 어디까지 왔는지도 알 수 없었다. 가물가물 노랗게 비쳐드는 가로등 빛의 테두리 안에서 몸을 접고 벽에 기대어 섰다. 잊었던 추위가 한 번에 밀려들었다. 귀가 시릴 만큼 바람이 찼다.

침묵이 길어지자 여동생이 콜록, 한 번 기침했다.

-오빠는 잘 지냈어?

"······응, 그럭저럭."

-요즘 회사 바쁘고 그래?

불현듯 수화기 너머로 시끄러운 소음이 복작거렸다. 누군가에게 핀잔주듯 쏘아붙이는 여동생의 목소리가 희미하게 들려오고, 쿵쿵거리는 음악 소리와 함께 여러 명의 웃음소리가 울렸다. 여동생은 잠깐만, 하고 서둘러 말했다. 달그락거리는 소리가 연달아 울리고, 다시 조용해졌다.

-미안, 통화 좀 하려는데 친구들이 쫓아 나와서.

"바쁘면 나중에 통화해."

-아니야, 바쁜 건 아니고 애들이랑 놀다가······ 됐다, 밖으로 나왔다. 으으, 엄청 춥네. 오빠는 집이야?

"아니······ 잠이 안 와서 잠깐 산책 나왔어."

-뭐, 이 밤에? 오빠 동네 밤에 안 위험해?

"……누가 누굴 걱정해."

그런가, 하고 여동생이 웃었다. 손에 잡힐 것처럼 밝은 소리가 울리고, 천천히 잦아들었다. 핸드폰 너머로 고른 숨소리가 느리게 들려왔다. 용건밖에 안 남은 사람처럼 여동생이 돌연 말했다.

―오빠, 나 다음 주에 졸업식이야.

"알아."

짧은 침묵이 흘렀다.

―미리 연락하려고 했는데…… 어쩌다 보니까. 화요일 아침인데, 혹시 그날 올 수 있어?

"반차 내기 어려울 것 같아. 요즘 바쁜 기간이라. ……나중에 따로 보자."

노란 빛 아래 펼쳐본 손이 샛노란 색이었다. 깔끔하게 떨어지는 말의 여백에는 무저갱과도 같은 검은 균열이 입을 벌리고 있었다. 여동생은 그 틈을 넘으려고 허우적댔다. 긴 침묵 끝에, 쫓기는 듯한 급한 목소리가 수화기를 타고 넘어왔다.

―오빠, 있잖아.

"말해."

―구정 때, 이번에. 친척들 다 모이고…… 밥 먹고 그러다가, 사촌 오빠가 오빠 얘기 꺼냈는데 아빠도 웃고 넘기시더라고. 엄마도 별말 없으시고. 벌써 오빠 독립한 지 십 년이야, 알고 있었어?

"……응, 알아."

―그러니까, 나 졸업할 때 와서, 이번 기회에 자연스럽게 만나

면…… 따로 자리 안 만들어도, 그게 낫지 않을까 해서.

내내 아프던 머리가 날카롭게 욱신거렸다. 관자놀이를 누가 무딘 날로 찍어 누르는 것 같았다. 나는 벽에 등을 기대고 천천히 주저앉았다.

-나도 그냥 하는 말 아니야. 많이 생각해 봤어.

여동생이 망설이지도 않고 외운 것처럼 빠르게 말했다.

-오빠도 이참에 생각 좀 해 보면 좋을 것 같아. 엄마, 아빠 평생 안 볼 건 아니잖아. 그래도 오빠가 우리 집 장남인데. 가족끼리는 몇십 년 지나도 오해 풀고 다시 잘 지내기도 하잖아, 그게 가능하니까 가족인 거고.

"……."

-엄마도 내가 오빠랑 연락하는 거 알고 계시고, 가끔 오빠 안부도,

"어느 부분이 오해인지 모르겠는데."

-……뭐?

"졸업식 때 내 애인 데리고 가도 될까? 당연히 남자야. 어머니, 아버지한테 인사시키고, 아예 친척 어른들한테까지 인사 돌릴까? 지금 와서 뭐가 달라졌다고 내가 부모님을 다시 만나. 어머니는 내가 십 년 지났으니 제정신으로 돌아와서 선이라도 볼 거라고 생각하시는 거야?"

화풀이 대상이 잘못되었다는 것을 알면서도, 차오른 말이 그대로 터져나갔다. 수화기 너머가 잠시 쥐 죽은 듯이 조용했다.

-그런 뜻은 아니었어, 오빠.

"……졸업식은 못 가. 못 갈 거라고 졸업 전시 때도 말했잖아. 따로 밥 사 줄 테니까, 시간 날 때 연락해. 오늘은 그만 끊자."

-잠깐만.

붙잡는 소리에 귀에서 떼었던 핸드폰을 고쳐 들었다. 뺨에 닿는 플라스틱이 옮아간 열기로 미지근했다.

-나 졸업식 끝나고 바로 친구들이랑 여행 가는데. 그 전에 보면 안 돼? 우리 못 본 지 몇 달 됐잖아.

"……언제?"

-이번 주말이나…… 오빠 일요일은 돼?

"……일요일은."

괜찮다는 말이 입술을 비집고 나올 뻔했다. 나는 간신히 멈췄다. 일요일 점심에는 어떻게 되어 있을지 몰랐다. 토요일 밤이 다 끝나고 나면 나는 어쩌면 병원에 실려 가 있을지도 모른다. 혹시라도 멀쩡히 걸어 다니는 것이 가능하다고 하더라도 전날 밤 남자에게 엉망진창으로 강간당한 몸을 끌고 여동생을 만나러 가고 싶지는 않았다.

그랬다가는 아무것도 변하지 않은 것 같은 느낌이 들 것이다. 붓고 찢어진 입술로 웃으며 괜찮다고 해야 할 것이다.

"일요일은 어려울 것 같은데."

-……그래? 그럼…….

그리고 나는 괜찮지 않았다. 돌이켜 보니 한 번도 괜찮은 적은 없었다. 이렇게 하는 게 맞는 건지. 이렇게 하는 게 이겨내는 건지. 괴로웠던 소용돌이 속으로 다시 발목 잡혀 끌려 들어가는 것은 아닌지. 물어볼 사람이 아무도 없었다.

―월요일 저녁에는?

"……야근 빼기 어려울 것 같아. 늦은 밤이면 몰라도."

―……그냥 여행 다녀와서 봐야겠다, 오빠. 연락할게.

"그래. 졸업식 잘해."

응! 하고 여동생이 말했다. 아까의 대화는 전부 잊은 밝은 목소리였다. 그리고 전화가 끊겼다.

나는 천천히 몸을 일으켜 걷기 시작했다. 낯선 길을 조금만 더 걷다가 핸드폰의 지도를 꺼내야겠다고 생각했다. 집에 들어가서 잠이 오지 않는다 해도 눈을 붙여야 했다. 내일 그를 앞에 두고 볼썽 사납게 덜덜 떨어서는 안 될 것이다. 아프더라도 소리 하나 내고 싶지 않았다. 가해질 폭력 앞에서 아무렇지 않은 것처럼 의연하고 싶었다.

트라우마 같은 것에 발목이 붙들리고 싶지 않았다. 내 잘못 없이 당한 폭력으로 인해 영향을 받고 싶지 않았다. 고작 그런 것 때문에 내 인생이 일그러졌다면, 나는 스스로를 어떻게 용납해야 했을까.

그래서 괜찮다고 말했다. 그건 뻔히 보이는 거짓말이었다. 실제로 너는 늘 무서웠다. 혼자서는 모든 게 겁이 나서, 어떻게 해야 하는지 알 수 없었다.

토요일에 회사에는 그가 없었다. 부서 일로 외근 중이라고 했다. 나는 하루 종일 자리에 앉아 있었지만 일은 하나도 끝내지 못했다. 다섯 시에 퇴근하고, 저녁은 굶었다. 관장을 하고 나니 거울 속에 비친 얼굴이 핏기 없는 병자 같았다. 그건 호텔 16층으로 올라가는 엘리베이터에서도 마찬가지였다.

나는 대놓고 지각했다. 지하철역에서만 20분, 호텔 로비에서 또 20분을 가만히 앉아 있었기 때문이다. 문을 두드린 것은 11시가 한참 넘은 시각이었다.

한 팀장은 평소대로 문을 열었다. 지난번에 봤던 남색의 목욕가운을 입고 있었고, 머리는 젖어 있었다. 나를 들여보내 주지는 않고 문을 짚고 선 그가 평이하게 물었다.

"지금 몇 시인지 아는 겁니까."

"……시계가 없어서 몰랐습니다."

되도 않는 변명이었다. 옷 속에는 꺼 둔 핸드폰이 있었다. 한 팀장은 우습지도 않다는 듯이 입꼬리를 비틀었다.

나는 옆으로 비켜선 그를 지나쳐 곧장 침대로 걸어갔다. 그가 말하지 않아도 빠르게 옷을 벗어서 접었다.

"그렇게 급하면 약속 시간은 지키지 그랬습니까."

한 팀장이 문을 닫으며 비꼬았다. 나는 대답하지 않고 침대 위로 엎드렸다. 반듯하게 엎드려 이불에 뺨을 묻었다. 그렇지 않으면 지하철에서부터 통제할 수 없던 온몸의 떨림을 그에게 들킬 것 같았다.

달칵, 담배를 피워 무는 소리가 들렸다. 한 팀장은 침대에 엎드린 나를 내버려두고 창문을 열었다. 독한 담배향이 났다. 나는 어지러운 머리로 문득 술이라도 마셨어야 하나, 생각했다. 그랬다가는 아마 다 토해 냈을 것이다. 하루 종일 속이 비었던 데다가 나는 술이 잘 받는 편이 아니었다.

처음 이곳에 온 날 그가 내밀었던 와인잔을 떠올렸다. 생각해 보면 긴 유예기간이었다. 이만큼 미뤄진 것에 감사해야 할지도 모른다. 눈을 감고 몇 주나 되었는지 헤아리고 있는데, 누가 내 등에 손을 얹었다.

몸이 튀어 올랐다. 한 팀장이 나를 내려다보고 있었다.

"뭐가 문젭니까."

"……."

"말을 해 봐요. 슬슬 궁금해지기 시작했으니까."

몸이 끌려갔다. 단정한 얼굴이 코가 맞닿을 거리에서 아슬아슬하게 멈추고, 가까이에서 나를 응시했다.

"일주일 내내 상태 안 좋던 게 이것 때문입니까."

"……."

"나 참. 이서단 씨는 씹질이 그렇게 무섭습니까?"

침묵이 긍정이었다. 한 팀장은 별다른 반응 없이 내 손목을 잡아 끌어갔다. 그의 복부 위로 느슨하게 묶인 가운의 매듭에 손가락이 걸쳐졌다. 그리고 그가 산뜻하게 말했다.

"벗기세요."

"……"

나는 무서움도 잊고 눈을 크게 떴다. 벌어진 지퍼 사이로 성기를 꺼낸 적은 있어도 그가 옷을 벗은 것을 본 적은 없었다. 어려운 매듭도 아닌데 따뜻한 천에서 손이 자꾸만 엇나갔다.

"씻고 왔습니까?"

재촉하지 않고, 한 팀장이 천천히 내 등을 더듬었다. 피하지 않으려고 몸을 경직시켰다. 등의 골을 느릿하게 쓰다듬는 손바닥이 따뜻했다.

"맞다는 겁니까, 아니라는 겁니까."

"……씻고 왔습니다."

툭, 끈이 풀렸다. 나는 가운의 앞섶은 벌리지 못하고 손을 떼었다. 한 팀장은 숨으려는 내 손목을 다시 잡아 끌면서 웃었다.

나른한 포식자의 웃음이었다. 일주일 내내 제대로 쳐다보지 못했던 그의 얼굴이 바로 앞에 있었다.

"밑에 보세요."

얼굴에서 시선을 떼지 않으려는 내게 그가 명령했다. 나는 어쩔 수 없이 시선을 내렸다.

벌린 다리 사이의 묵직한 성기를 보지 않으려니 가슴과 복부의 잔 근육에 눈이 고정되었다. 단단하고 유려한 선을 눈으로 멍하니 더듬었다. 그는 가운을 완전히 벗어서 단정하게 접었다.

"가져온 게 있습니다."

협탁 서랍을 열며 그가 말했다.

"안 써도 나야 상관은 없지만, 이서단 씨 의사는 물어봐야 할 것 같아서."

내 앞에 후드득 떨어진 것은 네모난 비닐 포장이었다. 나는 조금이라도 멀어지기 위해 다리를 꽉 오므렸다. 떨리는 몸을 숨기고 싶었지만 내려다보는 그에게는 빤히 보였을 것이다.

내가 반응이 없자 그는 내 손에 콘돔을 억지로 쥐어 주었다. 호일로 된 모서리가 톱날처럼 뾰족했다.

"꺼내세요."

한 팀장이 말했다. 나는 기계적으로 콘돔의 포장을 뜯었다. 둥글게 말린 것이 안에 들어 있었다. 반투명한 고무가 기분 나쁘게 미끄덩거렸다.

그는 부연 설명 없이 짧은 턱짓으로 본인의 성기를 가리켰다. 나는 무릎걸음으로 조금 다가앉아, 말린 콘돔을 귀두 위에 툭 얹어 놓았다. 한 팀장이 바람 빠지는 소리를 내며 웃었다.

"씌우는 것까지 해야지."

"……어떻게……."

"손 떼지 말고 있어요."

한 팀장의 손이 내 손을 겹쳐 잡았다. 내 손가락보다 긴 손가락으로 손등을 덮어 움직이게 했다. 손바닥에 닿는 성기의 피부가 얇고 뜨거웠다. 힘을 주자 콘돔은 돌돌 쉽게 말려 내려갔다.

"답답하네."

그가 내려다보다가 중얼거렸다. 나를 말하는 건지 콘돔을 말하는 건지 알 수 없었다. 둘 다였을지도 모른다.

그는 갑자기 내 어깨를 잡아, 나를 누른 채로 몸을 뒤집었다. 정신을 차렸을 때 나는 그의 위에 거꾸로 엎드려 있었다. 그의 치골에 부딪힌 코를 들어 올리자, 콘돔을 낀 기다란 성기가 눈앞에 흔들리고 있었다.

"볼만한데."

등 뒤에서 한 팀장의 목소리가 중얼거렸다. 그의 가슴 양쪽으로 무릎을 내렸으니, 그의 얼굴 바로 앞에 내 엉덩이가 솟아 있을 것이다. 자세를 파악하자마자 나는 얼굴이 뜨거워졌다. 위에 올라타 있는 것도 이상한데, 자세가 동물적이고 난잡했다. 움츠러들려 했지만 어림도 없었다. 한 팀장은 내 허리를 팔로 꽉 끌어안으며 나를 주저앉혔다.

"내기 하나 할까요."

"……꼭 이렇게―"

"이건 내가 빨겠습니다."

그리고 그가 내 성기 밑동을 움켜쥐었다. 힘이 들어가지 않은 손길이었는데도 나는 소스라쳤다.

"읏!"

"이서단 씨는 본인 앞에 있는 걸 빠세요. 내가 쌀 때까지 이서단 씨가 안 싸고 버티면, 내일 걸어 다닐 수는 있게 해 주겠습니다."

"……잠깐."

몸을 비틀어 빠져나가려 했는데, 그는 아예 두 손을 겹쳐 내 성기를 빈틈없이 감싸 안았다. 기둥 아랫부분이 부드럽게 어루만져지자 찌르르 소름이 등줄기를 타고 올라왔다. 몸이 떨렸다.

움츠러든 고환에 뜨거운 입술을 댄 그가 불분명한 발음으로 으르렁거렸다. 말귀 못 알아먹지, 라는 것 같았다.

"아, 흣!"

"정신 차리고 빨아요."

등 뒤에서 일어나는 일에 신경 쓸 겨를이 없었다. 나는 그의 묵직한 성기를 무작정 잡아 올렸다. 둥근 귀두를 입술을 크게 벌려 한 번에 받아들였다. 입에 들어온 두껍고 뜨끈한 기둥에서는 고무의 인위적인 향이 났다. 미끈거리는 고무 위를 다급하게 훑을 때마다 기둥이 울룩불룩 팽창하는 것을 느낄 수 있었다.

그때 핸디캡을 주듯이 잠시 입을 뗐던 그가 내 성기를 입안에 넣고 강하게 빨아 올렸다. 터져 나온 소리가 그의 성기에 막혔다. 저릿한 감각이 등줄기를 타고 치달았다.

이길 수 있을 리 없었다. 테크닉의 차이였고, 경험의 차이였다. 나는 그가 고환을 입에 머금고 살살 빨아 올릴 때부터는 아예 그의 것에 집중할 수 없었다. 마른 울음 같은 것이 계속해서 뜨겁게 목에 고였다. 숨이 가쁘고 벌린 입술에서 침이 흘러내렸다. 입안에서 튕기듯이 빠져나온 축축하고 뜨거운 성기가 뺨에 비벼졌다. 몸이 간헐적으로 경련하고 발끝이 꼭 오므라들었다.

"……아아! 아, 하으으……."

"경쟁심이, 그렇게 부족해서—"

"홋! 아, 아아, 그, 흐읏!"

"어쩔 셈입니까."

질척거리는 소리가 났다. 끈적하고 습한 곳에서 성기가 빠져나왔다. 나는 숨을 가쁘게 토해 냈다. 타액으로 축축하게 젖은 기둥에 닿는 공기가 차가웠다.

"핸디캡을 좀 줄까."

"……흐으……."

"나는 여기로 하겠습니다."

엉덩이가 양쪽으로 젖혀졌다. 회음부를 길게 핥아 올린 혀가 더 위로 올라갔다. 나는 납득할 수 없는 상황에 뻣뻣하게 굳었다. 오므라든 항문 위로 그가 뜨거운 입술을 쪽 소리 나게 붙였다가 떼었다.

"……팀장님—"

"나는 신경 쓰지 말고 이서단 씨 할 일이나 합시다."

"으, 하지…… 훗!"

그가 뾰족한 턱으로 풍선을 터뜨릴 듯이 둥그런 엉덩이를 꾹꾹 눌렀다. 주위를 탐하듯이 맴돌던 입술이 벌어진 엉덩이 사이로 점점 가까워졌다. 허벅지에 힘을 줘도 그가 엉덩이를 잡아 벌리고 있어 소용이 없었다. 골반을 꽉 움켜쥔 손 때문에 꼼짝도 할 수 없었다. 그대로 나를 잡아 고정하고, 그가 다물린 주름을 혀로 밀어 파헤쳤다.

"하으으!"

뜨거운 것이 안으로 쑥 밀고 들어왔다. 양손으로 주름을 잡아 벌리고 그가 그 사이로 뾰족하게 세운 혀를 쑤셔 넣었다. 뒤에서 일어나는 일이 보이지 않자 마치 항문에 꿈틀거리는 뱀이 들어오는 것 같았다.

나는 그의 성기에 입술을 붙이고 숨만 간신히 토해 냈다. 뜨거운 혀가 안쪽으로 들어와 내벽을 집요하게 핥고 난잡하게 젖은 소리를 내며 빠져나갔다. 흥건해져 벌름거리는 틈새로 굵고 딱딱한 게 진입했다. 그는 손가락을 반쯤 넣고 타액으로 젖은 주름을 늘리듯이 아래위로 힘주어 당겼다. 벌어져 드러난 안쪽 내벽을 혀끝으로 문질렀다.

"이, 그거, 아아! 흐아……."

"좋습니까? 뒤를 빨아 주니까 좋아?"

"싫, 아아…… 아윽!"

맑은 선액을 흘려내는 내 성기를 그가 어루만지듯 스쳤다. 눈물이 스밀 정도로 안타까운 자극이었다. 몸을 애타게 들썩이는데, 그는 손 하나 까딱해 주지 않았다. 그 대신 구멍을 늘리던 손가락이 빠져나가고, 그가 뜨거운 입술로 항문을 덮어 강하게 빨아 올렸다.

"아아! 아윽!"

부푼 주름 안쪽의 예민한 살이 새빨갛게 밖으로 딸려 나갔다. 그는 혀를 세워 비비듯이 핥고 뜨거운 입술을 바들거리는 주름 위로 비볐다. 어마어마한 배덕감에 시야가 흐릿해졌다. 그가 빨고 있는 곳뿐만 아니라 온몸이 타들어 갈 듯이 뜨거웠다.

그가 내 성기를 만져 주었는지도 확실하지 않다. 붉게 벌름거리는 입구에 굵은 손가락이 얕게 드나들다, 어느 순간 뿌리까지 쑤셔 넣어졌다. 어느새 나는 사정하고 있었다. 그의 양 허벅지를 손마디가 하얗게 변할 정도로 꽉 잡고, 몸을 부들부들 떨었다. 그의 단단한 가슴 위로 하얀 정액을 흩뿌렸다. 수치를 잊은 것처럼 그 위로 젖은 성기를 비볐다.

"……허락도 안 맡고."

"아아, 아……."

"먼저 가. 빨라고 했더니 말도 안 듣고."

그가 느릿하게 손가락을 접어 내리며 읊조렸다. 사정의 여운으로 귀가 지잉지잉 울려서 무슨 말인지 이해할 수도 없었다. 멍하니 그의 가슴에 묻은 불투명한 정액을 쳐다보고 있는데, 한 팀장이 손을 뻗어 내 눈가를 문질렀다. 턱이 들어 올려지고, 시선이 마주쳤다.

그가 부드럽게 말했다.

"엎드리는 편이 나을 겁니다."

"……."

"엎드려서 침대 기둥을 잡아요."

내가 중간부터 내팽개친 그의 성기는 배에 닿을 것처럼 단단하게 서 있었다. 그는 짙게 젖어 든 콘돔 위로 자신의 성기를 잡아 느릿하게 아래위로 문질렀다. 나는 바로 못 알아듣고 그의 얼굴과 성기를 번갈아가며 쳐다봤다.

그는 무심하게 내 어깨를 잡았다. 등을 손바닥으로 힘주어 눌렀다. 납작하게 엎드린 내 다리를 잡아 벌리고 툭툭 쳐서 엉덩이를 추켜올리게 했다.

"열심히 빨았으면 젤이라도 발라 주려 했는데."

탁, 그가 손바닥에 침을 뱉었다. 치덕치덕 자신의 성기를 잡아 문질렀다. 몽둥이 같은 것의 밑동을 쥐고, 내 등에 단단한 손을 짚었다.

다물려진 구멍 위로 둥글고 딱딱한 귀두의 끝이 부딪혔다.

그 순간 눈앞이 깜깜해졌다. 발작처럼 몸이 굳고, 숨이 멈췄다.

그리고 나는 그조차 예상 못 했을 만큼 격렬하게 발버둥 쳤다. 그의 손이 뿌리쳐지고 몸이 떨어져 나갔다. 나는 침대에서 완전히 굴러 떨어졌다. 거칠게 부딪힌 어깨의 통증도 잠시였다. 그가 뭐라고 소리를 질렀지만 들리지 않았다. 네 발로 기듯이 도망쳤다. 욕실 문이 가까웠다. 그가 쫓아오기 전에 나는 그 안으로 멍든 몸을 굴려, 다급하게 문을 밀어 닫았다. 찰칵, 걸쇠가 잠겼다.

"……으윽……"

차가운 바닥에 주저앉자마자 눈물이 터졌다. 눈물샘이 고장 난 것처럼 끊임없이 뺨을 타고 흘렀다. 나도 내가 한 짓을 믿을 수 없었다.

문 너머는 인기척 하나 없이 조용했다.

"……그만, 그만하고, 싶…… 못 하겠어요……."

쥐어 짜내듯이 말했다. 욕실 바닥에 주저앉아 문을 올려다보며 목 놓아 빌었다. 한도를 넘은 공포는 환각처럼 새빨갛게 시야를 덮었다.

"무서워요……. 무서워……. 못 해요. 저 못 하겠어요. 못……."

쾅—

굉음이었다. 문이 부서질 듯이 흔들렸다. 나는 말을 멈추고 입술을 벌린 채로 벌벌 떨었다. 잘게 떨리는 문을 하릴없이 올려다봤다.

쾅—

다시 문이 흔들렸다. 나는 겁먹은 울음이 다시 터졌다.

"팀장님…… 한 번만, 한 번만 저……."

"나와."

들어 본 적 없는 목소리였다. 차갑고 낮게 깔린 음성에는 온기의 흔적도 없었다.

철컹, 손잡이가 거칠게 흔들렸다. 문 너머의 남자는 이를 악문 듯이 말했다.

"나오세요. 내가 이걸 부수고 들어가면, 오늘 이서단 씨는 죽는 날입니다."

"……팀장님, 저, 못…… 무서워서."

"한 번만 더 말하겠습니다. 십 초까지 셀 동안 이서단 씨 손으로 문 열고 나오세요. 제정신이 조금이라도 남아 있다면 내 말 듣는 게 좋을 겁니다."

나는 고개를 정신없이 저었다. 기듯이 도망치다가 벽에 머리를 부딪쳤다. 창문이 너무 작았다. 그가 서 있는 문이 아니고서는 나갈 방법이 없었다. 그때 문을 뚫고 건조한 목소리가 또렷하게 들려왔다.

"십."

"……윽, 으."

"구, 팔."

"싫, 그, 으으……."

무릎 위로 움켜쥔 주먹이 사시나무처럼 벌벌 떨렸다. 눈물이 시야를 막고 얼굴을 뜨겁게 적셨다. 칠, 육. 그는 느릿하지만 분명하게 수를 세어 내렸다. 제발, 제발. 중얼거리듯이 흐느끼며 발을 동동 굴러도, 하나씩 줄어드는 숫자에는 자비가 없었다.

"오, 사, 삼 초."

"……흐, 으, 으윽."

나는 더듬거리는 다리로 벌떡 일어나 문을 붙잡았다. 벌벌거리는 손가락으로 걸쇠를 간신히 풀었다. 일, 이라고 그가 마지막으로 내뱉었을 때, 나는 문을 잡아 열고 있었다.

문틈으로 분노를 눌러 담은 차가운 얼굴이 보이자마자 나는 문턱을 그러쥐고 엉엉 울었다.

"팀장님…… 흐윽, 윽, 저, 제발…… 아!"

그가 말없이 좁은 문틈을 발로 걷어차 벌렸다. 뒤로 도망치려는 내 어깨를 꽉 움켜쥐었다. 몸이 밀려 침대 위로 내팽개쳐졌다. 비명을 질렀다. 경련하는 몸 위를 그가 덮어 눌렀다. 온몸 위로 무게가 묵직하게 실렸다.

나는 이를 악물고 눈을 감았다.

"……."

다리를 잡아 벌리는 손길은 느껴지지 않았다. 숨을 참고 기다려
도 아무 일도 일어나지 않았다. 결국 나는 눈물로 무거워진 눈꺼풀
을 깜박이며 천천히 눈을 떴다.

"……으……."

바로 위에 한 팀장의 얼굴이 있었다. 한 뼘 거리에서 나를 물끄러
미 보는 서늘한 눈을 마주쳤다. 나는 히끅, 움츠리며 숨을 삼켰다.

"이걸 가지고 내가……."

그가 가라앉은 목소리로 중얼거렸다. 내 이마를 손가락으로 꾹
밀어냈다.

"나를 그런 식으로, 자극하지 말아요. 본인 안위를 위해서."

"웃, 윽……."

"일어나요."

묵직하게 위를 덮던 체온이 사라졌다. 그는 내 팔을 잡아 나를 똑
바로 앉혔다. 아까 침대에서 굴러 떨어졌을 때 부딪혔던 어깨를 잡
아 들여다봤다.

"여기, 아픕니까?"

"……흐으……."

"움직여 봐요."

그가 손목을 잡아 팔을 여러 번 들게 했다. 아릿한 둔통은 있었지
만 괜찮았다. 멍이 질 게 분명한 타박상 위를 가볍게 쓸면서 그가 팔

을 제자리에 돌려놔 주었다.

훌쩍, 몸이 다시 들렸다. 이번에는 그의 허벅지 위로 엉덩이가 내려앉았다.

"이서단 씨한테는 아무래도 이게 나을 것 같습니다."

"……끅……."

"나를 내려다보니 어때요. 좋습니까?"

그가 내 허리를 단단히 감싸 안고 있었다. 정말로 그의 위에 올라앉자 눈높이가 내 쪽이 더 높았다. 자세가 반전되자 마음이 조금 가라앉았다. 여전히 잔떨림이 남은 몸을 끌어당겨 안고, 그는 등 아래쪽을 손바닥으로 쓰다듬고 있었다.

나를 때려죽일 것 같던 분노는 다 어디로 갔을까. 나는 겨우 숨만 쉬며 생각했다. 이제 어떻게 되는 것일까.

"저……."

쥐어 짜낸 목소리가 덜덜 떨리고 있었다. 그가 나를 힐끗 올려다 봤다.

"잘못, 했어요……."

"……지금 벌 받기 싫어서 수작 부리는 겁니까."

"정말로, 일부러 그런 게…… 너무 무서워서…….."

울음이 여백마다 축축하게 고였다. 그는 내 입술을 손바닥으로 덮었다. 조용히 하라는 뜻이었다.

"잘못, 읍……."

"울지 마요. 역효과니까."

"······벌, 주지 마세요······."

나는 입을 막은 그의 손을 내 손으로 끌어 잡았다. 눈물을 뚝뚝 떨구면서 빌었다.

"할게요, 시키시는 대로 할게요, 그러니까······."

한 팀장이 나를 물끄러미 내려다봤다. 날카로운 눈매가 희미하게 풀어졌다.

"아픈 게 싫은 겁니까."

"······으, 윽······."

"그래도 벌은 받아야지. 엉덩이가 다 터질 때까지 맞아도 안 될 죄목인데, 이것까지 봐달라는 건 너무하지 않습니까."

뜨거운 손바닥이 엉덩이를 느릿하게 어루만졌다. 나는 움칠 몸을 떨었다. 그는 눈물이 고인 내 눈가를 손끝으로 쓸고, 무심하게 말했다.

"벌은 나중에 얘기하고."

"······."

"지금은 하던 일부터 마저 끝냅시다."

그는 뒤로 팔을 뻗어 콘돔이 나왔던 서랍을 다시 달그락 열었다. 포장도 뜯지 않은 새 젤통을 꺼냈다. 굳어지는 내 등을 그가 문질렀다. 무덤덤하게 타일렀다.

"어차피 해야 하는 겁니다."

눈가가 시큰거렸다. 고개를 들어 그의 입술을 쳐다보다가, 쪽, 입을 부딪쳤다. 손가락에 젤을 묻히던 그가 멈칫했다.

"방금 그건 안전어입니까."

고개를 끄덕였다. 그가 어처구니없다는 듯이 웃었다.

"뜻은 알겠는데, 안 됩니다. 지금은 플레이하는 게 아니잖아요."

쪽, 조금 더 길게, 다시 시도해 봤다. 입술을 떼고 눈치를 살피니, 그가 나를 물끄러미 보고 있었다.

"쓸 데와 안 쓸 데를 구분할 줄 알아야지. 이렇게 날 실망시킬 겁니까."

눈가가 뜨거웠다. 나는 정말로, 거짓말을 안 보태고 이곳이 한계인데. 울음을 삼키며 다시 그의 어깨에 턱을 묻었다. 참으려 해도 자꾸 흐느낌이 새어나갔다. 이번에는 도망갈 수 없을 것이다. 견뎌야 한다고 스스로를 타일렀다. 그러다 보면, 참고 견디다 보면, 언젠가는 끝날 것이다. 알고 있는데, 무서웠다. 눈물이 멎지를 않았다.

나를 앉힌 허벅지가 들썩거렸다. 눈가에 부드러운 것이 닿았다.

"눈 떠 봐요."

"……."

나는 천천히 눈물을 깜박여 없앴다. 아까는 분명히 나를 죽여 버릴 것처럼 화가 나 보였는데, 그는 누그러진 얼굴이었다. 몸이 꽉 밀착되었다. 그는 양팔로 내 허리를 감은 채로 시선을 맞대고, 나직하게 말했다.

"무서워할 필요 없어요."

"……."

"아픈 건 안 할 겁니다."

이마가 맞닿았다. 입술이 가볍게 쪽 맞물렸다가 떨어졌다. 그는
내 눈가에 부드러운 입맞춤을 떨구었다. 나를 고쳐 안고 엉덩이를
토닥토닥 어루만지며 말했다.

"약속합니다. 많이 아프지 않을 거예요. 정 힘들면 멈춰 주겠습
니다."

"……거짓말, 하지─"

"내가 언제 이서단 씨를 두고 거짓말을 했습니까."

손가락이 엉덩이 골 사이를 문질러 내려갔다. 질척, 아까부터 주
위를 맴돌던 굵은 손가락이 입구를 뚫었다. 안이 왜 이렇게 뜨거워.
그가 속삭이듯이 말했다. 손끝이 엉겨 붙는 내벽을 부드럽게 더듬
었다. 지난번처럼 난폭한 추삽질은 아니었다. 나는 눈을 감고 그의
목에 뺨을 비비며 견뎠다. 그는 젤을 떠서 안쪽에 펴 바르듯이 손가
락을 미끄러뜨렸다. 골 사이가 녹은 젤로 뜨거웠다. 느끼는 지점이
계속 부드럽게 어루만져지자, 거짓말처럼 다디단 사정감이 빠듯하
게 찾아들었다. 나는 그의 팔을 급하게 붙잡았다.

"저 이러다 갈 것 같, 아아! 저, 아…… 아으."

"허락 안 맡아도 됩니다. 싸고 싶으면 싸요."

그가 내 것을 잡아 어르듯이 문질렀다. 앞뒤를 동시에 자극당하
니 절정은 금방이었다. 이가 시릴 정도의 달콤함이 버겁지 않게 차
올랐다.

내가 가쁜 숨을 토해 내고 그의 어깨 위로 늘어지자, 그가 안을 어
루만지던 손가락 두 개를 빼 주었다. 내 허리를 잡아 허벅지 앞쪽으

로 나를 당겨 왔다. 허리가 훌쩍 들렸다.

"나 꽉 잡아요."

"……팀장님."

"왜."

젤로 축축하게 젖은 엉덩이골에 묵직한 성기가 비벼졌다. 뜨거웠다. 나는 흐릿한 시야로 겨우 그를 불렀다.

"저…… 무서워요."

혼잣말처럼 말했지만, 그가 쓴웃음을 지었다.

"내가 모를 거라고 생각합니까."

"너무…… 무서워서…….''

"알아요, 쉿."

눈가에 그의 입술이 닿았다. 괜찮아. 그가 다정하게 속삭였다.

"괜찮으니까 숨 쉬고, 나 보고 있어요."

그리고 키스해 주었다. 입술이 다 녹을 것처럼, 그와 닿아 있는 부분이 다 노곤노곤해질 듯한 길고 농밀하고 부드러운 키스였다. 위로처럼, 눈가림처럼.

둥근 엉덩이가 젖혀 벌려졌다. 흥건하게 젖은 입구에 뭉툭하고 커다란 것이 닿았다.

"……흐윽."

"힘 빼고."

목소리에 뜨거운 숨이 섞여들었다. 뚝뚝 떨어지는 눈물을 그의 입술이 훔쳐내 주었다. 천천히, 천천히, 둥근 귀두가 주름을 가득 벌렸다. 나는 흐느끼며 몸을 그에게로 더 가까이 붙였다. 맞닿은 가슴에서 내 것만큼이나 빠른 그의 심장 소리가 울렸다.

"아…… 흐으윽, 아……."

"……생각보다 잘 먹네. 조금만 더 참아 봐요."

견디다 못해 자꾸 그를 밀어내려는 손을 그가 잡아 눌렀다. 겁이 났다. 구멍이 굵은 것을 머금기 위해 팽팽하게 벌어진 것을 느낄 수 있었다. 뜨거운 기둥이 안을 짓누르며 끝도 없이 들어왔다. 입이 저절로 벌어질 정도로 압박감이 너무 심했다. 분명히 다 들어온 것 같은데 아무리 참고 기다려도 끝나지 않았다.

"팀장님, 흑, 여기, 까지…… 아윽……."

아랫배가 불룩 올라온 것 같았다. 배가 다 뚫릴 것 같아 울면서 그 위를 쓰다듬었다. 그의 숨소리에 웃음이 섞였다.

"그래요. 빈 공간 없이, 다 내 걸로, 채울 겁니다."

"너무, 너무 깊어서…… 조금만, 아, 아아, 흐읏……!"

"안 됩니다. 안쪽에 힘 빼고…… 더 삼켜요. 전부 다 넣을 겁니다."

그가 내 허리를 잡아 속도를 조절하며 나를 조금씩 내려앉혔다. 굵은 불기둥이 안으로 꾸역꾸역 더 파고들었다. 두꺼운 귀두가 장을 뚫고 나올 것 같았다. 뱃가죽이 뚫릴 것 같았다. 이렇게 깊게 들어올 수 있다니 믿을 수 없었다. 엄지만 한 로터 가지고 엄살 부렸던 것은 정말 어리광이었다. 소리도 나오지 않아서 입을 벌리고 헐떡헐떡 숨만 쉬었다.

"너무, 너무 아파……."

"참으세요."

그도 목소리에 더 이상 여유가 없었다. 처음이었다. 꽉 죄인 접합부를 어루만진 그가 작정한 듯이 내 어깨를 강하게 내리눌렀다. 푹, 남은 성기가 뿌리까지 단숨에 잠겨 들었다. 부푼 귀두가 배 속 깊은 곳을 찢듯이 젖혀 열었다.

"악!"

"……힘, 빼 봐요. 끊어 먹을 것 같네."

"너무, 깊, 아, 아아…… 죽을 것 같아."

"죽진 않습니다."

그가 등을 안아 어루만졌다. 식은땀이 나는 몸을 어르듯이 토닥였다. 젤을 퍼 올려 예민한 접합부를 느리게 문지르고, 자꾸 일어나려는 나를 붙잡아 앉혔다. 조금만 빼 달라고 울면서 부탁해도 허락하지 않았다. 힘을 빼라면서 미끈거리는 손바닥이 성기를 문 엉덩이 양쪽을 찰싹찰싹 내리쳤다.

머릿속이 새빨갰다가 새까맸다. 죽을 것 같아. 그의 입술이 보여 무작정 입을 맞췄다. 끔찍한 압박감을 피해 도망칠 곳이 필요했다.

서툴게 혀를 그의 입안에 넣어 키스하자, 나를 끌어안고 응해 주었다. 머릿속이 몽롱해질 때까지 젖은 입술이 격렬하게 빨렸다. 경직된 몸에서 조금씩 힘이 빠졌다. 숨이 막히던 괴로운 아픔도 차츰 잦아들었다. 겨우 숨을 쉴 수 있었다.

뒤를 돌아보기엔 겁이 났지만, 팽팽하게 벌어진 입구에 바짝 맞닿은 그의 고환이 느껴졌다. 정말로 전부 안에 들어온 것이다. 숨을 쉴 때마다 빈틈없이 안을 메운 살기둥의 묵직함을 실감했다. 몸 안에 그의 성기가 들어와 있었다. 믿을 수 없었다.

"……움직일 겁니다."

그때 그가 귓가에 숨을 불어넣으며 억누른 목소리로 말했다. 나는 하릴없이 고개만 내저었다. 내 입술을 이번에는 그가 밀어냈다. 자꾸만 위로 도망치는 내 허리를 잡아 벌주듯이 눌러 앉혔다.

"하윽! 흑, 으, 아파."

"……천천히 할 테니까, 울지 말고."

들어왔을 때보다 훨씬 느리게, 안을 가득 채운 기둥이 조금씩 물러났다. 울퉁불퉁 혈관의 모양까지 느껴질 정도로 느릿하게 빠져나갔다.

그때였다. 특별히 느끼는 부위도 아니었다. 엉겨 붙는 내벽이 핥듯이 부드럽게 쓸렸을 뿐인데, 어느 순간 발끝이 확 곱아들었다. 소름 끼칠 정도의 전율이 찌르르 등줄기를 타고 올랐다.

"하으윽! 잠깐만, 잠깐만요."

"안이 바들바들 떨리는데. 아픕니까?"

허리가 띄워진 채로 몸이 뚝 멎었다. 성기가 반쯤 묻혀 있자 너무 힘들었다. 나는 고개를 필사적으로 흔들었다.

"빼면, 빼면 안 돼요."

"싫은데."

그의 입꼬리가 올라갔다. 그는 내 허리를 잡고 몸을 도로 스윽 물렸다. 두꺼운 것이 젖은 내벽을 문지르며 지독하게 느릿하게 빠져

376

나갔다. 그가 잡고 있지 않았다면 몸이 생선처럼 튀었을 것이다. 나는 울음을 삼키며 몸을 덜덜 떨었다. 안이, 너무…… 뭉친 신경줄을 가닥가닥 잡아 문지르는 느낌이었다. 크게 벌어진 입구가 움칠움칠 굵은 기둥을 죄었다. 어떻게 되어 버릴 것 같았다.

"아으…… 그, 흐읏, 제발, 빼면 안—"

"빠질 때가 좋습니까."

둥근 귀두만 남겨 놓고 전부 빼낸 그가 낮게 웃었다. 나는 잔떨림이 남은 몸으로 고개를 저었다. 물론 소용이 없었다. 눈가에 입을 맞춘 그가 말했다.

"이서단 씨야말로, 순 거짓말쟁이 아닙니까."

"흐앗!"

그가 나를 눌러 앉혔다. 굵은 게 다시 푹 안으로 잠겨 들어갔다. 그의 허벅지를 잡아 몸을 띄우려 하자, 그는 몸을 지탱하는 내 손을 잡아 손쉽게 빼 버렸다. 추락한 몸이 흉흉하게 선 성기를 단숨에 집어삼켰다. 배 속을 주먹으로 얻어맞는 것 같아 나는 덜덜 떨며 숨을 들이켰다. 그는 허리를 확 들며 내 골반을 단단하게 잡아당겼다.

"다 먹어야지."

"아, 안, 그…… 흐아앗!"

"다 넣어야, 이서단 씨 좋아하는 걸 할 거 아닙니까."

울면서 고개를 저었지만, 그는 웃을 뿐이었다. 나를 잡아 고정하고, 또 그가 허리를 느릿하게 물렸다. 미끈거리는 성기가 벌린 주름 사이로 빠져나오기 시작했다. 몸이 경련하고 머릿속이 새하얗게 비

었다. 진짜, 그거, 죽을 것 같아요, 제발, 그렇게 빼면, 같은 말을 두서
없이 뱉으며 엉겨 붙은 발음으로 빌었다.

"더 빠르게 해 줄까. 그럼 나을 것 같습니까."

"흐아…… 아으, 으읏, 아, 아, 아흐으."

"내 좆이 맛있습니까. 굵은 걸 뻐금뻐금 잘만 먹는데. 빼기만 해도
느끼는 야한 몸을 가지고, 무섭긴, 뭐가, 응?"

"흐아아아! 아아! 팀장님, 저 죽을, 흐아앗! 으응, 응, 흐읏!"

"진작에, 좆질을 했어야, 됐는데. 그렇게 좋습니까? 좋아요? 여기
는, 여기도?"

내려앉혀지며 정확하게 그가 귀두로 전립선을 찔러 올렸다. 그
순간 천장이 빙글 뒤집혔다. 귓가에 길게 이명이 울렸다. 그는 경련
하는 나를 받치고 성기를 뿌리까지 단단하게 밀어 넣었다. 내가 사
지를 벌벌 떨고 숨도 못 쉬는 것을, 주인 된 자처럼 성기를 박은 채
로 만족스럽게 지켜보았다.

"뒤로만 가는 게 이런 겁니다. 좋습니까?"

"……흐, 아아……."

시야가 간신히 돌아왔다. 한 팀장은 기다려 주지 않고 거칠게 성
기를 빼냈다가 다시 안으로 찔러 넣었다. 사정 봐주는 것 없는 삽입
이었다. 열기가 불같이 치달았다. 흐악, 흐으으, 발음이 엉겨 붙었다.

"미치겠네."

그가 내 귓불을 꽉 깨물면서 뜨겁게 내뱉었다. 여유라고는 찾아
볼 수 없는 초조한 목소리였다. 성기가 콱콱 박히드는 속도가 점점

미친 듯이 빨라졌다. 안에 불이 난 것 같았다. 나는 말을 하는 법도 잊고 울면서 그의 입술을 찾았다. 필사적으로 고개를 들어 키스했다. 그가 목을 낮게 울리면서 움직임을 잠시 늦추었다.

"너무 빨라?"

고개를 끄덕거렸다. 그는 이를 악물면서 내 어깨를 잡았다. 성기가 젖은 소리를 내며 빠져나갔다. 부어오른 입구가 빠끔 벌어진 채로 바들거리는 것을 느낄 수 있었다.

잘게 몸서리치는 몸이 빙글 돌려 눕혀졌다. 등이 이불에 닿고 다리가 크게 벌어졌다. 내 손을 떼어내 양 발목을 쥐어 준 그가 눈살을 찌푸린 채로 내뱉었다.

"잘 잡고 있으면 천천히 하겠습니다."

"으⋯⋯."

"다시 넣습니다. 힘 빼요."

붉게 부어오른 입구 위로 차가운 젤이 들이부어졌다. 펴 바르고 밀어 넣는 손길이 성급했다. 나는 울면서 미끄러지는 발목을 자꾸만 고쳐 쥐었다. 엄지로 몇 번 얕게 들락거리고, 그가 두꺼운 귀두를 다시 가져다 댔다. 경고도 없이 푹, 파고들었다.

바들바들 떨리는 아랫배를 그가 쓰다듬었다. 타고 올라온 손이 바짝 서 있는 유두를 젖은 손가락으로 집어 올려 문질렀다. 안을 괴롭게 밀어 올리는 삽입에는 자비가 없었지만, 그가 만지는 곳마다 뭉근하게 녹아내렸다. 전류가 흐르는 것처럼 몸이 떨렸다.

"싫, 아아, 천, 천히."

"……노력 중입니다. 힘 빼 봐요, 조이지 말고."

"으, 아…… 팀장님, 흐아아……."

내 마음대로 할 수 있는 게 아니었다. 그가 푹 파고들고 쑥 빠질 때마다 젖은 내벽이 딸려 나갔다. 위에서 아래로 파고드니 더 죽을 것 같았다. 몸이 붉게 헐어 그의 성기 모양대로 생긴 통로가 배 속에 생긴 것 같았다.

삽입이 점점 격렬해졌다. 나는 발목을 놓치고 대신 그의 목을 더듬더듬 안았다. 매달리듯이 몸을 붙이고 견뎠다. 살기둥이 들이칠 때마다 머릿속의 생각이 하얗게 흩어졌다. 아파? 라고 그가 낮게 물었다. 입술이 귓불을 뜨겁게 빨아들였다. 그가 박자를 늦추며 허리를 뭉근하게 돌리듯이 안을 휘저었다. 모르겠, 어요. 울면서 띄엄띄엄 대답했다.

"아파도 울고, 느껴도 울고. ……내 수도꼭지."

"흐웃, 응, 으, 으응……."

눈가에 그가 부드럽게 입을 맞췄다. 몸에서 완전히 빠져나간 불기둥이 칼집에 꽂히듯이 거칠게 나를 꿰뚫었다. 비명을 지르며 몸을 비틀었지만 나도 알고 있었다. 흠뻑 젖은 입구가 쉽게도 그를 집어삼키고 있었다. 짓무른 접합부가 움찔움찔 그의 말대로 그의 것을 먹는 것 같았다. 스스로 게걸스럽게 빨아들이는 것 같았다. 몸이 어떻게 된 것 같았다. 고장 나 버린 것 같았다.

"이서단 씨 안이…… 미치겠네, 뜨거워서……. 여기는, 타고났습니까."

"흐앗!"

그가 흐물흐물 녹아 버린 안을 두꺼운 살기둥으로 휘저었다. 아 랫배를 파내듯이 전립선 위를 꽉꽉 짓눌렀다. 전기처럼 저릿한 게 몸을 정수리에서 발끝까지 관통했다. 그의 배에 문질러지는 성기는 아직 빳빳하게 서 있는데, 숨도 쉴 수 없는 것 같은 아득한 절정감이 찾아들었다.

파르르 경련하는 허벅지를 그가 잡아 벌렸다. 그를 받아들인 주 름을 손가락으로 잡아 벌리고 푹푹 꽂아 넣었다. 미칠 것 같았다. 예 민한 속살이 마구잡이로 벌려지고 비벼졌다. 둥글고 뭉툭한 끝이 정확하게 한 지점만을 짓누르고 괴롭혔다. 절정이 끝나지도 않았는 데 전립선을 자극당하는 것은 도를 넘은 쾌감이었다. 시야가 뒤집 혀 허우적거리면서 나는 이러다 죽는 게 아닐까 생각했다. 몸의 어 느 한 부분도 말을 듣지 않았다.

"여기가 헐 때까지, 해 주겠다고 했잖아, 내가. 좆으로, 여길 문질 러서—"

"흐아아, 응, 윽……."

소리가 목으로 자꾸만 먹혀 들어갔다. 귓가에 닿는 숨도 몸을 떨 리게 할 만큼 모든 게 예민했다. 몸의 안도 밖도 달아올랐다. 그는 뜨겁게 질척거리는 내벽을 가르며 뿌리까지 살기둥을 연거푸 박아 넣었다. 내 발목을 크게 잡아 벌리고 몸속을 파낼 듯이 격렬하게 안 을 헤집었다. 더 이상 배려도 자비도 없는 속도였다.

가장 깊은 곳까지 파고든 순간, 맥박 치는 성기가 최대로 부푸는 것이 느껴졌다. 동시에 그의 배에 비벼진 것만으로 내 성기에서도 울컥 정액이 토해 내졌다. 나는 그의 목에 얼굴을 묻고 몸을 경련했다. 떨어질 것처럼 그를 절박하게 끌어안고, 숨을 멈췄다.

"……아아, 흐아아…… 아아……."

10초, 어쩌면 그것보다 더 길게. 아무런 생각도 나지 않는 새하얀 어둠이었다.

질척, 느릿하게 살기둥이 빠져나갔다. 귀두가 뽑혀 나가고 다물어지지 않는 부푼 입구를 그가 손바닥으로 느릿하게 문질러 다물려 주었다. 벌려진 허벅지 안쪽이 경련하듯이 바들거렸다.

"……흑, 으……."

다리를 가지런히 모아 나를 반듯하게 눕히고, 몸을 가볍게 쓰다듬는 손길이 이어졌다. 납작한 배와 가슴을 거쳐 온 입술이 턱 끝에 닿았다. 쪽, 입술이 맞물렸다. 나는 그제야 어지럽게 흔들리던 시야의 초점이 천천히 돌아왔다.

몸이 물 먹은 솜처럼 무거웠다. 눈만 위로 굴리자 나를 물끄러미 보고 있는 한 팀장이 있었다.

"괜찮습니까?"

"……네."

형편없이 쉰 목소리가 민망했다. 내 얼굴을 구경하다가 그가 덤덤하게 물었다.

"왜."

"네?"

"표정이 왜 그 모양입니까."

"……이상해서……."

머리가 멍했다.

"이게 뭐라고, 지금까지……."

이게 대체 뭐라고 나는 일주일 내내 앓았을까. 몇 주간, 10년간, 나를 옭아맨 것은 무엇이었을까.

"별것도 아니었습니까."

한 팀장이 눈살을 슬쩍 찌푸리고 말했다.

"본인이 몇 번 갔는지 기억이나 하는 겁니까."

"……그 뜻이, 아니라……."

"그 뜻이 아니면 뭡니까."

그가 주먹 쥔 채로 중지를 세워 겨우 다물린 주름 위를 문질렀다. 부푼 곳을 당장이라도 뚫고 들어올 것처럼. 저릿한 통증에 몸이 들썩였다.

"정말로 그게……."

"그럼 좋았습니까?"

코가 닿을 거리에서 그가 물었다. 눈가에 희미하게 웃음기가 배어 있었다. 얕게 파고든 손가락이 부어서 예민한 내벽을 헤집었다.

"좋았습니다, ……아, 읏!"

그가 손가락을 빼냈다. 뒤가 쓰라리긴 해도 그의 손에 투명한 젤만 묻어나는 걸 보니 피도 안 난 모양이었다. 유혈사태도 나지 않았고, 병원에도 실려 갈 일이 없었다. 긴장이 풀리자 갑자기 까무룩 졸음이 밀려들었다. 눈을 느리게 깜박이는데, 그의 얼굴이 웃었다.

"나도, 좋았습니다."

"……."

"이 정도로 바닐라 BDSM 는 취향이 아닌데, 좋았어요. 이서단 씨라 그랬나 봅니다."

"바닐라……?"

무의식적으로 되물었더니, 그가 어떻게 이것도 모르냐는 얼굴로 대답했다.

"플레이 없는 일반 섹스."

나는 입을 열었다가 다물었다. 시선을 아래로 내리고 말했다.

"죄송합니다."

"뭐가 또."

"아까…… 도망쳐서."

생각하자 열이 올라 얼굴이 화끈거렸다. 한 팀장은 대답하지 않고 희미하게 멍이 올라오는 내 어깨를 들여다봤다.

"여기도 약 발라야겠는데. 예전에 내가 준 건 남았습니까?"

"네."

"뒤도 좀 부었으니까 바르고. 상처는 안 났으니까, 내일 쉬면 월요일엔 괜찮을 겁니다."

"……네."

울어서 부어오른 눈가를 가벼운 손끝이 가만히 쓸어 주었다. 나는 눈을 감았다. 모든 기운이 다 빠져나간 것처럼 어지럽고 피곤했다.

"안 씻어도 되겠습니까."

"……너무, 졸려서……."

"나는 어떻게 할까. 이서단 씨는 오늘도 내 얼굴 보기 싫습니까."

다시 눈을 떴다. 한 팀장이 젖혀 두었던 이불을 무심하게 끌어와 내 몸을 덮어 주고 있었다. 베개를 내 머리 밑으로 밀어 넣는 그와 눈이 마주쳤다. 그의 입술 언저리가 부어올라 있었다.

"……."

"왜."

그가 표정 없이 물었다. 나는 급한 대로 손을 올려 달아오른 얼굴을 가렸다.

"할 말 있습니까."

"저는 이쪽에서 자고……. 괜찮으시면, 팀장님은 저쪽에서……."

"……아예 중간에 선을 그어 놓지, 왜."

이불에 돌돌 말린 몸을 침대 저쪽으로 굴리려다가 저지당했다. 그는 이불을 다시 풀어서 코까지 올려 덮어 주고, 몸을 일으켰다. 발소리가 멀어졌다. 나는 그가 가 버리는 줄 알고 이불 틈에서 머리를 들었다. 그때 탁, 천장의 조명이 꺼졌다. 인기척이 들렸다. 어둠 속에서 다시 침대가 그의 무게로 내려앉았다.

"선 안 넘어갑니다. 걱정 말고 자요."

"……."

건조한 목소리가 귓가에서 들려오는 것 같았다. 그가 내 옆 어디쯤에 자리 잡았다. 이불이 당겨지고 그 밑으로 그가 몸을 들이는 것을 느낄 수 있었다. 그가 그어 놓은 선이 어디쯤일까. 더 옆으로 움직여서 틈을 벌리고 싶은데, 몸이 노곤했다. 눈꺼풀이 점점 무거워졌다.

정말 이대로 자도 괜찮을까 망설일 때였다. 선을 건너온 손이 가볍게 머리를 쓰다듬었다. 옆에 누운 남자가 나직하게 말했다.

"잘 자요."

"⋯⋯팀장님도, 안녕히 주무세요."

인사치레일 뿐인 말이 왜 이렇게 어려웠을까. 들리지 않게 숨을 내뱉고, 그에게 등을 보이고 돌아누웠다. 몸을 웅크리자 그때에서야 두근거리던 심장이 조금씩 가라앉았다.

눈을 감으니, 어둠 속에는 타인의 고른 숨소리가 있었다. 같은 침대 위 누군가의 체온이 있었다.

끈

2월의 마지막 날이었다. 출근한 김 주임이 커다란 바구니를 들고 들어왔다. 내용물이 보이는 것도 아닌데 박 대리가 기다렸다는 듯이 자리에서 일어났다.

"먹을 거죠?"

"네, 와서 골라 가세요."

"잘됐다. 이서단 씨도 와요, 먹고 계속하게."

화면에는 박 대리가 봐주던 문서가 떠 있었다. 나는 혹시 몰라 저장 버튼을 눌러 놓고, 회의실 테이블 쪽으로 한 발짝 늦게 따라갔다. 박 대리는 벌써 비닐로 된 포장을 뜯고 있었다. 리본으로 예쁘게 포장된 과자나 빵 같은 게 바구니에서 끝도 없이 나왔다.

회의실 테이블에 걸터앉아 있던 김 주임이 내 쪽으로 바구니를 들어주었다. 작고 둥근 타르트를 입안에 통으로 넣으며 박 대리가 뭉개진 발음으로 물었다.

"언제 이걸 다 구웠어요? 우리 어제 새벽 다 돼서 퇴근했잖아."

"오븐 앞에서 졸다가 고개 드니까 해 뜨던데요."

지금 보니 바구니 안에는 타르트 말고 작은 사람 모양 쿠키나 울통불통하게 생긴 빵 같은 것도 있었다. 바구니 위로 손을 하나 뻗어 놓고 망설이던 나는 오가는 말을 듣고 고개를 들었다.

"직접 구우신 거예요?"

"당연하죠."

김 주임은 내 표정을 보고 보조개가 파이도록 웃었다. 기분이 나쁘지는 않은 모양이었다.

"팔 빠지겠어요, 빨리 가져가요."

"……뭘 골라야 할지 모르겠어요. 다 맛있어 보여서……."

"종류별로 하나씩 가져가요. 오후에 돌릴 정도만 남기고 나머지는 우리끼리 먹어도 되니까."

바구니가 크긴 했다. 그래도 망설이는 내 손에 김 주임은 쿠키와 타르트를 차곡차곡 포개 주었다. 가까이에서 보니 화장 아래 눈 밑이 거뭇거뭇했다. 막차를 타고 퇴근해 침대로 기어들어 가다시피 한 나로서는 경외심마저 들게 하는 베이킹이었다.

"이서단 씨 단 거 좋아하나 봐요."

떨어져서 깨질까 봐 품에 과자를 조심스럽게 안아 들고 자리로 갔더니, 지켜보던 권 대리가 말했다.

"아…… 네. 그런 것 같아요."

"좋아하는 것 같은 표정이길래."

"······권 대리님은 디저트 종류 안 좋아하세요?"

"밀가루 들어가는 건 안 먹는 편이에요."

과자를 내밀려다가 손을 거둬들인 나는 앉아서 타르트 하나의 리본을 잡아당겨 풀었다. 동그란 걸 꺼내 손바닥에 얹고 가까이에서 들여다봤다. 그새 회의실 문 쪽에서는 막 출근한 윤 대리가 먹어 보기도 전에 바구니 위로 찬사를 늘어놓는 중이었다.

"근데 진짜 이건 왜 구웠어요?"

윤 대리 옆에서 또 바구니를 뒤적거리던 박 대리가 물었다.

"가져와 주니 나야 고맙긴 한데, 내일 해도 되잖아요. 내일 휴일인데."

"······아."

김 주임이 회의실 테이블 위에 바구니를 내려놓았다. 나는 타르트 귀퉁이를 먹으면서 열린 문 쪽을 쳐다봤다.

"박 대리님은 김 상무님이 단 거 좋아하는 거 모르셨죠?"

"진짜로?"

"비서실에 있는 동기한테 들었는데, 회식 가면 그렇게 과일 안주에 설탕 뿌려 달라고 한대요."

"그래서 구워 왔어요? 중간 발표 때 돌리려고?"

"회의 분위기 좀 부드러워지면 좋잖아요."

문 쪽을 계속 보고 있었기 때문에, 나는 등을 돌리고 있는 박 대리나 김 주임보다 몇 초 일찍 가까워지는 사람의 그림자를 보았다. 문 옆의 불투명한 유리를 지나는 장신의 실루엣이 익숙했다. 심장 박

동이 미세하게 빨라졌다. 먹고 있던 타르트의 단면으로 시선을 떨어뜨렸다. 문턱을 넘어온 한 팀장의 어깨가 시야 끝에 잡혔다.

한 팀장은 김 주임이 내미는 바구니를 힐끗 들여다보고 일축했다.

"과자 먹을 시간에 자료 한 번 더 보죠."

"이거 제가 구워 왔어요, 팀장님."

"그럴 것 같았습니다. 모양이 균일하지 못하네요."

"……그러고 보니 팀장님 단 거 안 좋아하셨죠? 억지로 안 드셔도 되니까 두세요, 이서단 씨나 윤 대리님 하나 더 드리게."

그 말에 한 팀장의 시선이 내게로 향했다. 타르트를 입에 넣었던 나는 무심코 눈을 들었다가 입 안쪽을 아프게 깨물었다. 넓은 회의실을 가로질러 눈이 마주쳤다.

"맛있습니까?"

입가에 희미한 웃음을 걸고 그가 물었다. 나는 입안에 든 것을 삼키며 네, 라고 목 막힌 목소리로 뒤늦게 대답했다.

"입가에 부스러기 묻었어요."

"……죄송합니다."

"죄송할 것까진 없습니다."

휙, 하고 무언가 원만한 포물선을 그리며 날아왔다. 얼결에 한 손을 내밀어 받아 보니 벌써 책상 위에 있는 것과 같은 사람 모양 쿠키였다. 초콜릿 버튼으로 표정도 그려져 있었다.

"내 몫은 이서단 씨가 먹으면 되겠네요. 남으면 집에 가져가서 먹고."

"……감사합니다."

"오늘 점심 먹고 한 시부터 중간 발표 진행합니다. 여기 말고 옆의 대회의실로 자리 옮길 거고, 김 상무님을 비롯해서 임원 두어 분과 컨설팅1팀 팀장이 참관할 겁니다."

그 말에 회의실이 조용해졌다. 화면에 집중하던 권 대리도 한 팀장을 향해 의자를 돌려 앉았다. 회의실 테이블에 걸터앉으며 그가 설명을 계속했다.

"며칠 전에도 설명 드렸지만, 형식은 최종 발표회처럼 프레젠테이션이 아니라, 간단하게 제가 자료 발표를 하고, 이후 질문에 답하는 식으로 진행됩니다. 각자 맡은 업무에 대해서 어떤 질문이나 크리틱을 받든 대답할 수 있도록 숙지해 두세요."

"……네."

"해 놓은 일에 대해서는 물론이고, 앞으로 할 일에 대해서도 아웃라인만이라도 추려 대답해야 할 수도 있습니다. 전체 타임라인 숙지하시고, 남은 시간 안에 할 수 있는 데까지 대비해 놓으세요."

"네!"

대답하면서 김 주임은 벌써 이쪽으로 건너오고 있었다. 마음이 바빠진 모양이었다. 박 대리는 바구니에서 과자를 몇 개 더 꺼내 쥐고 자리로 돌아왔다.

"이서단 씨, 미안한데 이거 조금만 나중에 봐줄게요. 나도 발표 전에 볼 자료가 산더미라 마음이 좀 급해서."

"네, 괜찮습니다."

문서를 작게 축소시켜 놓고 리바이를 열었다. 옆에서는 박 대리가 의자 높이와 키보드 위치를 조절하더니 화면을 잡아먹을 기세로 가까이에서 들여다보고 있었다. 회의실 테이블에 아직도 앉아 핸드폰 화면을 슥슥 넘기는 한 팀장만 여유로워 보였다.

리바이 메인 채팅이 깜박였다. 김 주임이었다.

[모두 힘냅시다!]

[그래도 우리 이제 반 왔어요!]

거미줄처럼 제법 사방으로 뻗어나간 플로우차트가 배경을 점령하고 있었다. 나는 잠시 화면에서 눈을 뗐다. 정말이었다. 프로젝트도, 그와 약속했던 열세 번의 토요일도, 어느새 절반이 지나가 있었다.

오후에 문자가 왔다. 대회의실에 들어가기 직전이었다. 주머니에서 진동하는 핸드폰을 아예 무음으로 해 놓으려고 꺼냈는데, 사진이 들어 있는 메시지가 차곡차곡 쌓이고 있었다. 여동생이었다.

오늘 오전이었던 졸업식이 이제야 끝난 모양이었다. 학사모를 쓴 웃는 얼굴이 화면에 가득 잡혀 있었다. 비슷한 각도에서 찍은, 표정만 다른 사진 다섯 개가 연달아 왔다. 직접 찍은 사진인지, 가운은 나와 있지도 않았다.

복도에 멈춰 선 내 어깨 너머로 박 대리가 핸드폰을 들여다봤다.

"누구예요, 이게? 이번에 졸업했나 봐요?"

"아…… 여동생이요."

여동생의 얼굴이 지난번에 봤을 때보다 화려하고 성숙해 보였다. 살이 좀 빠진 것 같았다. 턱도 뾰족하고 볼에 젖살도 없었다. 스크롤을 내리도록 종용한 박 대리가 이야, 라고 말끝을 길게 끌어 말했다.

"여동생분이 엄청 미인이시네요."

"……감사합니다."

"이서단 씨랑 좀 닮았는데."

"네, 어렸을 땐 판박이란 말 많이 들었어요."

"전체적인 분위기는 다른데, 얼굴 작은 거나 이목구비 같은 게 비슷해서 옆에 세워 놓으면 딱 알 것 같아요."

회의실 문이 코앞이었다. 핸드폰 소리를 꺼서 주머니에 다시 넣었다. 문턱을 넘으면서 박 대리가 물었다.

"졸업식은 언제였어요? 지난주? 이서단 씨 휴가 낸 적이 있었나?"

"아…… 오늘 오전에 졸업했어요."

"오늘?"

목소리가 컸다. 권 대리가 쉿, 하고 날카롭게 말했다. 내 자리는 윤 대리의 옆쪽이었는데, 박 대리가 내 팔을 잡고 놓아주지 않았다.

"발표 때문에 못 간 거예요? 동생 졸업식에?"

"아…… 아니요, 그런 건 아니에요."

"뭐가 그런 게 아니야. 나나 팀장님한테 말을 했어야지! 오전에 얼른 다녀왔으면 됐잖아요. 평생 한 번 있는 일인데, 내가 다 속상하네."

"정말로 그런 거 아니에요. 어차피……."

나는 말을 멈췄다. 열린 문밖에서 인기척이 떠들썩했다. 자리에 앉기도 전에 한 팀장이 회의실 안으로 들어오고, 그의 뒤에 세 명이 뒤따랐다. 그중에는 지난번에 봤던 김 상무도 있었다. 내 옆의 윤 대리는 벌써 일어서 있었다. 한 팀장은 세 명이 들어올 수 있게 옆으로 비켜 서 있다가 회의실 문을 닫았다.

"여기 앉으면 되는 건가? 여기?"

인원수에 비해 회의실이 넓었다. 물컵이 놓여 있는 자리를 가리키며 김 상무가 재차 물었다.

"화면이 가까워서 잘 안 보일 것 같은데?"

"질답용으로 배치했는데, 불편하시면 저희도 뒤로 옮기겠습니다."

"그런 거면 우리가 PT 끝나고 옮기는 게 낫지 않나? 여기 와서 자리 좀 옮겨 주세요."

지목받은 김 주임이 일어서며 들릴락 말락 한숨을 쉬었다.

"주임님, 제가……."

"앉아 있어요. 나 하라고 시켰는데 내가 해야지."

밑으로 막내가 들어왔다고 나한테 신나게 커피 심부름을 시키던 김 주임이 생각났다. 앉지도 서지도 못한 상태로 서서 김 주임이 물컵을 양손으로 옮기는 것을 지켜보다가, 한 팀장과 눈이 마주쳤다.

무표정한 얼굴이었다.

김 주임은 물컵을 옮기기 위해 두 번 회의실을 가로질러 이동했다. 두 번째에는 자리 잡고 앉아 기다리는 김 상무 앞으로 바구니를 내밀었다.

"직접 구운 빵이라 맛은—"

"빵도 구워요? TF 스케줄 빡빡하다고 들었는데."

김 상무 옆의 비쩍 마른 남자였다. 몇 번 볼 일은 없었지만 아마 이사였을 것이다. 말라붙은 뱅어 같은 인상이었는데, 목소리도 기묘하게 가늘었다. 두툼한 손가락으로 포장을 뜯던 김 상무가 그 말에 웃었다.

"시작할 시간 되었으니 참관인 소개 먼저 하고, PT 들어가겠습니다."

한 팀장은 조명 스위치 옆에 서 있었다. 김 상무가 한쪽 손을 휘저어 말을 끊었다.

"소개는 됐어요. 이런 형식적인 걸 생략하는 게 또 한 팀장 방식 아닌가?"

"……그럼 PT 진행하겠습니다."

조명이 탁 꺼졌다. 빔 프로젝터에서 나오는 빛만이 희미하게 어둠을 밝혔다. 누군가 기침했다. 달칵, 화면이 밝아졌다.

그 순간 나는 기억해 냈다. 입사하고 얼마 되지 않아, 분기를 마무리하는 사내 발표회 같은 데 참석했던 적이 있었다. 그때 오후 내내 이어졌던 발표회에서 짧게 발언했던 많은 사람 중에 한 팀장이 있었다. 5분 남짓한 시간이었을 것이다. 내가 있는 뒷자리에서는 프로젝터의 서늘한 빛에 비친 옆얼굴만 작게 보이는 정도였는데, 그의 발표는 그날 본 어떤 것보다 인상이 강렬했다. 나뿐이 아니었을 것이다. 옆에서 좁은 자리에 구겨져 앉아 졸던 동기도 핸드폰 녹음기 기능을 켜 놓고 앞좌석의 등받이에 달라붙었었다. 발표의 내용은 하나도 기억이 나지 않았지만, 무대 위 하얀 점과 같던 서늘한 얼굴은 선명하게 기억이 났다.

그렇게 생각하니, 지금 몇 미터 되지 않는 거리에서 그가 하는 발표를 지켜볼 수 있는 게 신기하게 느껴졌다. 울림이 낮고 발음이 정확한 목소리가 마이크를 통해서가 아니라 직접 귓속으로 흘러들어오고 있었다. 같은 회의실에서 일하고, 보고서를 직접 검수받고, 그가 이끄는 팀에 내 이름을 올리고. 1년 전에는 상상이나 할 수 있는 일이었을까.

며칠 전이라면 절대 할 수 없었을 생각이었다. 그가 고작 조금 관용을 베풀었다고, 나는 금세 마음이 들떴다. 이제 넘을 산은 다 넘은 것 같은데, 여섯 번을 내가 더 못 버틸까 하는 답지 않은 배짱이 생겨나기도 했다.

어리석은 희망이었을 것이다. 한 팀장을 앞에 두고 방심하면 안 되는 걸 나는 매번 잊었고, 매번 후회했다.

"PT가 짧네요."

한 팀장이 조명을 켜자 김 상무가 기다렸다는 듯이 말했다.

"중간에 나온 분석이 좀 애매해서, 설명 다시 듣고 싶은데."

"업무 맡은 팀원이 직접 설명해 드리는 게 나을 것 같습니다."

"그래요? 그럼 이제 자리 다시 옮기죠."

김 주임은 김 상무의 손가락이 이쪽으로 향하기도 전에 벌써 의자를 뒤로 밀어냈다. 두 번에 걸쳐 물컵과 과자 등을 옮기고 겨우 자리로 돌아왔는데, 공교롭게도 김 상무가 말한 자료도 김 주임 담당이었다. 옆자리의 이사까지 추궁에 합세했다. 말의 순서만 바꿨을 뿐 거의 같은 질문이었다.

김 주임은 같은 내용을 두 번 설명했다. 슬라이드를 다시 띄워놓고 레이저 포인터로 해당 부분을 짚어 내기도 했다. 과자 비닐을 벗기던 김 상무는 화면을 쳐다보지도 않고 심드렁하게 말했다.

"취지는 알겠는데, 한 달이 넘었는데 이 정도 수준의 분석으로 끝나는 게 아쉽네요."

질문이 아니었다. 김 주임은 입을 열었다가 다물었다.

"프로젝트 기간이 이번에 세 달로 줄어든 건 아는데, 그만큼 더 빠릿빠릿하게 일 끝내 놔야 하지 않나? 이것도 진행 중이고 저것도 진행 중이고, 애매한 분석은 많이 해 놓고 결국 결과라고 나온 건 아무것도 없잖아요. 명색이 중간 발표인데."

"⋯⋯아웃라인대로—"

"그러니까 그 아웃라인이 제대로 되어 있나 묻는 거잖아요. 내일부터 3월인데, 4월 14일까지 이게 다 마무리되는 게 맞습니까? 그날은 세 명 달랑 오는 게 아니라 임원진이 앞에 쫙 깔릴 건데. 일을 이렇게 크게 벌려 놓고 그동안 너무 여유 부린 거 아니에요? 알아서 잘하겠지 싶어서 놔뒀는데, 발표 보니 앞으로는 개입을 좀 해야 하나 생각이 드네요."

김 주임은 어떻게 생각해요? 라고 김 상무가 구석에 몰듯 재차 따져 물었다. 진심인지 트집인지도 알 수 없었다. 내가 있는 자리에서도 김 주임이 입을 못 열고 굳어 있는 것이 보였다.

그때 탁, 하고 화면이 바뀌었다. 김 주임의 자료가 없어지고 날짜별 계획표가 화면에 채워졌다. 발표대 뒤에 서 있던 한 팀장이었다. 그는 키보드를 몇 번 더 눌러 2월 말에 화면을 줌인했다.

"1월에 제출해 드린 타임라인대로 오차 없이 정확하게 진행되고 있는데, 불필요한 기우인 것 같습니다."

얼핏 보면 무덤덤해 보이는 얼굴이었다.

"책임감이 무거우신 김 상무님의 심정은 이해합니다만, 보고서만으로 진행 상황을 파악하는 게 어려우시다면, 앞으로는 일주일에 한 번이라도 시간 내서 회의에 참석하시는 것을 권장 드립니다."

"아니—"

김 상무가 몸을 반쯤 일으켰다. 얼굴이 어느새 붉어져 있었다.

"나는 TF에 내줄 시간이 따로 없어요. 없으니까 나한테 보고하라고 중간에 한 팀장이 있는 거 아닙니까."

"사흘마다 진행 상황 관련해서 보고서 올려드렸습니다. 충분하지 않다고 느끼셨으면 말씀해 주셨으면 됐을 일입니다."

"애초에 타임라인도 내 터치 없이 한 팀장이 짠 거고, 나한테 오케이하라길래 오케이하고 믿고 맡겼는데."

"프로젝트 중간 단계에서 뚜렷하게 결과가 나타나지 않을 거라는 말은 중간 발표 날짜 잡으면서 드렸던 것으로 기억합니다. 제가짠 타임라인은 말씀하신 대로 상무님이 미리 검토하셨고, 승인받은이후에 진행했습니다. 마음에 차지 않는 부분이 있으셨다면 프로젝트가 반 이상 진행된 지금이 아닌 1월에 말씀해 주시는 편이 나았을것 같은데, 어떻게 생각하십니까?"

김 상무는 눈을 감은 채로 숨을 크게 내쉬었다. 옆자리의 윤 대리는 아까부터 얼어붙은 것처럼 굳어서 눈만 한 팀장과 김 상무 사이를 왔다 갔다 하고 있었다.

여러 겹의 고무줄 같은 팽팽한 침묵이 흘렀다. 노려보는 시선을표정 없이 받아 내던 한 팀장은 탁, 하고 화면을 까맣게 껐다.

"더 질문하실 것 없으면 발표 마무리하겠습니다."

김 상무는 의자를 뒤로 확 밀고는 자리에서 일어났다. 듣기 싫은마찰음이 울렸다. 나머지 두 명도 따라 일어났다. 나는 윤 대리가 옆구리를 툭 치고 나서야 일어나야 한다는 사실을 기억해 냈다.

문턱까지 성큼성큼 걸어간 김 상무가 뒤돌아보며 말했다. 둥근얼굴 가득 독기가 차올라 있었다.

"어디 두고 봅시다. 내가 한 팀장이랑 한 팀장이 뽑아 놓은 팀원들을 믿기로 하는데, 큰소리 친 만큼 4월에 결과가 확실해야 할 겁니다."

"결과라면 걱정하지 않으셔도 됩니다."

자로 자른 것처럼 단단하고 깔끔하게 말끝이 떨어졌다. 한 팀장

혼자 해낼 수 있는 일이 아닌데, 한순간도 망설임이 없는 대답이었다.

그 확신의 무게로 내 어깨까지 무겁게 내려앉았다. 열린 문틈으로 들리던 발소리가 희미해지자 김 주임이 자리에 스르르 다시 주저앉았다. 지켜보던 한 팀장이 아무 일 없었던 것처럼 무덤덤하게 말했다.

"일어나세요, 나가게."

"……네?"

"생각보다 짧게 끝났으니 돌아가서 시간 번 걸 알차게 씁시다."

지시한 사람이 박 대리였다면 5분이라도 휴식을 달라고 징징댔을 김 주임은 불평 없이 일어났다. 조명을 먼저 끄고 문 옆에 기대어 서 있는 한 팀장을 순한 양들처럼 모두 지나쳤다. 내가 마지막이었다. 고개를 무심코 들었는데, 반어둠 속에서 눈이 마주쳤다.

그 순간 나는 무엇이라도 말하고 싶은 기분에 입을 열었다가 다물었다. 말로 설명할 수 없는 것이 목까지 치밀었다. 한 팀장은 표정 없이 시선을 받아내 주다가 열린 문을 향해 짧게 턱짓했다.

"나가서 일해야지."

"……네."

밝은 복도에 서서 문을 뒤돌아봤다. 어두운 회의실 안에 혼자 남은 그는 아무리 기다려도 뒤따라 나오지 않았다.

노크를 하자마자 문이 열렸고, 손목이 잡혀 안으로 끌려 들어갔다. 등이 차가운 벽에 닿았다.

"팀장님―"

턱이 들리고 입술이 부딪쳤다. 뜨겁고 말캉한 혀가 벌린 틈새를 비집어 열고 들어왔다. 어차피 저항할 생각도 없었지만, 머리 양쪽이 단단히 고정돼 꼼짝할 수가 없었다. 영역을 재확인하듯 오만하고 탐욕스럽게 혀가 내 입안을 누볐다. 혀끝을 뾰족하게 세워 뺨 안쪽과 혀 아래의 여린 점막을 파헤쳤다.

점점 힘이 풀어지는 다리 사이로 그의 단단한 허벅지가 파고들었다. 맞닿아 비벼지는 입안뿐이 아닌 배 속에도 뭉근하게 열기가 차올랐다.

눈을 뜨자 코가 닿을 거리에서 한 팀장이 나를 지켜보고 있었다.

"오랜만에 보는 것 같은데."

"……네?"

입술이 얼얼했다. 가운 차림을 한 눈앞의 남자를 회사에서 본 것은 불과 다섯 시간 전의 일이었다. 퇴근할 때 그는 회의실에 있었고, 심지어 먼저 들어가겠다는 내 인사까지 평소 같은 무덤덤한 얼굴로 받아줬었다.

"일주일이 꽤 길던데, 처음 알았습니다."

불시에 입술이 다시 짧게 맞물렸다. 파고들지 않고 머물러 있다가 젖은 소리를 내며 떨어졌다. 그가 뒤로 물러나 거리가 좀 벌어지니 이제야 얼굴이 제대로 보였다. 입술이 붉고 입가가 조금 부어 있었다.

일주일 내내 본 얼굴이었다. 회의실 테이블 저편이나, 자료실에서 책상 너머로 보이던 얼굴. 그때도 물리적인 거리는 얼마 되지도 않았을 것이다. 그런데 이상하게 이렇게 몸이 맞닿을 것 같은 거리에서 보니, 오랜만이라는 그의 말이 무슨 말인지 어렴풋이 알 것 같았다.

떨구고 있던 손을 가만히 움직여 봤다. 앞으로 조금 뻗으니 그의 허벅지에, 목욕 가운 너머의 체온에 덜컥 닿았다.

"……아."

눈을 피하려다가 그의 손에 의해 턱이 들렸다. 몸이 닿았다. 엄지로 입가를 느리게 쓸어 준 그가 시선을 맞댄 채로 나직하게 물었다.

"오기 전에 양치했어요? 혀에서 치약 맛이 나던데."

"……네."

"왜. 섹스하다 보면 내가 키스해 줄 것 같아서?"

입을 다물었더니 그가 웃었다.

"상 받을 짓은 하지도 않았으면서."

턱을 놓아준 손가락이 툭, 코트의 단추를 하나 끌러 주었다. 지퍼 손잡이를 찾아 가슴팍 위를 느릿하게 더듬었다. 나는 시선을 떨어뜨리고 그의 손을 피해 옆으로 물러났다.

"제가…… 할게요."

"그래요, 그럼. 알아서 벗고 오세요."

그가 깔끔하게 손을 뗐다. 나는 참았던 숨을 내쉬었다. 오는 길에도 조금밖에 무섭지 않았는데, 이상하게 이제 와서 속이 울렁거리고 심장이 뛰었다.

알아서 옷을 벗고, 내 발로 침대에 걸터앉아 기다리는 그에게로 갔다. 그리고 이어진 섹스는 지난주보다 두 배는 빠르고 거칠었다. 한 팀장은 희롱하는 말이나 손놀림 하나 없이 나를 눕히고 허벅지를 벌리게 한 후 젤을 묻힌 손가락을 곧바로 엉덩이골 사이로 밀어넣었다. 여유 없이 안을 헤집고 쑤시던 손가락은 금세 빠져나가고, 벌린 허벅지 사이로 그가 몸을 들였다. 내 얼굴 옆의 매트리스에 손을 짚었다. 단단하게 부푼 귀두가 툭, 다물린 주름에 부딪치고, 예고도 없이 몸을 푹 꿰뚫었다.

끝까지 밀어 올리는 삽입만큼 이어지는 움직임도 거칠었다. 뜨거운 이마가 맞닿고 이따금씩 뜨거운 입술이 맞물렸다. 거친 호흡이 목덜미에 쏟아졌다. 몸 안은 열 오른 것처럼 쓰라리고 아팠다. 그의 어깨 위로 들린 다리가 허릿짓을 따라 덜컥덜컥 흔들거렸다.

중간부터 나는 매트리스 위를 헤매던 팔을 들어 그의 어깨를 잡았다. 그의 목을 껴안았다. 속도가 빨라질 때마다 그의 목덜미에 이마를 비비며 견뎠고, 섹스 내내 아무 말이 없던 그는 나를 밀어내지 않았다.

"……괜찮아요?"

몸이 땀으로 젖어 끈적거렸다. 힘이 하나도 없었다. 흐릿한 시야를 깜박이니 그의 얼굴이 잡혔다.

"……네. 괜찮…… 으읏."

아직도 몸 안에 그의 성기가 묻혀 있었다. 그가 허리를 조금 물리자 안이 뜨겁게 질척거렸다. 나는 지난주에 종류별로 꺼내 놓고 곤욕을 치렀던 콘돔이 이번 주에는 아예 말도 나오지 않았다는 사실을 깨달았다. 이제 보니 몸 안을 진탕으로 만들어 놓은 것은 그의 사정액이었다.

"팀장님."

몸을 황급하게 물리려는데 그가 놓아주지 않았다. 눈을 마주치고 무심하게 내 허리를 잡아 들어 올렸다. 귀두만 몸 안에 남도록 기둥을 잡아 빼고, 다시 느릿하게 밀어 넣었다.

"소리 들립니까."

"으, 움직이지……."

그가 정액이 고여 있는 안쪽 공간에 허리를 얕게 추삽질하듯이 찔러 넣었다. 그럴 리 없는데 소리가 정말로 들리는 것만 같았다. 오므라드는 내벽을 타고 미끈거리는 덩어리가 뜨겁게 출렁거렸다. 배 속이 부글부글 끓었다.

"이제, 빼고, 읏, 흐으."

그의 팔을 붙잡고 앓았다. 숨이 목으로 먹혀들어 갔다. 한 팀장은 말없이 다시 성기를 푹 찔러 넣었다. 정액이 역류해 배 속으로 더 기어 올라갔다.

"저, 힘들어서…… 안에, 쌌고……."

"누구 마음대로."

푹, 다시 단단해지기 시작한 성기가 안을 깊숙이 꿰뚫었다. 부어오른 주름이 마찰로 뜨겁고 쓰라렸다. 배 속이 뒤집힐 것처럼 들끓었다. 나는 식은땀이 나는 손바닥으로 시트를 그러쥐었다. 그가 갑자기 왜 이러는지 알 수 없었다.

"좆물을 안에 싸 줬으면 다 삼켜야지."

"……흐, 읏."

표정을 보니 농담이 아닌 모양이었다. 밀어내리는 내 팔목을 잡아 누른 그가 벌주듯 입구 근처까지 빼낸 성기를 한 번에 안쪽까지 처넣었다. 콘돔을 끼지 않은 성기는 데일 것처럼 뜨거웠다. 미끌거리는 풀처럼 내벽에 빠짐없이 정액이 처발라졌다. 속이 거북했다.

"힘들어요?"

"……안이, 이상해서……."

젖어 드는 눈가를 그가 문질러 닦아 냈다. 나를 내려다보며 아무렇지 않게 말했다.

"흘리면 혼낼 겁니다. 한 방울이라도 밖으로 새면, 지난번의 그 로터를 여기까지 넣고."

그가 성기를 푹 깊숙한 곳까지 밀어 넣었다. 안쪽의 연한 내벽이 타격음이 들릴 정도로 얻어맞았다. 입이 저절로 벌어질 정도의 충격이었다.

"아, 흐으."

"넣은 채로 내 좆을 넣어서 박을 겁니다. 가뜩이나 좁은 구멍 다

망가지지 않으려면."

"으…… 웃, 아아!"

"제대로 해요, 알았습니까?"

그가 성기를 뒤로 느릿하게 물렸다. 괴로운 와중에도 발끝이 곱아들었다. 바들바들 경련하는 내벽을 그가 부러 세게 문지르며 웃었다.

"빠지는 게 그렇게 좋습니까?"

"흐…… 흐으……."

"뺄 테니까, 싸 준 건 안에 잘 담고 있어요."

둥근 귀두가 입구에 걸렸다. 질척한 소리가 나면서 뽑혀 나갔다. 잘 다물어지지 않는 뒤에 힘을 주며 나는 떨리는 허리를 간신히 추어올렸다. 필사적으로 다물자 벌름거리던 입구가 조여 들었다. 뜨겁게 젖은 것 같았지만 흐르는 느낌은 없었다. 뒤도 배 속도 뻐근하고 아팠다.

한 팀장은 물러서서 오므린 내 엉덩이 사이를 들여다보고 있었다. 찰싹, 엉덩이가 가볍게 내리쳐졌다. 나는 숨을 내쉬며 몸을 구부렸다. 새우처럼 말려든 나를 내려다보며 한 팀장이 무덤덤하게 말했다.

"엎드려 봐요. 이제 매 좀 맞아야지."

소리가 귓바퀴를 두어 번 돌 때쯤 그의 말을 해석했다. 심장이 쿵 내려앉았다. 고개를 드니 한 팀장은 방 저편으로 걸어가 테이블 위를 내려다보고 있었다. 내가 있는 곳에서는 테이블 위가 보이지 않왔다. 몇 번 툭툭 테이블을 짚던 그의 손에 들려 올라온 것은 가느다란 나무 회초리였다.

"팀장님."

"엎드리라고 했을 텐데."

그가 침대 발치에 서서 허공에 회초리를 한 번 그어 내렸다. 휘익, 바람 가르는 소리가 났다. 매끄러운 나무로 된 것이 칼날처럼 날카롭게 공기를 썰었다. 나는 그가 하는 말 같은 건 들리지 않았다. 눈이 그의 손에 붙어 떨어지질 않았다.

"몇 번을 말해야 알아들을 겁니까."

소리가 들렸나 싶었다. 내리쳐지는 회초리가 보인 것도 같았다. 그리고 허벅지에 불길이 화라락 피어올랐다. 나는 비명을 지르면서 잡아 벌리고 있던 다리를 놓았다. 몸이 동그랗게 곱아들었다. 벌벌 떨리는 어깨를 그가 잡아 일으켰다.

"매를 더 벌려고 작정했나."

"흑, 아아, 훅!"

정신없이 허벅지를 비비며 내려다보니 빨간 줄이 가느다랗게 새겨져 있었다. 엉덩이를 손으로 잡아 가리면서 몸을 구부리자, 한 팀장은 매를 들고 서서 느리게 눈썹을 치켜올렸다. 배 속이 움틀거렸다. 울먹거림이 섞여 나왔다.

"제가, 뭘 잘못해서……."

"잘못이 한두 가지여야 설명해 줄 마음이 들지."

서늘한 표정을 막막하게 올려다봤다. 더디게 흐르던 생각이 급류를 만난 것처럼 휘몰아쳤다. 턱 끝까지 차오른 무서움을 서러움과 억울함이 이겼다. 나는 눈물을 뚝뚝 떨어뜨리면서 말했다.

"지난주에, 아픈 건 안 하신다고……."

"그건 지난주고."

그가 눈썹 하나 까딱하지 않고 말했다.

"엉덩이 들어요. 이제 두 번 말 안 합니다."

"……으!"

아무런 감정도 없는 서늘하고 날카로운 눈이었다. 내 발목을 잡는 손을 피해 나는 무작정 도망쳤다. 발버둥 치듯 침대 위쪽으로 기어 올라갔다. 신경이 쏠려 침대 머리까지 다다른 것도 깨닫지 못했다.

"악!"

쿵, 침대 머리에 뒤통수를 부딪혔다. 나는 몸을 앞으로 확 굽혔다. 눈앞이 새까맣게 변했다. 동시에 힘주어 다물고 있던 항문에서 뜨거운 게 질질 새어 나오는 것을 느꼈다. 나는 필사적으로 허벅지를 오므리면서 침대 위쪽에 웅크려 달라붙었다.

"……괜찮아요?"

한 팀장이 어느새 바로 옆에 있었다. 고개를 내저으며 피하려는 내 머리를 잡아 고정시켰다. 가벼운 손끝이 뒷머리를 더듬었다. 볼록 솟아 있는 부분을 아프지 않게 쓰다듬었다.

"……아윽."

"왜 거기다가 머리를 박아."

타박하는 목소리가 어이없다는 듯이 웃고 있었다. 믿을 수 없어 눈을 들었더니, 그새 그는 얼굴이 누그러져 있었다. 풀어진 눈가에 웃음기가 묻어 있었다. 회초리는 침대 저쪽 끝에 떨어져 있었다. 나는 하릴없이 올려다보다가 눈가가 뜨거워졌다.

"혹 나겠는데. 많이 아파요? 여기 누르면?"

"……으, 으윽……."

"멍청하게 거기다 머리를 왜……. 무드 깨는 것도 타고난 재능입니까."

따뜻한 손바닥이 몇 번 뒷머리를 쓸어내렸다. 나는 팔을 올려 더듬더듬 그의 목을 끌어안았다. 어깨에 필사적으로 뜨거운 뺨을 묻었다.

"어지러우면 좀 눕겠습니까?"

"……그게, 아니라……."

부딪힌 머리는 얼얼한 정도였다. 눈물이 나는 것은, 등을 안아 주는 팔이 다정했기 때문이다. 나를 때리려고 회초리를 들고 있던 사람이, 내가 도망가다 머리를 찧자 상처를 살펴 준다. 어떤 상식의 잣대를 들이대면 그를 이해할 수 있었을까.

"……다 흘렸네."

그가 내 허벅지를 타고 하얗게 흐른 정액을 느릿하게 문지르며 말했다.

"내가 로터를 어디에다 뒀더라."

"……팀장님……."

"그만 울고. 엄살 다 피웠으면 일어나서 매 마저 맞죠."

그의 목을 두른 팔을 절대 놓지 않고, 눈을 들어 그를 올려다보았다. 그는 아직도 그럭저럭 다정한 얼굴이었다. 숨을 들이쉬고 불안정한 호흡을 참으며 물었다.

"정말로, 진짜 그 뜻이었나요?"

"뭘?"

"그때, 말하신……."

정확한 단어를 기억해내려는 머리가 더뎠다.

"가죽을, 후려쳐서 벗기는…… 아니, 가죽이 벗겨지도록 후려쳐서……."

"뭔 소립니까, 그건."

그가 나를 안은 채로 미간을 찌푸렸다. 나는 설명하려다가 말이 꼬여 더듬거렸다.

"그때 그러셨잖아요."

"내가?"

"그때 차에서. 그래서 찾아봤는데, 플레이가, 가죽이 벗겨지도록 때린다는 그런 뜻이라고……. 그래도 저는 그동안은…… 일종의 은유적인 표현이라고 생각—"

"가만."

턱, 한 팀장이 내 입술 위로 손바닥을 덮었다. 나는 얌전해졌다. 그가 눈가를 가늘게 좁혀 생각하는 것을 올려다보았다. 입술을 누른 손이 따뜻했다.

"⋯⋯이해력, 빵점."

그가 내 이마를 손끝으로 툭 밀었다. 입꼬리가 비죽 솟더니 결국 소리 내서 웃었다. 나는 뭐가 웃긴지도 모르고 눈을 깜박거렸다. 그는 한참 웃다가 내게 입 맞춰 주었다. 쪽, 호선을 그리는 입술이 가까이 와 부드럽게 맞물렸다가 떨어졌다.

"가죽을 벗겨서 어디다 씁니까. 이서단 씨 가죽은 이서단 씨 몸을 덮은 게 제일 어울리는데."

"⋯⋯."

"나까지 무드 다 깨졌네. 어쩔 셈입니까."

그가 볼록 혹이 난 뒤통수 위로 짧게 입 맞춰 주었다. 저릿저릿 몸이 떨릴 정도로 부드러운 접촉이었다.

"공부 다시 하고 와야 하는 게 아닙니까. 그 철자가 아니잖아요."

"⋯⋯그래도, 그것밖에⋯⋯. 나머지는 뜻이 이상해서."

"이서단 씨가 가져온 뜻만큼 이상할까."

"⋯⋯놀이? 게임?"

아이들의 전유물 같은 단어를 입에 올린다. 그가 미묘한 표정으로 고개를 끄덕였다.

"그렇다면 그렇고."

"그게 왜⋯⋯."

"일일이 이틸 게 아니라, 직접 보여 주겠습니다. ⋯⋯이것 좀 봐 봐요."

놓으면 또 회초리를 집어 들 것이다. 덜컥 겁이 났다. 나는 이왕 이

411

렇게 된 거 그를 꼭 끌어안고 고개를 저었다.

"……어리광도 정도껏 해야지. 이서단 씨는 날 못 믿습니까."

그가 웃었다. 눈가가 서늘했다.

"믿는다고 해도……."

"내가 이서단 씨를 진짜로 다치게 할 리 없다는 걸 믿는 겁니다. 그걸 믿고, 무서워도 내가 하는 대로 놔둬 봐요. 좋은 걸 보여 줄 테니까."

"……싫……."

그가 내 손목을 잡아당겨 왔다. 버티던 팔이 끝내 그의 목에서 떨어졌다. 시선을 내리깐 나는 눈가가 시큰거렸다. 시야의 끝에 회초리가 걸렸다. 그는 내 시선을 눈치 채고 한숨을 쉬었다.

"저걸로 맞아서 가죽이 벗겨지진 않습니다."

"……그래도, 아프지 않지는—"

"당연히 아프게 할 겁니다."

그가 눈을 마주치고 태연하게 말했다. 회초리를 끌어와, 내 엉덩이 위로 문지르듯이 쓸었다.

"아프게 때리고, 참게 할 겁니다. 내가 때리고 싶은 만큼, 그 예쁜 엉덩이가 새빨갛게 되도록 맞는 겁니다. 그러고 나면, 아까 약속한 대로 로터를 넣고 쑤셔 줄 생각입니다. 구멍이 다 헐어서 다물어지지 않을 때까지. 이게 내가 말하는 플레이입니다. 고작 가죽 따위 벗기는 시시한 게 아니라."

"……흑, 으으."

"멍청하게 도망가지 못하도록 해야겠네, 우선."

그가 협탁 위에서 돌돌 말린 것을 집어 들었다. 그때의 그 남색 타이였다. 나는 머릿속이 그가 한 말들로 빨갛게 끓어올라서 입술이 떨렸다. 손목, 이라고 그가 짧게 뱉었다. 나는 그의 앞에 덜덜 떨리는 손목을 맞댄 채로 내밀었다.

한 팀장은 내 얼굴을 쳐다보지도 않았다. 아까의 그 차가운 얼굴로 뒤바뀌어 있었다. 손바닥 뒤집듯이 가볍게. 그는 무표정하게 내 손목을 잡아 타이로 둘러 압박하듯이 묶었다.

"이 색깔은 마음에 듭니까."

내 등을 눌러 엎드리게 하며 그가 물었다. 기도하듯이 앞으로 묶인 손을 나는 막막하게 쳐다봤다.

"이서단 씨 전용 타이입니다. 붉은색도 나쁘지 않을 텐데, 이것도 어울리네."

"……흐, 으……."

나는 손목을 비틀어 봤지만 꽉 묶여 아예 움직일 수 없었다. 몸이 그가 조종하는 인형처럼 엎드려졌다. 그는 내 다리를 침대 밑으로 끌어 내려 엉덩이가 가장자리에 걸쳐지게 했다. 다리 벌려, 라고 짧게 말하며 허벅지를 손바닥으로 내리쳤다. 젖은 소리가 났다. 그가 몸 안에 뱉어낸 정액은 조금씩 주름을 타고 끈적하게 흘러내리고 있었다.

"어디서 질질 흘려."

찰싹, 엉덩이를 언어맞았다. 부푼 주름에 매서운 손끝이 스쳤다.

나는 입술을 깨물면서 몸을 들썩거렸다.

"잘 담고 있으라고 말했잖아."

"아아, 으—"

찰싹, 또 손바닥이 매섭게 내리쳐졌다. 필사적으로 다문 항문 바로 위였다. 나는 몸을 앞으로 발작하듯이 웅크리면서 울음을 끅 먹었다.

"입 다무세요. 이만하면 어리광은 충분히 부린 것 같은데."

"……흑, 으"

"몇 대 맞겠습니까."

회초리의 서늘한 선이 내 엉덩이 위로 문질러졌다. 당장이라도 내리쳐질 것 같았다.

"몇 대 맞으면 내 기분이 풀릴 것 같습니까."

손바닥으로 몇 대 맞았을 뿐인데 엉덩이가 벌써 뜨거웠다. 그 위로 차가운 나무가 느릿하게 비벼졌다. 내가 아무 대답도 않자, 그는 기대하지도 않았다는 듯이 냉정하게 말했다.

"일단 스무 대 정도 때려 볼까."

회초리가 단단한 손바닥 위로 툭 툭 몇 번 튕겨졌다.

"자세 풀리거나 숫자 틀리면 늘릴 겁니다."

눈앞이 까마득했다. 원망스럽고, 서러웠다. 그는 무표정하게 일어서서 내 뒤로 발을 딛고 자리를 잡았다. 그의 시선을 따라 온몸의 신경이 엉덩이에 쏠린 것 같았다. 나는 묶인 손으로 이불을 그러쥐고 이불에 젖은 뺨을 묻었다.

"으읍!"

획, 바람 소리가 귓가에 울렸다. 불길 같은 것이 엉덩이 위로 떨어졌다. 나는 온몸을 긴장시키고 덜덜 떨었다. 까만 게 시야로 쑥 지나간 것 같았다. 차오른 울음을 삼키고 겨우 뱉었다. 하나.

그는 중간에 쉬어 주지도 않고 연달아 스무 대를 때렸다. 가느다란 회초리가 획획 허공을 그어 내렸다. 보지 않아도 엉덩이에 빨갛게 그어진 줄을 선명하게 상상할 수 있었다.

나는 수도 없이 몸을 일으키는 것을 상상했다. 효용이 의심스러운 안전어를 생각했다.

그러면서도 나는 일어나지 않았고, 도망치지 않았다. 가만히 이불을 붙들고 매를 맞았다. 발을 동동 구르면서도 참았다. 날카롭고 뜨거운 아픔이 파도처럼 나를 휩쓸었다. 높게 치솟고 내동댕이쳐졌다. 내뱉는 숫자에 울음소리가 섞였다. 열 몇 대가 넘어갈 때부터는 내가 제대로 세는 건지도 알 수 없었다. 눈앞이 뿌옇게 흐려지고 엉덩이에서는 불이 나는 것 같았다.

힘을 주었던 입구는 오래전에 풀려 하얀 정액을 덩어리째 울컥울컥 뱉고 있었다. 그가 매를 내리칠 때마다 정액이 터져 나가듯이 흘러 허벅지를 타고 내렸다. 한 팀장은 느릿하게 그걸 쓸어 올려 붉게 부은 자국 위로 문질렀다. 찰싹, 번들거리는 엉덩이 위로 다음 매가 떨어졌다. 젖은 소리가 났다.

스무 대를 다 맞았을 때 나는 바들바들 떨리는 다리를 오므리며 흐느껴 울었다. 회초리를 내려놓은 그는 말이 없었다. 경련하는 다리를 잡아 나를 침대로 다시 올리고, 무너지는 내 허리 밑으로 베개를 받쳤다. 엎드린 채로 엉덩이를 높이 들게 했다. 새빨갛게 자국이 난 엉덩이를 그가 문지르듯이 쓸었다. 몸이 덜덜 떨릴 정도로 쓰라렸다. 그는 아랑곳하지 않고 그 사이를 벌려, 딱딱한 것을 입구에 댔다. 주름에 닿은 것이 부르르 강하게 떨리기 시작했다.

다리를 오므렸지만 소용없었다. 그는 손가락으로 엉덩이를 젖혀 벌리고 로터를 밀어 넣었다. 아직 정액으로 끈적하게 젖어 있는 입구는 쉽게 빼금 벌어졌다. 차갑고 딱딱한 게 몸 안에 들어와 바르르 떨렸다. 그는 손가락으로 알맞은 깊이까지 로터를 넣고, 짓눌렀다.

"흐으으, 아, 아아……."

"손 대 봐요."

그가 땀에 젖은 내 손을 잡아 올려, 넥타이의 매듭을 끌렀다. 붉게 자국이 남은 손목이 자유롭게 되었다.

눈이 마주쳤다. 눈물로 엉망이 된 얼굴을 쳐다본 한 팀장이 낮게 갈라진 목소리로 말했다.

"손 뒤로 돌려서, 직접 벌리세요."

"으, 읏, 으으, 그……."

"이서단 씨가 좋아하는 좆으로 쑤셔 줄 테니까."

질컥질컥 긴 손가락이 안을 휘젓듯이 헤집었다. 로터의 끈을 잡아 괴롭히듯이 당겼다가 밀어 넣었다. 굵은 손가락을 문 입구가 발갛게 부풀어 있었다. 아까의 섹스로 붓고 달아오른 내벽도 마찬가지였다. 정말로 그는 로터를 꺼내 줄 생각도 없는 듯했다. 나는 그가 시키는 대로 떨리는 손을 내려 엉덩이를 벌리면서도 더듬더듬 빌었다.

"안이, 아파서……."

"헐 때까지 쑤셔 주겠다고 했잖아, 내가."

"흐, 으윽!"

손가락이 한꺼번에 빠져나왔다. 젖은 입을 벌린 입구에 단단하고 둥근 귀두가 닿았다. 주름과 회음부를 누르듯이 왕복하며 그가 이를 악문 것처럼 끊어 말했다.

"내가 때리고 싶다고 하면 맞고, 내가 박고 싶다고 하면 뒤를 벌리세요. 내가 넣고 싶을 때 어디든, 구멍 상태가 어떻든, 나를 위해 구멍을 벌리는 게 이서단 씨의 자리입니다. 알겠습니까?"

"흐으윽!"

푹, 굵은 게 파헤치듯이 파고들었다. 아픈 엉덩이를 잡아 벌린 손이 자꾸만 미끄러졌다. 나는 울면서 엉덩이를 더 위로 들었다. 사정봐주지 않는 삽입이었다. 로터가 틀어박힌 안쪽까지 단숨에 기둥이 파고들었다. 귀두에 눌려 더 위로 올라간 로터는 배를 뚫고 나올 것처럼 깊숙이 박혀 들었다. 다시는 빠지지 않을 것 같았다. 겁에 질려 배로 가려는 손을 그가 잡아챘다. 손목을 잡아 엉덩이에 단단하게 고정시킨 채로 성기를 주욱 빼냈다.

"흐아앗! 아으으, 흐윽."

"제대로 벌려야지. 안쪽까지 열어야 내가 쑤셔 줄 거 아닙니까."

"흐, 으윽, 아프……."

"힘 빼요."

퍽, 뜨거운 기둥이 망치로 때려 박듯이 안을 뚫었다. 빨판처럼 엉겨 붙는 내벽을 헤치고 단단한 귀두로 안쪽을 두들겼다. 나는 제정신이 아니었다. 그가 시키는 대로 엉덩이를 잡아 벌리고 성기를 받아 내며 흐느껴 울었다.

로터 때문에 멍든 것처럼 부어오른 안쪽을 그가 인정사정없이 들쑤셨다. 충혈되고 예민한 내벽이 긁히듯이 거칠게 문질러졌다. 굵은 성기가 퍽퍽 뿌리까지 찔러 넣어졌다. 나는 내가 내는 소리가 더 이상 들리지 않았다. 몸이 벌벌 떨리듯이 자지러졌다.

굵은 기둥으로 충혈된 전립선을 쓸리고 뚫릴 듯이 박히는 순간, 절정을 열댓 개 합친 것 같은 거대한 파도가 나를 휩쓸었다. 눈앞이 소리 없이 점멸했다. 까무러쳤다. 벌벌 떨리는 손을 그가 잡아 힘을 주었다.

"흐아아앗, 으, 그, 흐, 아아……."

쑤욱, 성기가 빠져나갔다. 그는 끈을 확 잡아 뺐다. 새빨갛게 벌어진 구멍으로 진동하는 로터가 빠졌다. 그는 다물리지 못하고 벌름거리는 구멍으로 다시 가차 없이 성기를 박아 넣었다. 뜨겁게 부푼 곳이 빠짐없이 쑤셔지고 헤집어졌다.

"눈, 감아요."

그가 거친 숨이 섞인 목소리로 으르렁거렸다.

"흐아, 흐으, 으……."

"예쁜 얼굴에, 뿌려 줄 테니까, 눈 감아."

죽을 것 같다고 생각하는 순간 성기가 쑥 뽑혀 나갔다. 그는 나를 잡아 돌려 눕혔다. 천장이 빙그르르 시야에 잡혔다. 번들거리는 성난 성기가 눈앞에서 흔들렸다. 나는 질끈 눈을 감았다. 그리고 뜨거운 게 얼굴 위로 터졌다.

끈적한 게 눈꺼풀 위로, 벌어진 입술 위로 후둑 떨어졌다. 진득한 진액이 머리카락에도 묻고 귓바퀴에도 뜨겁게 고였다. 그는 길게 숨을 뱉으며 뜨거운 기둥을 내 뺨에 문질렀다. 정액을 펴 바르듯이 느릿하게 귀두로 눈가를 들쑤셨다. 비릿한 향이 코를 메우고 입안으로 흘러들었다.

나는 눈을 감은 채로 가쁜 숨을 쉬었다. 널브러진 몸이 뒤늦게 욱신거렸다. 그가 때린 곳도, 꿰뚫어 헤집은 곳도, 쓸어내리고 어루만진 곳도. 내 몸인데, 나에게 오롯이 남는 곳이 하나도 없는 것 같았다. 그 전부를 빼앗겼다가 돌려받은 기분이었다.

뒤늦게 덮쳐 온 것은 육체적인 절정이 아니었다. 끝없이 치솟는 고양감 같은 것으로 몸이 바들바들 떨렸다. 나는 힘이 들어가지 않는 팔다리로 그를 꽉 끌어안았다. 그의 목에 얼굴을 묻고 소리 없이 울었다. 등을 쓸어내린 손이 아이를 달래듯이 어루만졌다. 매 맞은 엉덩이를 살살 문질러 주었다.

"……괜찮아요?"

울음이 조금씩 삿아들자 한 팀장이 물었다. 눈꺼풀에 엉겨 붙은 하얀 액을 티슈로 닦아 주었다. 나는 그의 얼굴을 보고 눈물을 천천히 깜박여 없앴다. 다정한 눈. 익히 아는 다정한 얼굴이었다.

"좀 봅시다. 생각보다 잘 참던데. 많이 아팠어요?"

붉은 줄이 어지럽게 엉킨 엉덩이를 그가 매만졌다. 나는 그에게 몸을 내맡겼다. 그가 볼 수 있게 엉덩이를 내밀고, 그 사이를 벌리는 손길을 허용했다.

"뒤 엄청 부었네."

쪽, 꼬리뼈 위쪽으로 입맞춤이 내려앉았다. 그는 서랍에서 꺼낸 약을 안쪽까지 넣어 발랐다. 사무적인 손놀림이었다. 그는 부어오른 엉덩이에도 약을 바르고, 손을 내밀게 해 손목의 자국도 살폈다.

"여긴 괜찮네. 내일 일어나면 없어져 있을 겁니다."

"……팀장님."

"왜."

"제 전용, 넥타이면……."

탈력감에 몸이 끝도 없이 늘어졌다. 그는 느려진 내 말을 듣기 위해 고개를 가까이 기울였다.

"다른 사람…… 넥타이도 있다는 건가요?"

"……글쎄."

한 팀장이 웃었다. 시야에 잡힌 얼굴이 난감한 듯 미묘했다.

"그렇다고 하면 신경 쓰입니까?"

"……."

나는 대답하는 대신 눈을 감았다. 부스럭거리는 소리가 들렸다. 방이 어두워졌다. 그는 시트를 벗겨 내리고, 내 위로 이불을 꼼꼼하게 덮어 주었다.

옆에서 들리는 숨소리가 점차 느리고 규칙적으로 가라앉았다. 나는 눈을 떠서 천장에 엉킨 그림자를 올려다보았다. 손끝 하나 까딱할 수 없이 피곤한데, 머리가 어지러워서 잠이 오지 않았다. 새떼처럼 허공을 헤매던 생각이 가지런히 하나씩 땅 위로 내려앉았다. 숨소리만 남은 고요 속에서 불현듯 조금 알 것 같았다.

나는 늘 나 자신의 무게를 짊어져야 하는 일에 지쳐 있었기 때문이다. 아무것도 내려놓을 수가 없었기 때문이다. 그런데 한 팀장과 함께 있으면 그는 보이지 않는 줄로 나를 단단하게 묶어 주었다. 하라는 대로 하면 되고, 견디라는 대로 견디면 되는 것이었다. 이곳에서는 아무것도 나의 잘못이 아니었고, 아무것도 나의 책임이 아니었다.

모든 괴로운 게 끝나면 그는 잘 참았다면서 나를 쓰다듬어 주었다. 다정한 눈으로 안아 주고, 기특하다고 칭찬해 주었다.

그 순간이 좋았다. 주어진 고통을 견뎌 낸 뒤에 오는 위로는, 내가 살아오면서 알던 그 어떤 것보다도 다디달았다.

◈

모르는 번호로 전화가 왔다. 오전 회의가 끝나고 핸드폰을 보자 [부재중 통화 1건]이 떠올라 있었다. 광고 전화겠거니 싶어 내버려 뒀는데, 오후에 또 연락이 왔다. 같은 번호였다. 자료실에서 박 대리와 마주 앉아 있던 나는 깜박이는 핸드폰 위로 일단 폴더를 덮어 놓았다.

탕비실로 가는 복도에서 통화 목록을 불러왔다. 아침에 한 번, 방금 두 번. 같은 번호로 세 번의 전화가 와 있었다. 여동생은 외국에 있으니 국내 번호로 전화가 올 일은 없을 것이다. 그 외에 내가 연락을 받을 일이 뭐가 있었을까. 핸드폰을 주머니에 넣었다가, 갑자기 떠오른 생각이 발목을 잡았다. 탕비실에는 사람이 있었다. 빠른 걸음으로 뒤돌아 계단으로 가는 문을 찾아냈다. 3층으로 내려가는 층계참에 서서 처음 보는 번호로 전화를 걸었다.

─…….

신호음이 다섯 번 가고, 누군가 전화를 받았다. 부스럭거리는 인기척이 들렸다. 말이 없어서 내가 대신 말했다.

"여보세요?"

─…….

뚝, 전화가 끊어졌다. 입을 다문 전화기를 나는 가만히 내려다봤다. 히터가 없는 계단은 추웠다. [이서단입니다. 부재중 기록이 남아 있어서 전화 드렸습니다.]라고 문자를 보내 두고, 따뜻한 복도로 가는 문을 열었다.

자리로 돌아와서 일을 시작하려 하는데 생각이 났다. 여동생은 요즘 대학생답게 인터넷 사용이 활발한 편이었다. 예전에 가입해둔 사이트를 가물가물 기억해서, 아이디와 비밀번호를 둘 다 확인하는 절차를 거친 후에야 로그인할 수 있었다. 여동생의 이름을 쳐서 들어간 페이지에는 오늘 날짜로 친구들과 찍은 사진이 올라와 있었다. 손가락으로 V자를 그려 보이는 세 명 뒤로는 푸른 물빛의 강이 있었고, 이국적이고 아기자기한 집들이 나란히 늘어서 있었다. 아무일 없구나. 몸에 긴장이 쭉 풀렸다.

스크롤을 내려 보니 여행 사진이 더 있었다. [맛 미쳤음 진짜!! 한국 파스타 앞으로 어떻게 먹지……]라는 캡션이 달린 음식 사진도 있었고, 에펠탑을 손가락 사이로 찌그러뜨린 듯한 사진도 있었다. 미술관 밖이나 안으로 보이는 사진도 많았다. 그러고 보니 유럽은 갤러리가 많아서 꼭 가 보고 싶다고, 미대에 입학했을 당시 여동생이 말한 기억이 났다. 벌써 몇 년 전의 일이었다.

출국할 때 공항에서 찍은 사진을 마지막으로 여행 사진이 끝났다. 그다음에 나온 것은 졸업 사진이었다. 나는 창을 종료하려다가 멈칫하고 화면에 얼굴을 가까이 붙였다.

핸드폰으로 혼자 대충 찍은 사진이 아니었다. 사진사의 손길이 느껴지는 선명한 화질로 대학 캠퍼스의 나무 아래 사람이 여러 명 잡혀 있었다. 중앙에는 꽃다발을 품안 가득 든 여동생이 있었고, 양옆으로 친구들이 둘러싸고 있었다. 여행을 같이 간 친구들과 셋이 찍은 사진도 몇 장 있었다. 똑같이 가운을 입은 남자애 하나와 어깨동무를 하고 찍은 사진이 연달아 나오는 걸 보니 남자친구인 모양이었다.

옆으로 넘기자 여동생이 부모님과 찍은 사진이 나왔다. 나는 나도 모르게 화면을 꺼 버렸다.

무릎을 내려다보고 눈을 깜박였다. 가슴이 빠르게 뛰고 있었다.

마지막으로 사진을 본 것도 몇 년 전의 일이었다.

다시 화면을 켜고 찬찬히 들여다봤다. 학사모를 쓴 여동생의 양옆으로 키가 작은 부모님이 서 계셨다. 왼쪽에는 어머니, 오른쪽에는 아버지. 몰라볼 정도로 늙은 얼굴은 아니었다. 입꼬리를 양옆으로 당겨 웃음 짓는 어머니의 얼굴 위로 가만히 손끝을 대 봤다.

"뭐 합니까."

어깨 위로 손이 올라왔다. 나는 화들짝 뛰어올라 나도 모르게 두 손으로 화면을 가렸다. 등 뒤에 선 한 팀장이 서류철을 들고 나를 내려다보고 있었다.

"일이 이렇게 많이 쌓였는데 농땡이 피우다니, 제정신입니까."

"……죄송합니다."

"혼나려고."

나는 이제 머리에 안테나가 달린 것처럼 한 팀장의 기분을 파악하는 데 능했고, 지금 그는 확실히 기분이 저조한 상태였다. 죄송합니다, 라고 재차 말하고 꺼 버리기 위해 마우스를 잡았는데, 그가 내 손 위로 손을 덮어 저지시켰다. 닿은 체온이 따뜻했다.

"누굽니까."

화면을 보며 묻는다. 나는 입을 다물었다.

"그러고 보니 박 대리한테 이야기를 들었는데. 이게 이서단 씨 여동생입니까?"

"아…… 네."

"옆에는 부모님?"

"⋯⋯네."

졸업식에 발표 때문에 안 갔냐고 묻는다면 머리가 아파질 것이다. 시선을 내리고 기다리는데, 한 팀장은 별다른 반응 없이 사진을 보다가 툭 말했다.

"여동생이 이서단 씨를 별로 안 닮았는데."

"⋯⋯그런가요? 어렸을 땐 닮았단 말도 많이 들었는데⋯⋯."

"이서단 씨 쪽이 훨씬 미인입니다."

어떻게 반응해야 하는지 알 수 없었다. 얼떨결에 감사합니다, 라고 대답하니 그가 나를 물끄러미 보다가 표정을 다시 싹 굳혔다.

"이제 그만 놀고 일하세요."

"네."

더 혼날 수도 있는 걸 무사히 넘어간 셈이었다. 그가 파티션 너머로 사라질 때까지도 심장이 계속 쿵쾅거렸다. 화면은 한 번 더 들여다본 후에 끄지를 못하고 일단 작게 축소시켜 놨다. 작업하던 문서를 다시 불러왔는데, 몇 번을 되풀이해 읽어도 글자가 읽히지 않았다. 마우스를 잡은 손바닥 안쪽이 식은땀으로 축축해져 있었다.

전화가 온 것은 밤이었나. 퇴근한 직후 현관에서 전화를 받았다. 여보세요, 하면서 한 발로 서서 구두를 벗었다. 수화기 너머에는 검게 입을 벌린 침묵이 있었다. 누군가의 희미하고 불안정한 숨소리가 있었다.

불을 켜지 않았다. 끊지도, 더 추궁하지도 않았다. 잠자코 어둠이 깔린 방바닥에 엉덩이를 붙이고, 무릎을 올려 턱을 묻었다. 책장 아랫단에 놓아둔 자그마한 장식품들을 눈으로 훑었다. 대학 졸업식을 빠지고 대신 혼자 갔던 짧은 여행에서 가져온 조약돌, 나뭇잎, 조개껍데기. 여동생이 생일선물로 줬던 옷의 종이 태그나, 절에서 의미도 모르고 받아온 나무패 같은 잡다한 것들이 먼지가 쌓인 채로 두서없이 놓여 있었다. 이사 올 때도 늘어놓고 한참을 내려다봤을 뿐, 결국은 버릴 것과 가져갈 것들을 정하지 못했었다.

거리낌 없이 시원시원하게 물건을 내버릴 수 있는 사람을 늘 닮고 싶었다. 아마도 한 팀장은 그런 사람이었을 것이다. 미련을 가지지 않는 사람, 말에도 행동에도 군더더기가 없는 사람. 한번 버린 물건은 다시는 뒤돌아보지 않는.

손을 뻗어 하얀 귀 같은 조개껍데기를 매만졌다. 쌓인 먼지가 부슬부슬 손끝에 묻어났다. 낯익은 목소리가 귀에 들렸다.

-졸업식에는, 안 왔더구나.

늘 나이에 비해 젊은 목소리. 10년만인데 크게 다르지 않았다. 나는 책장에 등을 기대고 시선을 들었다. 창밖의 하늘에는 구름이 없었다.

-서영이가 많이 서운해하던데.

"무슨 일로 전화하셨어요?"

나는 메마른 눈가로 덤덤히 물었다. 어머니의 목소리는 또 길게 뜸을 들였다. 낮에 봤던 사진이 아니었다면 떠오르지 않을 얼굴이 눈꺼풀 안쪽에 어른거렸다.

─……서영이 여행 간 건 아니?

"네."

─……친구들이랑 한참 계획 짜서 간다길래. 간 김에 여러 나라 돌고 오라고 했어. 미술관도 좋은 데 많다고 하고, 가는 김에 비행깃값 아까우니까……. 가기 전에 사전도 사서 공부하고, 열심히 하더라.

나는 어머니의 말이 길어질수록 점점 피곤해졌다. 퇴근길에 지하철 손잡이에 기대어 졸면서 느꼈던 묵직한 피로가 눈꺼풀을 짓눌러 왔다. 내가 대답을 하지 않자 어머니는 기침을 했다. 콜록, 콜록. 목에서 끓는 가래 소리가 났다.

─좋은 회사 합격해서 열심히 다닌다며.

"네."

─그래, 잘됐다. 서영이한테 듣고……. 어렸을 때부터 공부는 잘하더니. 잘됐네.

"무슨 일로 전화하셨어요?"

나는 다시 물었다. 그리고 이어진 침묵에 부드럽게 덧붙였다. 제가 이제 퇴근해서, 좀 피곤해서요.

─……거의 서른 먹어도 성격은 그대로구나.

조금 높아진 목소리. 나는 웃었다. 두 무릎 사이의 틈새로 턱을 기댔다. 보일러를 틀어 놓지 않은 집안이 서늘하고 고요했다.

─지난주에도 그렇지, 동생이 졸업하는데 와 주는 게 뭐 어려운 일

이니? 서영이한테는 평생 한 번 있는 일인데. 오빠가 돼서……. 서영이는 오후까지 혹시 모른다고 그러고, 말은 그렇게 했어도 너 올지도 모르니까 단체 사진은 좀 나중에 찍자고…….

"하실 얘기가 그건가요?"

늦은 밤에 전화해서, 또 내가 뻔히 일하고 있을 시간에 전화해서. 당신이 말하고 싶은 것은 누구의 서운함이고 서러움이었을까.

어머니는 내 귀에 대고 또 길게 기침했다. 그리고 높아진 목소리로 점점 빠르게 말했다.

─이번에 서영이 여행 가는 김에 프랑스 쪽 대학 쪽 한번 보고 오라고 했어. ……미대는 공부를 더 하지 않으면 자리 잡기 어려운 모양이고, 본인이 순수미술을 하겠다니……. 졸업 전시는 봤으니 너도 알겠지만, 교수들도 과에서 제일 잘한다고 하고, 재능 있다고……. 그래서 아버지랑 의논해서, 그래도 외국 쪽에 끈이 있어야 유리하다고 하니, 일단 본인이 갈 마음 있으면 유학 보내 보자고 마음 굳혔어.

"……그래서요?"

─그런데 대학까지 졸업시키고 나니 아무래도……. 일단은 본인이 벌어 보겠다고 하는데, 그게 하루이틀 안에 벌리겠니. 재능은 서영이만 못한 친구들은 벌써 치고 나가는데 알바하느라 일 년 낭비하는 것도 아깝고. 그렇다고 그 타지까지 가서 일하면서 공부하는 것도 어렵고…….

멍청하게, 나는 그때서야 깨달았다. 10년 만에 내게 전화할 이유는 어차피 하나뿐이었을 텐데. 깨닫자마자 비실 웃음이 새어 나왔다. 어머니는 말하다가 뚝 멈췄다.

"그래서 저보고 서영이 유학비를 대라고요?"

⋯⋯그런 게 아니고, 남는 돈 조금이라도 보탤 수 있으면, 너도 화가 동생 두면 좋고.

"제가 화가 동생 둬서 뭐가 좋겠어요."

⋯⋯그래도 서영이가 그동안 너랑 계속 연락해 주고, 신경 써 준 것 알면서. 그 정도는 해 줘도 좋잖아, 친오빠가. 좋은 회사 다닌다니, 그 정도는 너한테는⋯⋯.

귓가에서 핸드폰을 조금 뗐다. 목소리가 뾰족한 송곳처럼 귓구멍에 박혀 들었다. 말을 참 크게도 한다고 느리게 생각했다.

"더 하실 말씀 없으면 끊을게요."

-너, 서영이한테 미안하지도 않아?

"⋯⋯제가요?"

-집 나가는 바람에 그동안 오빠 노릇 한번 제대로 못해 줬잖아.

전화를 끊으려고 뗐던 핸드폰을 다시 귀에 붙였다. 끌어안았던 무릎을 내리고 반듯하게 앉아, 시선을 들어 올렸다.

-그리고⋯⋯ 오빠로서 양심이 있으면, 서영이가 너 때문에 마음 고생한 거, 기회 있을 때 갚아 줘야지.

"무슨 마음고생이요?"

-서영이 졸업식 가 보니까 다른 애들은 오빠 언니들 많이 와서 사진도 찍어 주고 선물도 해 주던데. 하나밖에 없는 오빠가, 그런 데

못 오는 사람이라, 서영이는…… 십 년 동안 누가 물어볼 때마다 눈치 보이고, 오빠는 외국 산다고…….

"제가 졸업식에 안 간 게 부끄러워서라고 생각하세요?"

나도 목소리가 빨라졌다. 정말로 아무렇지 않았는데, 목에 뜨거운 게 차올랐다.

"제가 무슨, 범죄자처럼…… 남 앞에 얼굴 들지도 못하는 사람이라고 생각하세요? 저 같은 오빠를 둬서 서영이도 쪽이 팔린대요? 그럴 거면 아예 오빠가 없다고 말하지, 처음부터 없었다고."

―너는 왜 말을 꼭 그런 식으로 해?

"지금 저한테―"

―그리고 터놓고 말해서!

어머니가 악을 쓰듯이 갑자기 외쳤다. 내 목소리를 묻어 버리고 나를 깜깜한 침묵으로 몰아넣었다.

―그래, 터놓고 말해서, 너는 결혼자금 들어갈 일도 없잖아? 너 같은 애는.

"……."

―어차피 일하면서 저금하면 계속 쌓일 텐데, 그 돈 어디다 쓰려고? 애도 안 낳을 건데 양육비도 안 들고, 얼마나 많이 남겠어? 그걸 동생 공부에 좀 투자하는 게 그렇게 잘못됐어? 그렇게 이상한 일이야? 아예 동생 먹여 살리고 대학 보내는 오빠들도 있는데. 너희 아빠랑 내가 너 키우느라 든 돈이 얼마인지 알아? 그게 고스란히 남으면…….

"차용증이라도 쓰지 그러셨어요."

-뭐?

"빚 운운할 거면 서명이라도 받아 놓지, 왜 지금 와서 그러세요. 제가 언제 돈 써서 키워 달라고 했어요?"

-너, 아무리 그래도 부모한테!

"그 돈, 저는 죽어도 못 내니까, 유학 알아서 가라고 하세요."

전화가 끊어지는 순간까지 어머니는 악을 쓰고 있었다. 너 좋은 회사 다니는 것도, 네 아빠 머리 물려받아서…….

나는 핸드폰을 방바닥에 내던졌다. 책장에 등을 기대고 눈을 감았다. 천천히 거칠어진 숨소리를 가라앉혔다. 아무 일도 아니었다. 처음부터 전화를 받지 않았다면 좋았을 것이다. 아까 사진을 보지 않았다면. 그게 아니라도. 어차피 언젠가는 일어날 일이었다. 어떤 일로든 겪어야 하는 대화였다.

그리고 나는 기대한 게 없었기 때문에, 실망할 이유도 없었다. 10년간 없던 부모님이 갑자기 생기리라고 바란 것도 아니었다. 시간이 지났으니 이제는 알아주지 않을까, 이해해 주지 않을까, 한 번이라도 기대한 적이 있었을까. 그렇게 지겹게 겪어 놓고도, 지치지도 않고.

"……그렇다고 사람을 맘대로, 외국으로……."

비행기 한 번 타 본 적 없는데, 아무리 생각해도 우스웠다. 흘러내린 몸이 바닥으로 툭 떨어졌다. 올려다본 천장이 한 번 빙 돌았다. 시끄러운 벨소리가 울리고 있었다. 나는 핸드폰을 들어 뒤의 배터리를 분리하고, 다시 내던졌다. 방 반대편으로 굴러간 핸드폰이 침실로 통하는 미닫이문에 부딪혔다. 화면이 깨진 것 같은 파열음도 하나도 신경 쓰이지 않았다.

가만히 누워서 천장을 올려다봤다. 호흡이 잠잠하게 가라앉았다.

만일 불과 몇 달 전에 이 전화를 받았으면 정말 억울했을지도 모른다. 10년째 동성과 섹스 한 번 못 한 몸으로 동성애자라는 삿대질을 받는 것은 우스웠을 것이다. 눈꺼풀 안쪽이 붉었다. 나는 이를 악물고 그 틈새로 숨을 흘려보냈다. 호흡이 자꾸 떨려 나와서 손으로 입을 막았더니, 손이 덜덜 떨렸다.

뭔가에 홀린 사람처럼 몸을 움직였다. 거실 저편으로 기어가서 떨리는 손으로 핸드폰을 주웠다. 액정은 멀쩡했다. 배터리를 주워 끼우고 전원을 켰다. 양 무릎을 모으고 앉아서, 화면이 뜨기까지 기다렸다. 남아 있는 어머니의 부재중 통화는 무시했다. 드륵드륵 들어오는 문자도 무시했다. 그 대신 전화번호부를 불러왔다. 망설임도 없이 통화 버튼을 눌렀다.

ㅡ……한주원입니다.

신호가 세 번 가고 그가 받았다. 건조하고 분명한 목소리였다.

ㅡ왜 걸었습니까. ……무슨 일 있어요?

"……팀장님."

나는 숨을 한꺼번에 내쉬듯이 중얼거렸다. 문에 등을 기대면서 다시 말했다. 팀장님, 저…… 메마른 눈가가 타들어 갈 듯이 뜨거웠다. 손끝으로 문질러 봤지만 물기는 묻어나지 않았다.

-왜. 말을 해요.

"……부탁이 있어서요."

-무슨 부탁.

"……토요일 대신, 오늘 뵐 수, 있을까요?"

심장이 목까지 올라와 뛰었다. 떨리지 않는 내 목소리가 나도 신기했다. 그는 잠시 말이 없었다. 수화기 너머로 문이 닫히는 희미한 인기척이 들렸다.

-왜?

주변이 조용해졌다. 그가 낮아진 목소리로 간결하게 물었다. 나는 더듬거리는 입술로 애써 대답했다.

"주말에 일이 생겨서요."

-무슨 일.

"……가족 행사에 참석해야 해서."

-그래서 오늘 대신 하겠다고?

거짓말을 다 알고 추궁하는 것처럼 날카로운 말투였다. 나는 돌부리에 걸려 넘어지는 것처럼 몇 번 입술을 달싹거렸다.

-내일 출근해야 하는 건 알고 있는 겁니까?

"……네."

-그리고 지금이 열 시 넘은 것도?

"……,"

눈가가 너무 뜨거웠다. 깜박여 봐도 사막의 한낮처럼 짙은 갈증이 사그라지지 않았다. 울고 싶어, 라고 소리 없이 중얼거렸다. 잔인하고 포악한 욕망이 팽창하듯이 나를 꽉 메웠다. 살갗이 다 터지고 피가 흐를 때까지 맞고 싶었다. 안이 다 찢어질 때까지 범해지고 싶었다. 지쳐서 더 이상 손끝 하나 까딱할 수 없을 때까지 학대당하고 싶었다. 그리고 울면서 너무 아팠다고, 괴로웠다고 토로하고, 꽉 안아 주는 팔에 몸을 맡기고…….

숨소리가 떨려 나왔다. 그가 들을까 봐 입을 막았다. 그대로 숨을 멈추고 눈을 감고 기다렸다. 긴 침묵 끝에 그가 가라앉은 목소리로 입을 열었다.

-알겠습니다.

"……감사합니다."

-지금 어딥니까, 그래서.

"방금 집에 도착해서……."

-……일단 지금 다시 회사로 와요.

내가 퇴근할 때 그는 회사에 있긴 했지만, 아직도……. 물을 시간은 없었다. 그가 내 말을 서늘하게 잘랐다.

-내일 출근할 옷 챙겨 오세요.

"……네."

뚝. 전화가 끊겼다. 나는 핸드폰을 들여다봤다. 통화기록에 떠 있는 부재중 기록을 눌러 삭제해 버렸다. 핸드폰을 눌러 껐다. 가슴에 뜨거운 게 들어차서 넘실거렸다.

그는 기분이 안 좋은 목소리였다. 입장이 어느 쪽이든 이런 식으로 통보하는 건 예의가 아닌 것을 알고 있었다. 그래도 나는 내가 부린 억지를 취소하지 않고 몸을 일으켰다. 심장을 잡아 흔드는 격렬한 욕구에 몸이 떨렸다. 미열의 붉은색으로 벌써 눈꺼풀이 물들어 있었다.

※

지하철을 탔다. 퇴근길에 스쳐 지났던 역들을 역순으로 다시 지났다. 한산해진 지하철의 문 옆에 서서, 새까만 터널을 내다보았다. 가끔 노랗고 빨간 빛이 줄줄이 스쳐 지나갔다. 그리고 다시금 오랜 침묵이었다.

예전에 봤던 영화. 예전에 들었던 음악. 출근길을 한밤중에 되밟아가며 그런 아무런 의미도 없는 것들을 생각했다. 문이 열릴 때마다 지하철과 승강장 사이로 검은 틈이 새까맣게 입을 벌렸다. 스쳐지나는 사람들은 그 틈새를 쉽게도 넘어 다녔다.

회사 로비에서 출입카드를 긁고 엘리베이터를 타고 올라갔다. 어두웠던 4층 복도에 타닥, 타닥 불이 들어왔다. 난방이 아직 도는지 공기가 답답해서, 회의실로 들어서며 나는 목도리를 풀어 내렸다. 파티션 뒤에 앉아 있는 한 팀장의 옆얼굴이 보였다.

몇 발짝 떨어진 곳에 멈춰 서자, 화면에 열중하고 있는 그는 나를 돌아보지 않고 말했다.

"기다리세요. 금방 끝납니다."

"네."

내 자리에 풀어 놓은 목도리를 개켜서 내려놓고, 옷이 든 가방을 바닥에 놓았다.

"팀장님."

"왜."

이번에는 시선이 돌아왔다. 피곤한 기색이 역력한 얼굴이었다.

"오래 걸리시면, 저도 일할까 해서요."

"그 정도는 아닙니다."

그가 냉담하게 답하고 다시 의자를 빙 돌렸다. 나는 입을 다물고 앉았다. 화면 옆으로 붙여 둔 포스트잇을 읽고, 확인한 것은 떼어 정리하며 중간 중간 그의 책상 쪽을 쳐다봤다. 퇴근하고 나서 다시 회사로 돌아온 것도, 아무도 없는 부서에 그와 둘이 앉아 있는 것도. 전부 비현실적이었다. 무리한 충동이 아니었다면 일어나지 않았을 기묘한 상황이었다.

회사의 밝은 형광등 아래서 뒤늦게 생각했다. 이게 뭐 하는 짓일까. 이렇게 억지를 부리는 것은 나답지 않은 일이었다. 다른 사람도 아닌 그에게, 감히 내 상황을 핑계로 오라 가라 할 용기는 어떤 배짱이나 절박함에서 나왔을까.

"일어나요. 갑시다."

어느새 한 팀장이 겉옷과 두꺼운 서류철을 챙겨 들고 서 있었다. 그의 컴퓨터 화면이 검게 꺼진 걸 보니 일은 마무리한 모양이었다.

나는 잠자코 일어나서 의자를 밀어 넣었다. 목도리를 까먹어서 한 번, 옷 가방을 까먹어서 한 번 더 되돌아갔다. 엘리베이터를 타고 주차장까지 내려가는 동안 그는 아무런 말이 없었다. 벽면의 유리를 통해 지켜본 얼굴은 표정 없이 무덤덤했고, 그의 기분에 신경 쓰기에는 나도 지쳐 있었다. 입안에서 내내 되뇌었던 사과를 눌러 삼키고, 잠자코 그의 차 옆자리에 올랐다.

교통법규를 칼같이 준수하는 운전은 여전했다. 나는 창밖으로 스쳐 지나가는 불 켜진 건물들을 구경했다. 무릎 위로 그러쥔 두 손이 가로등 빛에 노랗게 일렁이고 있었다.

그러다가 깨달았다. 여기는 내가 아는 길이 아니었다.

"……팀장님, 여기……."

평소에 호텔로 가는 길이 아니었다. 그렇다고 내 집으로 가는 길도 아니었다. 낯선 교차로를 멍하니 보고 있자 신호등 주황불에 차를 멈춘 그가 짧게 말했다.

"예약할 시간이 없었으니까. 어쩔 수 없습니다."

"……죄송합니다."

"죄송할 건 없고."

그의 얼굴에도 교차로의 불빛이 일렁거렸다. 나는 입을 다물었다. 배 속을 울렁거리게 하던 것이 점점 무거운 돌덩이가 되어서 밑바닥으로 가라앉았다. 정신을 놓아 버릴 것처럼 피곤했다.

평소와 다른 호텔이나 모텔로 가겠다는 말인 줄 알았다. 하지만 10분을 더 달려 차가 들어선 곳은 고층 아파트처럼 생긴 건물의 지하주차장이었다. 그가 철문을 열기 위해 기어박스 옆에 매달린 버튼을 누를 때에서야 깨달았다. 이곳은 다른 곳도 아닌 그의 집이었다.

프로젝트를 하면서 팀원들에게 들은 이야기가 있었다. 한 팀장의 집은 회사에서 멀지도 않은데 박 대리조차 본 적이 없는 요새라고 했다. 주말에 건네받을 서류가 있어도 한 팀장은 집으로는 부르지 않았고, 모임이 있어도 외부의 장소를 예약한다고 했었다.

그런 곳에 내가 지금 와 있었다. 그가 무슨 생각인지 알 수 없었다. 차의 시동이 꺼졌을 때도 멍하니 창을 내다보고 있을 정도로 의아했다.

"안 내립니까."

한 팀장이 뒤에 두었던 내 옷 가방을 집어 건네주며 평이하게 물었다. 나는 하얗게 된 손끝으로 안전벨트를 풀고 차 문을 더듬어 열었다. 바로 옆 벽에 있는 문이 엘리베이터 로비였다. 문이 열리자 확실해졌다. 정말로 여긴 호텔이 아닌 주거 건물이었다.

엘리베이터가 내려오는 동안 나는 그의 등을 보고 가만히 입을 열었다.

"팀장님."

그는 옷 가방을 품에 안은 내게 힐끗 시선을 주었다.

"왜."

"……죄송합니다."

신호음이 울리고 문이 드륵 열렸다. 그는 넓은 엘리베이터에 올라타며 등 너머로 툭 말했다.

"뭐가 죄송합니까. 거짓말해서?"

"……."

말뜻을 이해했을 때는 그가 나를 위해 문을 잡아 주고 있었다. 나는 움직이지 않는 발을 억지로 재촉해 문턱을 넘어섰다. 엘리베이터가 소리 없이 상승하기 시작했다.

나는 내 발끝을 쳐다봤다. 운동화 코에 검게 긁힌 자국이 있었다. 변명의 말이 목까지 올라왔다가 틀어 막혔다.

부드러운 신호음과 함께 문이 열렸다. 한 팀장은 나를 환하게 불이 들어온 복도에 세워 두고, 현관문의 키패드를 대충 손끝으로 훑었다. 파란 번호가 깜박깜박 나타났다. 나는 반대편으로 고개를 돌렸지만, 들은 소리로 미루어 봐서 비밀번호가 열 자리는 넘는 것 같았다.

"들어와요."

철컥, 요새의 문이 열렸다. 그는 내가 신발을 벗는 사이 먼저 어두운 거실로 사라졌다. 나는 옷 가방을 들고 현관에서 우뚝 멎었다. 조명이 들어오자마자 보인 전경에 압도당했다.

천장이 시원하게 높은 복층의 집이었다. 거실 벽의 한쪽은 야경이 내다보이는 통유리였다. 현관에서 정면으로 보이는 나무 계단이 위층으로 이어져 있었고, 1층의 공간은 탁 트인 넓은 거실이었다. 손님을 초대할 계획도 아니었을 텐데 시선이 닿는 곳마다 흐트러진 물건 하나 없이 깨끗했다.

무엇보다, 내가 어렴풋이 상상한 살풍경한 집은 아니었다. 가구의 위치나 벽지, 장식품 같은 것에서 하나하나 직접 고르고 배치한 사람의 세심함이 엿보였다. 장식도 많고 물건도 많은데 실내가 깔끔하고 조화로웠다. 잡동사니가 제자리를 찾지 못해 서랍마다 굴러다니는 내 집과는 천지 차이였다.

"예민한 편이라, 신경을 좀 썼습니다."

그가 내 시선을 눈치 챘는지 덤덤하게 말했다. 내게서 외투와 목도리를 받아 들며 앉아요, 라고 덧붙였다. 상황에 어울리지 않는 손님 대접이었다. 나는 옷 가방을 어중간하게 현관 근처에 내려놓고, 머뭇거리다가 검은색 가죽으로 된 커다란 소파에 엉덩이를 붙였다. 서류철을 들고 안쪽의 방으로 사라졌던 한 팀장이 소매 단추를 끄르며 돌아왔다.

"편하게 앉아요. 뭐라도 마시겠습니까?"

나는 말없이 고개를 저었다. 초조했다. 익숙하지 않은 장소도 어색했고, 배 속에 뭉친 단단한 돌덩이 때문에 집중이 어려웠다. 그는 나를 거실에 내버려 두고 다른 쪽의 문으로 사라졌다. 달그락거리는 소리가 희미하게 들렸다.

그는 몇 분이 지나 김이 모락모락 오르는 커다란 머그잔 두 개를 들고 돌아왔다. 벽지와 똑같은 짙은 남색의 잔을 내 앞에 내밀었다. 이럴 거면 왜 물어보냐는 말이 턱 끝까지 치밀었지만, 막상 내밀어지니 받아 들 수밖에 없었다.

"뜨겁습니다, 조심해요."

"……감사합니다."

잔에 담긴 건 다른 것도 아닌 보리차였다. 불투명한 내용물을 경계하던 나는 한 모금 마셔 보고 맥이 탁 풀리는 기분이었다. 한 팀장은 본인 잔을 들고 저쪽 소파에 편하게 기대어 앉았다. 그의 옆으로는 거대한 식물처럼 생긴 은색 조명이 있었고, 그 뒤로는 탁 트인 야경이 있었다.

뜨거운 걸 조금씩 불어서 식혀 마시는 동안 불안하게 뛰던 심장이 가라앉았다. 한참 말이 없던 한 팀장은 턱을 괸 채로 나를 지켜보다가 나직하게 물었다.

"저녁은 먹었습니까?"

먹지 않았지만 나는 고개를 끄덕였다.

"거짓말할 때는 눈을 피하지 말아야지. 이래서야 속아 주고 싶어도 힘들지 않습니까."

"……죄송합니다."

오늘 벌써 몇 번째의 사과인지 알 수 없었다. 그는 말없이 몸을 일으켰다. 화가 난 건가 싶었는데, 부엌에서 돌아온 그가 둥그런 나무 그릇을 탁자에 올려놓았다.

"요기라도 해요. 그러다 섹스 중에 쓰러집니다."

"……감사합니다."

무심한 얼굴을 보고 자그맣게 중얼거렸다. 허를 찔린 기분이었다. 어울리지 않는 상황에서의 이상한 배려, 기묘한 다정함. 그는 늘 이런 식이다.

그릇에는 하나씩 포장된 약과와 처음 보는 포장의 외국 과자가 들어 있었고, 빨간 빼빼로가 두 박스 있었다.

"왜. 이서단 씨 취향은 이런 게 아닙니까."

"……아니요, 그냥……."

목 안이 따끔거렸다. 나는 잔으로 입을 가리며 말했다.

"결정하는 게 힘들어서."

"다 먹으면 되지."

그가 간단하게 말했다. 눈가가 웃고 있었다. 본인의 잔을 내려놓고 나를 위해 빼빼로 상자를 까 주었다. 봉지를 열어 과자의 손잡이 부분이 내 쪽으로 오도록 하나를 집어 내밀어 주었다.

받아들다가 손끝이 스치듯이 닿았다. 나는 시선을 급하게 창밖으로 돌렸다. 빼빼로를 쳐다보지 않고 입에 넣어 오독 씹었다. 입천장에 닿아 녹는 초콜릿이 달콤했다.

"팀장님은…… 단것 안 좋아하시잖아요."

중얼거리듯이 말했다. 보리차를 마시던 그가 대답했다.

"아예 안 먹는 건 아니지만, 좋아하진 않습니다."

"그럼 이건……."

"작년 빼빼로데이 때 받은 겁니다. 대부분 돌려줬는데 책상에 쌓인 건 따로 주인도 없고. ……좋아하면 가져가겠습니까? 찬장에 많은데."

"……아니요."

빼빼로 상자가 쌓여 있는 그의 책상이나, 누군가 내미는 상자를 눈썹 하나 까딱하지 않고 돌려주는 한 팀장을 어렵지 않게 상상할 수 있었다. 한 팀장은 빼빼로를 하나씩 친절하게 집어 건네주다가 한과도 하나 까 주었다. 입안에 든 걸 씹고 나면 눈앞에 또 먹을 게 대기하고 있었다. 누가 강요하는 것도 아닌데 나는 주는 대로 입을 열어 얌전히 받아먹었다.

"햄스터 같네."

소동물의 먹이를 주듯이 먹을 것을 건네던 그가 무심하게 말했다. 나는 씹던 것을 멈췄다.

"차를 더 줄까. 아니면 커피를 마시겠습니까? 홍차도 괜찮고."

"……괜찮습니다. 시간이 늦어서 커피는─"

"오늘 잘 생각하고 왔습니까?"

콜록, 한과가 목에 걸렸다. 사레가 들려 얼굴이 붉게 익었다. 한 팀장은 잔을 들어서 건네주면서 계속 입가에 웃음을 매달고 있었다.

미지근하게 식은 보리차를 마시면서 시선을 내리깔고 생각했다. 화를 낼 줄 알았는데, 아니었을까. 어쩌면 화를 내기를 기대했는지도 모른다. 호텔방에 들어가자마자 옷이 벗겨지고, 개처럼 엎드린 채로 꿰뚫리는 것을 상상했었다. 침대에 손이 묶이고, 매를 맞고, 입이 틀어막히고…….

그의 공간에 들어와 고즈넉한 조명 아래서 보리차와 빼빼로를 받아먹고 있자 알 수 있었다. 내가 원했던 것은 섹스도 아니고 무엇도 아니었다. 깨닫는 순간 얼굴이 뜨거워졌다. 치미는 자괴감을 참을 수 없었다.

"……죄송합니다."

그는 이번에는 사과의 이유도 묻지 않았다. 본인 잔에 남은 보리차로 내 잔을 더 채워 주고, 물끄러미 턱을 괴었다.

건조하고 차분한 적막이 높은 천장까지 느릿느릿 차올랐다. 파랗고 맑은 수조의 물처럼 소리 없이 일렁거렸다. 시선을 들자 나를 지켜보고 있던 한 팀장과 눈이 정면으로 마주쳤다. 그가 낮게 물었다.

"씻고 왔습니까?"

"⋯⋯네."

"그래? 그건 아쉽네."

그가 느릿하게 중얼거렸다.

"그럼 내가 씻고 나올 동안 기다리세요. 편한 옷이라도 주는 게 낫겠습니까?"

"괜찮습니다."

그가 잔을 들어 남은 걸 한 번에 털어 마시고 일어섰다. 나는 한 팀장이 없는 그의 공간에 홀로 남았다.

그가 문을 닫고 들어간 욕실에서는 희미한 물소리가 들렸다. 나는 남은 빼빼로 하나를 입에 넣고 녹여 먹었다. 손바닥 사이로 잔을 둥글둥글 굴리다가, 내려놓고 일어섰다. 넓은 통유리 앞으로 다가섰다. 작은 발코니에는 화분이 죽어 있었다. 탁자와 재떨이가 놓여 있었다. 집 안에서 담배 냄새가 안 난다는 사실을 그때에서야 깨달았다.

시선을 돌렸다. 소파를 마주한 벽에는 커다란 벽걸이 TV 외에도 책장이나 진열장이 빼곡했다. 주류 저장고인지 낮은 캐비닛의 유리 너머로 각종 양주가 보였고, 그 위에는 와인 주둥이가 가지런히 뛰어나와 있는 격자무늬의 나무 장식장이 있었다. 커다란 책장에는 일 관련 서적이 맨 아래, 위쪽으로는 원서나 소설이 빼곡하게 꽂혀 있었다. 가까이 다가가니 내가 좋아하는 이름이 여럿 보였다. 희곡도 있었고, 시집도 있었다. 나도 모르게 손을 뻗어 만져 본 두꺼운 책등은 제목이 보이지 않을 정도로 해어지고 갈라져 있었다.

"……아."

그 옆에 있는 건 아무리 봐도 축음기였다. 그 밑에 레코드가 잔뜩 꽂혀 있는 걸 보면 실제로 사용하기도 하는 모양이었다. 나팔처럼 생긴 게 신기해서 기웃기웃거렸다. 레코드판을 올려놓는 부분에 유리 덮개가 덮여 있었는데, 들여다보니 말로만 듣던 바늘도 있었다. TV 밑의 작은 장은 영화로 채워져 있었다. 그를 단조로운 워커홀릭으로 치부한 내가 아무것도 몰랐던 셈이었다.

끝의 진열장에 나란히 놓인 액자들에는 지금보다 젊은 한 팀장의 얼굴이 있었다. 다른 사람들과 함께, 또는 혼자 서서, 카메라를 웃지도 않고 정면으로 뚫어져라 응시하고 있었다. 그가 등진 배경에는 사막도 있었고 나무가 울창한 숲도 있었다. 그는 절벽 끝이나 바위 위에 아슬아슬하게 서 있기도 했고, 넘실거리는 푸른 바다에 허벅지까지 담그고 있기도 했다. 마지막 사진은 동굴의 커다란 입구 앞이었다. 고글 때문에 다섯 명 모두 얼굴이 가려져 있었지만, 가운데에 서서 스쿠버 슈트를 입은 게 그인 모양이었다.

"재밌습니까."

귓가에 대고 그가 물어서, 나는 어깨를 움츠렸다. 어느새 욕실에서 나온 그가 가운 차림으로 머리에서 물기를 털어 내고 있었다. 속 눈썹에 물방울이 매달린 그와 눈이 마주쳤다. 나는 심장이 갑자기 곤두박질쳐서 시선을 떨어뜨렸다.

"허락 없이 구경해서…… 죄송합니다."

"보라고 있는 겁니다."

그가 무심하게 답했다. 바짝 붙은 몸에서 뜨거운 물 향이 났다. 익히 아는 스킨 향이 났다. 나는 마른 입술을 혀로 축였다.

"취미가…… 많으시네요."

물러서서 아까 그가 앉아 있던 소파의 끄트머리에 엉덩이를 붙였다. 한 팀장은 장식장을 열어 내가 보던 액자의 귀퉁이를 반듯하게 정리하며 대답했다.

"예전에는 더 많았어요. 많이 줄인 겁니다."

"……일 때문에요?"

"그것도 있고."

그가 수건으로 머리를 문지르며 내 옆에 털썩 앉았다. 허벅지가 닿을 것 같은 거리였다.

"여행은 틈틈이 다니긴 했지만, 대학생 때 특히 많이 다녔습니다. 그땐 운동을 좋아해서, 특히 서핑이나 암벽 타기 같은 것…… 사진 찍는 것도 좋아했고. 틈만 나면 해외에 나가 있었던 것 같습니다. 그 것보다 정적인 취미는, 거의 삼십 대 들어서서 시작했고."

"……."

나는 미세하게 꼼질거려서 옆으로 움직였다. 그의 머리에서 튕겨

나온 물방울이 내 목덜미에 차갑게 닿았다. 하마터면 소리를 지를 뻔했다. 온몸의 털이 곤두서는 것 같았다.

한 팀장은 몸을 뒤로 기대고 시선을 나른하게 기울였다. 나를 보지 않고 나직한 목소리로 말했다.

"나는 호기심도 많고, 욕심도 많은 편이라. 예전에는 다 가 보고 다 해 보지 않으면 안 될 것 같은 강박이 있었습니다. 젊었을 때는 뭣도 모르고 혈기왕성해서. 지금은 많이 나아진 겁니다. 일에도 더 집중하게 되었고, 나머지는 몇 가지만 남겨 놓고 정리했습니다."

"……왠지…… 상상이 안 돼요."

어디서든 빈틈없이 고삐를 쥐고 있는 그에게 익숙해져서인지, 그는 늘 이렇게 차갑고 여유로웠을 것 같았다. 그가 내 말을 듣고 어이없다는 표정으로 웃었다.

"그건 또 무슨 뜻입니까."

"예전에 말씀하셨잖아요. 팀장님은 본인 한계를……."

그의 손가락이 내 뺨에 닿았다. 가볍게 쓸고 떨어졌다. 나는 앞을 보고 숨을 멈췄다. 여전히 입꼬리가 올라가 있는 그가 낮게 말했다.

"그 한계는 일일이 부딪쳐 가면서 파악한 겁니다. 일하다가 과로로 쓰러진 적도 있고, 사막에서 탈수증 때문에 죽을 뻔한 적도 있습니다. 빙하 녹는 걸 본다고 대기하다가 동상 걸린 적도 있고. 시행착오는 남들보다 녀 쪄였어요."

"……."

나는 몇 시간이고 집요하게 서서 빙하가 녹기를 기다리는 남자를 쉽게 상상할 수 있었다. 한 팀장은 아주 가까이에서 희미한 웃음기가 밴 눈으로 나를 보고 있었다.

"안 피곤합니까."

"……괜찮습니다."

"그럼 따라와요."

그가 먼저 일어나서 손을 뻗었다. 손목이 아프지 않게 잡혀 끌려갔다. 그가 데려간 곳은 계단이었다. 양말을 신은 발이 미끄러질까 싶어 그에게 붙잡힌 손에 힘을 주고, 다른 쪽 손으로는 난간을 잡았다. 그는 한 걸음을 나를 이끌어 계단을 오르게 하고, 그 위의 문을 밀어 열어 주었다.

침실이었다. 남색의 커버로 덮인 넓은 침대만 있는 단조로운 공간에도 좌우대칭의 섬세한 균형이 잡혀 있었다. 이곳이야말로 그의 성지였을 것이다. 요새의 중심. 나는 문턱을 넘어가지 못하고 머뭇거렸다. 그는 조명의 조도를 낮게 낮췄다. 그리고 첫날 그랬듯이 손을 뻗어, 아무렇지 않게 나를 방 안으로 끌어들였다.

문이 닫히는 순간 몸이 거칠게 밀렸다. 손목이 붙잡히고 입술이 겹쳐졌다. 뜨거워. 녹기 시작하는 머리로 몽롱하게 생각했다. 치약 향이 나는 뜨거운 혀가 내 입술을 벌리고 꿰뚫었다. 안을 집요하게 핥고 헤집었다. 흘러내린 타액으로 턱이 젖었다.

입안까지 온통 잡아먹히는 듯한 키스였다. 거칠게 입술을 빨아올리는 열기에 어지러워졌다. 나는 턱을 들어 올려 할 수 있는 대로 어설프게 그의 혀를 빨았다. 숨이 차서 헐떡거릴 때마다 그가 잠시 입술을 떼어 주었다. 코끝과 눈가를 간지럽게 핥으면서 내 옷을 벗겼다. 셔츠 단추가 손쉽게 풀어지고 맨 가슴이 드러났다. 그는 따뜻한 손바닥으로 배꼽 위를 문지르면서 나를 품 안으로 끌어당겼다.

그가 손목을 놔주자마자 더듬거리는 손가락으로 그의 가운 매듭을 잡았다. 푸는 동안 그는 내 바지와 속옷을 허벅지께까지 내리고 엉덩이를 세게 움켜쥐었다.

"읏."

손이 닿자 몸 안 어딘가에서 맹렬한 열기가 피어올랐다. 매듭을 풀려는 손가락이 달달 떨리자 그가 내 손을 치우고 대신 풀어 버렸다. 그의 가운, 발목에 걸쳐진 내 바지, 속옷이 침대로 이동하면서 하나씩 구겨지고 벗겨져 나갔다. 양말은 아직 신은 채였지만 벗을 여유가 없었다.

침대에 눕혀지면서 내가 헐떡이듯이 말했다.

"침대 주변이, 깔끔한 걸, 좋아하신다고."

널브러진 옷으로 침실 바닥이 난잡했다. 한 팀장은 혀를 내밀어 내 부푼 입술을 핥으면서 어이가 없다는 듯이 웃었다.

"별 걸 다…… 신경 쓰네. 여유롭습니까."

"으, 읏! 흐으……."

여유롭지 않았다. 머리가 순간순간 하얗게 비었다. 그는 양말을 신은 내 발목을 쓰다듬고 허벅지를 넓게 벌리게 했다. 입맞춤만으로 반쯤 서 있는 내 성기가 그의 단단한 복부에 비벼졌다. 타들어 갈 듯이 뜨거운 길쭉한 살기둥이 내 허벅지 안쪽의 연한 살에 닿고, 치덕치덕 문질러졌다.

"훗, 윽!"

"……젤도 없고, 아무것도 없고."

그가 내 허리를 잡고 기가 차다는 듯이 중얼거렸다. 흐릿해진 시야를 깜박이며 올려다보다가 눈이 마주쳤다. 내려다보던 한 팀장이 눈썹을 치켜 올렸다. 진득한 것이 고여 든 눈으로 내 입술을 콱 깨물었다.

"그런데 지금 그렇게 발정난 눈으로 보면 어쩌자는 건데."

"훗…… 제가, 언제."

"거울이라도 보여 주고 싶네."

회음부에 어느새 그의 묵직해진 성기가 문질러지고 있었다. 오므라든 입구를 미끌거리는 귀두가 덜컥 스치는데 심장이 쿵쿵 뛰어올랐다. 무서움의 언저리가 달큼했다. 아니, 이젠 무서움인지도 확실히 알 수 없었다.

"……저, 팀장님."

그의 아래서 다리가 넓게 벌어진 채로 숨 가쁘게 중얼거렸다. 그는 귓불을 뜨겁게 깨물며 물었다. 왜.

"저…… 다른 건 안 하고 그냥……."

"……매 맞고 싶다는 겁니까."

눈이 마주쳤는데 뺨이 상기된 이유를 들킬 것 같았다. 서둘러 고개를 저으며 그의 목을 끌어안았다.

"화나셨을 것, 같아서……."

오늘이야말로 엉덩이가 터지도록 맞겠구나 싶어 엘리베이터에서부터 마음 졸이던 내 우려는 다 어디로 갔을까. 그는 내 목덜미를 아프게 깨물면서 웃었다.

"걱정 말아요, 안 잊었습니다."

"훗, 으, 흐으."

"좆을 다 넣고 나서, 빨갛게 부을 때까지 볼기를 때려 줄 테니까."

"아앗! 흐아아…… 으으……."

몸이 어떻게 된 것 같았다. 말이 매라도 되는 것처럼 머리가 끓어오르고 엉덩이가 오므라들었다. 그는 골 사이로 성기를 뭉근하게 비벼 올렸다. 진득한 액으로 젖어 든 주름을 단단한 손가락이 파고들었다. 단숨에 뿌리까지 넣고 들쑤시듯이 문질렀다. 나는 몸을 뒤틀면서 그의 뜨거운 어깨에 뺨을 문질렀다.

좋아? 라고 그가 짓씹듯이 물었다. 두 개로 늘어난 손가락이 엉겨붙는 내벽을 잡아 벌렸다. 말라 있는 곳에 마찰로 열기를 지폈다. 아픈지 어떤지 알 수 없었다. 눈앞에 자꾸 하얀 게 터지고 호흡이 끊겼다. 어쩔 줄 몰라 매달리자 그가 입 맞춰 주었다.

둥글게 부푼 귀두가 주름을 밀어 열고, 안이 그의 모양대로 뻐근하게 벌어졌다. 뜨거운 살기둥이 몸 안에 자리 잡는 순간 나는 울음을 터뜨렸다.

"…… 아파?"

허벅지 안쪽을 더 난폭하게 잡아 벌리며 그가 물었다. 벌써 깊은 곳을 거칠게 들쑤시는 성기를 멈출 생각도 없으면서, 껍데기만 다정한 질문이었다. 나는 고개를 하릴없이 저었다. 그의 어깨 위로 뚝 뚝 눈물이 떨어졌다.

"그럼 왜, 웁니까. 좋아서?"

"훗, 흐아아, 으…… 웃……."

그가 성기를 깊숙이 밀어 넣은 채로 내 엉덩이를 내리쳤다. 화끈한 열기에 안이 오므라들었다. 그는 좁아진 안을 뚫듯이 성기를 빼 냈다가 삽입했다. 짝, 짜악, 연달아 매가 떨어졌다. 통증과 바짝 맞 닿은 열기였다. 엉덩이가 손자국으로 붉게 달아올랐다. 한 팀장은 예민해진 피부를 꽉 손가락으로 움켜쥐고 벌리면서 성기를 뿌리까지 눌러 넣었다. 몸이 빈틈없이 채워져 있었다. 배 속의 민감한 지점이 거칠게 드나드는 귀두에 콱 짓눌렸다. 엉덩이와 허벅지에 떨어지는 매를 맞으면서 나는 그가 만져 주지도 않은 성기로 사정했다.

그는 허락도 맡지 않았다면서 내 몸을 뒤집게 하고 엎드리게 시 킨 후에 때렸다. 아픈 매가 떨어지고 손가락이 젖은 안을 밀어 올리 다가 또 불기둥 같은 성기가 삽입되었다. 엉덩이도 안도 뜨겁게 부 어 욱신거리는데, 미끌거리는 마찰이 울음이 터져 나올 만큼 좋았 다. 몸이 점점 달아올라 급기야 아무것도 보이지도 들리지도 않았 다. 얽힌 몸이 타오르고 하얀 재로 사그라들었다.

사정하기 직전 성기를 한 번에 빼내서 매 맞아 부푼 엉덩이 위로 비빈 그가 빠끔 벌어진 주름 위로 뜨거운 정액을 쏟아 냈다. 흘러드 는 진득한 액체를 먹으려는 듯이 오므라드는 구멍에 손가락을 넣어 벌주듯이 거칠게 들쑤셨다. 나는 몇 번째인지 모르게 눈앞이 새까

매졌다. 견디기 힘든 쾌감에 숨을 멈추자 의식이 아예 날아갔다.

"……충분히 울었습니까?"

정신이 들자 그가 잠긴 목소리로 물었다. 몸이 이불과 그의 몸에 파묻혀 있었다. 고장 난 것처럼 끊임없이 흐르던 눈물도 멎어 있었다. 나는 대답도 못 하고 말없이 그의 목을 끌어안았다. 뜨거운 등에 떨리는 팔을 두르고 매달렸다.

내 턱을 들어 눈을 마주 본 그는 고민이라도 있는 것처럼 미간을 찌푸리고 있었다.

"들어봐요. 심각하게 고려 중인데……."

"……."

"내일은 오후에 출근하는 게 어떻습니까."

빨갛게 부은 엉덩이를 그가 손톱으로 느리게 쓰다듬었다. 그것만으로도 호흡이 떨려 나왔다. 그를 밀어내지는 못하고 작게 말했다.

"저는 그래도 되지만, 팀장님이……."

목소리가 경악할 정도로 쉬어 나왔다. 한 팀장은 탐탁지 않다는 표정으로 계속 내 엉덩이를 세게 주물럭거렸다. 무시 못 할 통증에 입술 안쪽을 깨물자, 어루만지는 손이 다정해졌다.

"엉덩이를 아무래도 더 때리고 싶은데."

"……."

"여기도 더 쑤셔 주고 싶고."

단단한 엄지가 훑듯이 퉁퉁 부은 주름을 쓸었다. 몸이 들썩거렸다. 눈이 한 번 더 길게 마주쳤다. 한 팀장은 입꼬리를 틀어 올리고,

453

손을 깔끔하게 떼었다.

"진짜 하겠네, 이러다."

"……팀장님."

"왜."

그의 손바닥이 등을 쓸어 주었다. 아이를 도닥이듯이 다정하게. 나는 입을 열었다가 다시 다물었다. 꺼내지 못한 말이 기도를 타고 흘러내렸는지, 가슴이 날카롭게 시큰거렸다.

팀장님, 하고 다시 느리게 말했다. 말꼬리가 축축하게 흐려졌다. 그는 별말 없이 등 아래쪽을 문질러 주며 낮은 목소리로 말했다.

"좀 자요. 내일 일 제대로 안 하면 나한테 진짜 혼납니다."

"……네."

"아침에 깨워 줄 테니까 걱정 말고."

말 잘 듣는 아이처럼 얌전히 눈을 감았다. 망설이다가 어디서 치솟는지 모르는 용기로 그의 어깨에 뺨을 기댔다. 그는 나를 밀어내지 않았다. 오히려 나를 더 가까이 끌어당겨 안아 주었다.

의식이 수면 밑으로 가라앉는 중에도 생각했다. 그에게 이 빚을 어떻게 해야 갚을 수 있을까. 힘겨운 아픔을 참아낸 후에야 받을 수 있을 거라고 생각했던 위로가 대가 없이 건네어진 기분이었다.

그는 아무것도 모르면서도 나를 안아 주었다. 쓰다듬고 입 맞춰 주었다. 평소라면 뜬눈으로 버텨야 했을 긴 밤에, 기적처럼 옆에 누군가의 체온이 있었다. 흔들림 없이 안아 주는 단단한 품이 있었다.

이 모든 게 나에게 어떤 의미였는지, 앞으로도 그에게 말할 수는 없을 것이다. 말한다고 해도 그는 이해하지 못할 것이다.

다만 나는, 나에게는.

지금까지, 이토록 내내, 누구도…….

맞닿은 가슴에서 심장 소리가 들렸다. 그가 없는 곳에서는 내내 말라 있던 눈꺼풀이 거짓말처럼 뜨끈하게 젖어 들었다.

〈토요일의 주인님 2권에 계속〉

토요일의 주인님 1

초판 1쇄 인쇄 2020년 9월 2일 **초판 1쇄 발행** 2020년 9월 10일

지은이 섬온화
펴낸이 연준혁

웹소설본부 본부장 이진영
책임편집 최은정
디자인 하은혜

펴낸곳 ㈜위즈덤하우스 **출판등록** 2000년 5월 23일 제13-1071호
주소 경기도 고양시 일산동구 정발산로 43-20 센트럴프라자 6층
전화 031)936-4000 **팩스** 031)903-3893 **홈페이지** www.wisdomhouse.co.kr

ⓒ 섬온화, 2020

ISBN 979-11-6525-340-0 04810
ISBN 979-11-6525-339-4 (세트)

이 도서의 국립중앙도서관 출판예정도서목록(CIP)은 서지정보유통지원시스템
홈페이지(http://seoji.nl.go.kr)와 국가자료종합목록시스템(http://www.nl.go.kr/
kolisnet)에서 이용하실 수 있습니다. (CIP제어번호: CIP2020036390)